# 65年間の歴史

**■ 電子化対策**

ペーパーレス、電子化時代に先駆けて、電子署名された証明書の発行を開始する。

**■ 渡航者健診センター開設**

海外赴任に特化した「渡航者健診センター」を設立。
VISA 取得に求められる薬物検査や HIV 検査などを迅速に対応できるようになる。

**■ 日本初の輸入ワクチン**

世界のワクチン基準にあわせる為、海外からの輸入ルートを独自に構築し、日本で初めて輸入ワクチンの取り扱いを開始。

**■ 留学ビザ専門部署開設**

渡航先から要求される書類の種類や提出先の多様化に対処すべく、クリニック内に留学ビザ専門部署を設ける。

**日本の未来に向け 新たなチャレンジ**

2021

2014

中東、東欧、アフリカ
アジア等、
渡航先ニーズ拡大

2010

グローバル化

2005

日比谷クリニック
SINCE 1960

■ 留学ビザセンター
TEL.03-3217-1105

■ ワクチンセンター
TEL.03-3215-1105

■ 渡航者健診センター
TEL.03-3212-0105

## - 赴任前から帰任まで。あらゆるシーンでサポートします -

### 赴任前サポート

海外赴任は準備が肝心。スムーズに赴任できるよう、煩雑な赴任手続について人事担当者様・赴任者様をサポート致します。

オリエンテーション

ビザ

### 赴任中サポート

海外生活の立ち上げから一時帰国、生活物資送付からいざというときの危機管理まで、赴任中のあらゆるニーズにお応えします。

医療手配

物資輸送

### 外国人招聘サポート

送り出しだけではなく受け入れも。外国籍の方の来日に際し必要なあらゆるサポートをワンストップで提供致します。

住宅斡旋

口座開設

### 海外引越・トランクルーム

渡航予定や会社制限に合わせて最適な輸送モードで対応いたします。トランクルームでは、長期保管をご利用いただけます。

海外引越

トランクルーム

### クラウドシステム上で一元管理

赴任前・赴任中・帰任時のそれぞれの手配業務を一元管理されたクラウドシステムから一貫してサポートします。必要データの取得、更新履歴の確認など、どのタイミングでも適切に管理できます。

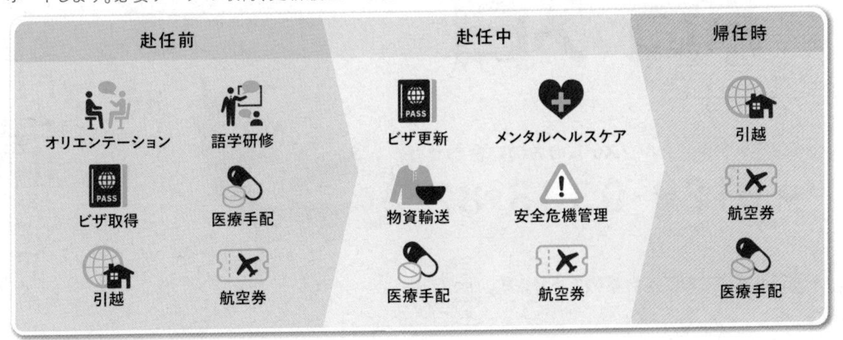


## - お問い合わせ -

日本通運株式会社　海外引越統括部

☎ 0120-834-822

受付時間 9:00～17:00 ※土・日、祝日、年末年始を除く

https://www.nittsu.co.jp/relocation/

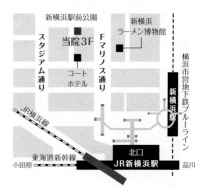

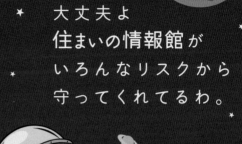

# 海外に行っても、選挙に行こう！

海外転勤や留学をされる皆様へ　**渡航前の申請をお忘れなく！**

## 海外で国政選挙に投票するための申請が国内でできます。

国外転出する際に、市区町村の窓口で申請しましょう。

### STEP 1　国外への転出届を出す際に、在外選挙人名簿への登録を申請する！

国内
（市区町村 選挙管理委員会）

〈申請の際に必要なもの〉

**【本人の申請】**・本人確認書類（旅券、マイナンバーカード、運転免許証、官公庁の身分証など）

**【申請者から委任を受けた方の申請の場合】**
- 申請者の本人確認書類
- 申請者の申出書
- 申請に来ている方の本人確認書類

在外公館での申請も引き続き受け付けています！

※在外選挙人名簿への登録を申請できるのは、国内の最終住所地の市町村の選挙人名簿に登録されている方です。
※申請できる期間は、転出届を提出した日から転出届に記載された転出予定日までの間です。
※申請は、申請者本人か、申請者から委任を受けた方ができます。

### STEP 2　外国に居住後、在留届を提出する！

在留届を提出

- 在留届で国外の住所を確認して名簿に登録しますので、忘れずに提出してください。
- 在留届は、最寄りの在外公館やインターネットで提出できます。

### STEP 3　在外選挙人名簿へ登録完了！「在外選挙人証」が発行される！

在外公館

- 国外の住所が確認されると、名簿に登録されます。
- 名簿に登録されると、「在外選挙人証」が交付されます。
- 在外公館から連絡があるので、最寄りの在外公館で、又は郵送在外選挙人証を受け取ることになります。

### STEP 4　在外選挙人証を持って投票する！

- 投票の際は、在外選挙人証が必要です。
- 国政選挙の際は、外国で、在外公館での投票、又は郵便での投票ができ

（一時帰国している場合は、国内でも投票できます。）。

※在外公館で投票する場合は、在外選挙人証と身分証明書（旅券など）を持参してください。
※郵便で投票する場合は、投票用紙等の請求を行う際に同封してください。
※国内で投票する際も、在外選挙人証を持参してください。

※詳しくは市区町村の選挙管理委員会にお問い合わせください。

2022年10月版

★「乗るピタ!」は、ドライバー保険に時間単位型ドライバー保険特約を付帯した契約のペットネームです。
★このチラシは概要を説明したものです。詳しい内容につきましては、「ご契約のしおり(約款)」「重要事項等説明書」などをご覧ください。詳細は、取扱代理店または損保ジャパンまでお問い合わせください。

引受保険会社

損害保険ジャパン株式会社

取扱代理店
株式会社JCM
東京都千代田区神田錦町3-13
URL : https://funinguide.jp/c/d_guide/view/000000193
TEL : 03-3219-1155
(SJ24-06104 2024.09.02)

# 海外赴任ガイド

はじめに

# 突然の海外赴任

ある日、突然の人事異動を告げられて、
海外赴任となった皆さま。
「転勤が決まった」
「どこ？」「海外・・・」「ええーっ！」
海外赴任経験者の皆さまも
そのときのことを思い浮かべて、おっしゃいます。
「最初に思ったのは、
家どうしよう、子どもどうしよう、安全は・・・」
「気持ちとしては、少し複雑で、
嫌でもないけど、
それよりも、驚きって感じ・・・」

今、このガイドを手に取られた皆さまも、数ヶ月後に始まる海外生活について、これまで変化してきたこと、これからまだ変わること、多岐にわたる情報に接しながら、準備を始められたことと思います。

海外生活のスタートは、毎日が新しいこととの出会い。その急激な変化に向き合いながら、生活を立ち上げるには、やはり事前の準備が要となります。刻々と変化する状況にフォローし続けるためにも、できる限りの準備を整え、出発したいところです。

そのためには、まず赴任地の情報収集が必要ですが、例えば住民票や納税、社会保険などの公的手続きをきちんと完了することや、海外の医療制度、感染症対策など家族も含めた健康管理やメンタルヘルスケアについて調べたり、さらに日本の住まいや日本で暮らす家族のケアについて十分に考えておくこと。また、お子様を帯同される場合には、帰国後までを見据えた教育方針を決めておくことも、大切な準備です。

そこでこのガイドブックでは、赴任地の詳細な情報はネットや他の情報源に譲り、一方で日本を出発するまでの限られた時間にやっておくべきこと、やっておきたいこと、そして最新情報を集めるために把握しておきたいことについて注目し、ご案内いたします。

来るべき海外生活をよりよくスタートさせるために。だからこそ、日本で済ませておくべき準備は完璧に。まずは出発までの数ヶ月間、準備のお供として、ぜひ、ご活用ください。

# 海外赴任ガイド 2025 CONTENTS

## CHAPTER 2 医療と健康



## CHAPTER 3 子どもの教育

海外赴任ガイド 2025 CONTENTS

# グローバルに活躍するために赴任前から備えておきたい「異文化適応」とは？

**海外赴任ガイド編集部**

取材協力
Cicom Brains
サイコム・ブレインズ株式会社

海外拠点の多様化とともに海外駐在員の数は増加し、コロナ禍以前の水準にまで戻りつつあります。積極的に海外へ進出する企業が増える中、赴任者には、文化や価値観の異なる人々と円滑にビジネスを進めることができる人材が求められています。日本では実績を上げた優秀な方であっても、赴任先では、日本と同じようなやり方で成功できるとは限りません。海外赴任が決まると、手続きや物理的な準備に追われがちですが、赴任先の地域、国民性、文化的価値観が日本とどのように異なるのかを事前に把握しておくことは、赴任後の現地スタッフとの良好な関係、円滑なコミュニケーション、その後のキャリアステップにも大きく繋がっていきます。そこで、日本人がグローバルなビジネス環境で活躍するために、赴任前の準備で必要な「異文化適応」についてご紹介します。

# 1 グローバルな環境で活躍するために必要な能力とは？

### ①「高い専門性」

→業界知識、職務に関する専門知識、経験、組織マネジメントスキル

### ②「普遍的なコミュニケーション力」

→語学力、様々な状況に応じたコミュニケーションスキル、マネジメントとしてのコミュニケーションスキル

## ③「異文化への適応力」

→様々な文化的背景を持つ人々に対する柔軟性、文化的な違いを客観的に分析し、他者に説明できる異文化に関する知識、価値観の違う他者と新しい価値を作り上げる努力を続けるタフネス（思い通りにならない事態が起きても簡単に折れないタフネス）

海外赴任にあたっては、①や②の高い専門性や経験、語学力など、高度な知識を備えていても、現地の人々との関係構築に苦心し、メンタルを病んだり、現地人とのコミュニケーションがとれない悩みを抱えたりするケースが多くなっています。その背景には、③の異文化への適応力が備わっていないことも起因しているようです。実際、海外赴任経験者へのアンケートでも、半数以上の人が、海外駐在に伴う労働環境の変化でストレスを感じており、そのストレスの要因として、「（現地スタッフとの）人間関係」と回答する人が半数以上となっています。文化的な価値観の違いによって起こり得るトラブルを回避したり、トラブルが発生しても柔軟に解決できるようになるためにも、「異文化への適応力」を高めることがとても重要になります。

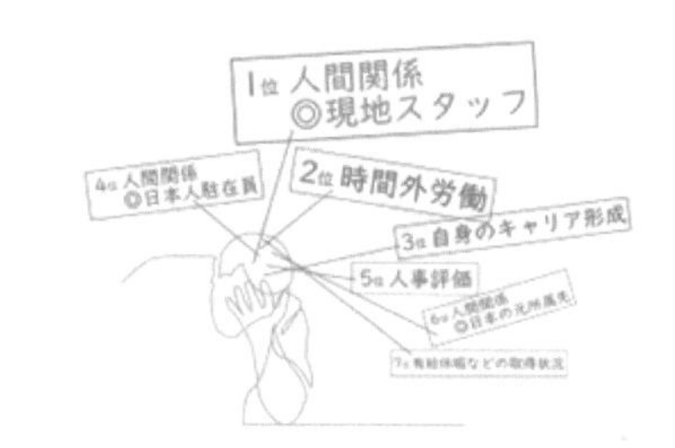


・語学力
・ビジネスシチュエーションに応じたコミュニケーションスキル
・マネジメントとしての知識に基づいたコミュニケーションスキル

・業界知識
・職務に関する専門知識、経験
・知識マネジメントのノウハウなど

・様々な価値観や文化的背景を持つ人々に対する柔軟性
・タフネス

# 2 異文化への適応をどう高めるか?

## 日本から見た各国の国民性や文化の違いを知ることが円滑なコミュニケーションに繋がる

異文化への適応力を高めるためには、相手の行動の裏に隠れている価値観を客観的に分析し、理解できるようになることが大切です。例えば、異文化研究から生み出された「フレームワーク」や「セオリー」を知識として学ぶと、客観的な分析ができるようになり、海外の方がどう思い、どう感じるのかをご自身で想像できるようになります。この“視点を切り替える”という思考の柔軟性や想像力を持っていれば、異文化で暮らす際に必ず受ける「カルチャーショック」や、本来の自分の力を発揮できない「カルチャーディスカウント」、違う価値感の中で蓄積されていく「文化的疲労」等のネガティブな事象を軽減することができ、本来の能力を発揮しやすくなります。

例えば、以下の表のように、日本人の特徴が、赴任先によっては、肯定的に捉えられる場合と否定的に捉えられる場合があります。視点によって違った見え方になるということを認識しておく必要があります。

| ポジティブ視点 | ネガティブ視点 |
|---|---|
| 真面目で謙虚 | 発言力が弱い |
| 協調性がある | 積極性がない |
| 我慢強い | 仲良し文化 |
| 規則を重んじる | 誰にでも完璧を求める |
| 時間に正確 | 変化に対して慎重 |

## 文化の違いを知る５つの指標

### 視点を切り替え、異文化の違いを知るためのわかりやすい「セオリー」や「フレームワーク」をいくつかご紹介します。

### ①感情表現の差異

＊フォンス・トロンペーナス氏のデータを参照しサイコム・ブレインズが作成

| 感情中立的文化 | 感情表出的文化 |
|---|---|
| 自分の考えていることや感じていることを表に出さない。 | 自分の考えや感情を言語媒体とともに非言語媒体を用いて表に出す。 |
| 冷静で沈着な振る舞いが尊重される。 | 熱のこもった活気にあふれた、生き生きとした表現が尊重される。 |
| 体に触れる、ジェスチャー、顔の表情を強く出すことは、タブーであることがある。 | 体に触れること、ジェスチャー、または顔の表情を強く出すことが普通のこと。 |
| 演説は単調に読み上げられる。 | 演説は流ちょうにまた印象に残るように熱弁をふるう。 |

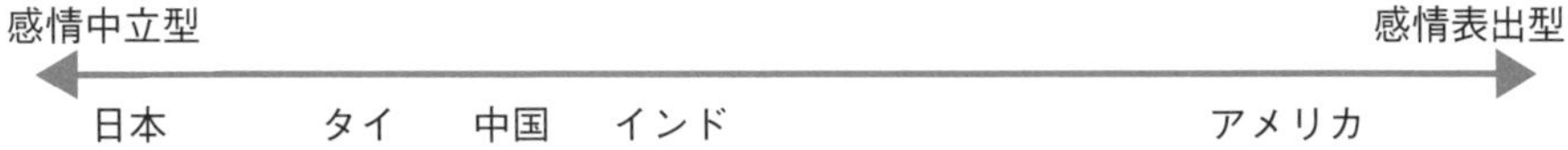

感情中立型 ⟷ 感情表出型

日本　タイ　中国　インド　アメリカ

### ②コミュニケーションの差異

＊エリン・メイヤー氏のデータを参照しサイコム・ブレインズが作成

| ローコンテクスト | ハイコンテクスト |
|---|---|
| 良いコミュニケーションとは、シンプルで明確なもの。メッセージは額面通りに伝え、額面通りに受け取る。 | 良いコミュニケーションとは、繊細で含みがあり、多層的であると考える傾向。メッセージは、はっきりと口にすることは少ない。 |

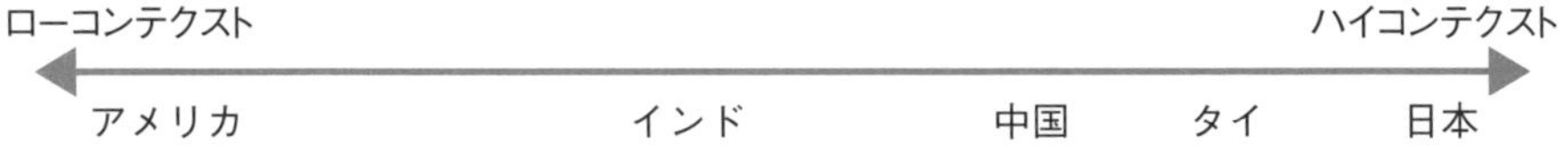

ローコンテクスト ⟷ ハイコンテクスト

アメリカ　インド　中国　タイ　日本

### ③不確実性回避度の差異

＊ヘールト・ホフステード氏のデータを参照しサイコム・ブレインズが作成

| 高い不確実性回避度 | 低い不確実性回避度 |
|---|---|
| 不確定要素はネガティブな存在で、不明瞭な環境やリスクを嫌い、差異は危険をもたらすと考える。規則と正確さを好む。 | 不確定要素は人生の特徴で、わからないことが起こるのは当たり前。ルールは不要なものであると考え、新しいアイデアや変化を好む。 |

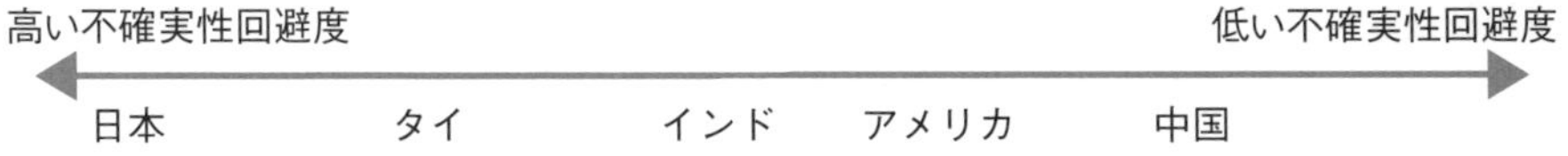

高い不確実性回避度 ⟷ 低い不確実性回避度

日本　タイ　インド　アメリカ　中国

### ④意思決定における差異

＊エリン・メイヤー氏のデータを参照しサイコム・ブレインズが作成

| 合意志向 | トップダウン式 |
|---|---|
| 決断は全員の合意の上、グループでなされる。 | 決断は上司やリーダーなど、個人でなされる。 |

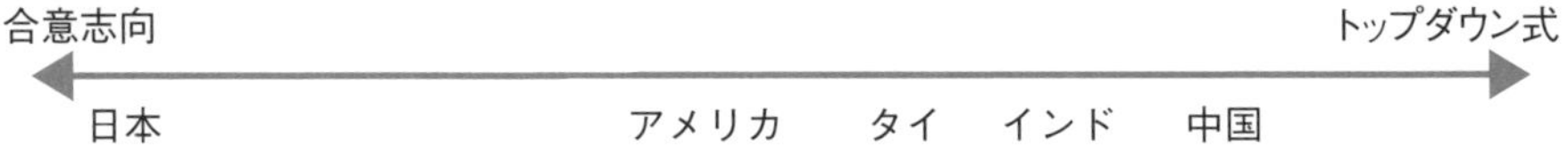

合意志向 ⟷ トップダウン式

日本　アメリカ　タイ　インド　中国

⑤時間感覚の差異

＊エドワード・ホール氏のデータを参照しサイコム・ブレインズが作成

| 単一的時間（M /Time） | 多元的時間（T /Time） |
|---|---|
| スケジュールや計画通りが大事 | 予定の時間は厳密ではない |
| 時間厳守 | スケジュールよりも人間関係が大事 |
| １つのことに集中 | スケジュールを良く変更する、同時に複数のことをする |
| 時間は結果を評価する際の重要な指針 | タイミングの方がタイムより意味がある |
| 他社からの干渉を嫌がる | 他者からの干渉に対して平気 |

M/Time ←→ P/Time

日本　アメリカ　　　中国　タイ　インド

これらの価値観の違いがわかる一例をご紹介しましょう。

**事例その1**

**赴任先の中国で、先約があるからと友達からのディナーの誘いを断る場合**

→「日本では先約があるなら仕方がない。約束を守る当然の行為でしっかりした人」という評価を受けるかもしれませんが、中国では「先に約束があるだけで断るなんて、友情を大事にしない冷たい人」という評価を受ける可能性があります。

**<対策法>**

⑤の時間感覚の差異を意識して、補足することで誤解を避けることができます。
先約という事だけではなく「家族の誕生日だ」「大事な取引先の社長との約束だ」等、友人よりも優先しなければならない理由を添えて説明しましょう。

# 3 文化的差異に対して、赴任者がやるべきことは？

2．でご紹介したような異文化を分析する知識やフレームワークの活用により、現地の方の価値観や評価ポイントは理解できるようになっていきます。しかしながら、駐在員は、現地について理解するだけでなく、差異を理解したうえで、日本文化に根差した「日本企業の特徴」を現地の方に分かりやすく伝えて、現地でしっかりと成果をあげられる組織を作ることが求められます。

そのために必要なのが「発信力」です。特に現地の方を説得する時には、価値観の差異を考慮したうえで、相手の視点に立って分かりやすく、日本文化や企業文化の特徴を伝えることが大切です。仕事の進め方に関する分かりやすい解決事案を例にご紹介しましょう。

### 事例その1

**◆アメリカでのトラブル**

アメリカの現地社員は、業務を進める際、進捗や課題などの情報を正確に報告しない。完了したとの報告であっても実際には終わっていないことがある。

**→背景＆理由**

アメリカでは「一度自分に任せられたタスクについては、最終的に目的を達成できればよく、中間報告をする必要がない」「トラブルは起きた際に対処すればよく、まだ起きてもいないトラブルについて、あれこれ予防策を考えるのは時間の無駄」と考えます。

**→解決ポイント：報連相（ホウレンソウ）を丁寧に説明する**

アメリカだけでなく、「不確実性の回避度の数値」が低い国では「ホウレンソウの必要性やタイミング、含めるべき内容を、丁寧に説明する必要がある」と考えておく必要があります。現地では、①“ホウレンソウ”をすることでプロジェクトや問題の責任が現場任せにならずマネジャーがサポートできるようになること、②中間報告を頻繁にすることで起きそうな問題の芽をつぶして効率的にプロジェクトが進められること、などを強調して、納得感を得られるまで説明する必要があります。

**→解決提案事例**

「日本企業ではトラブルが起きてから報告するのではなく、トラブルを未然に防いで効率的に物事を進めるやり方が評価されます。また、すべてトップダウンで決めるよりも、現場の状況や意見を取り入れて判断をすべきという考え方があり、それが今まで日本企業の品質管理の高さにも貢献している価値観です。そのため、大きな問題が無くても、定期的に進捗状況をチームに報告することで、他の部署も業務計画を立てやすくなるし、何か支援が必要になった時に、現場の声を聴いてもらいやすくなります」と説明。

### 事例その2

**◆タイでのトラブル**

アポイントの予定を急に変更したり、渋滞だったからという理由で遅刻をしたり、時間にルーズだったりすることが多い。

**→背景＆理由**

タイ人にとって最も優先すべきスケジュールは、「最初に入れたスケジュール」ではなくて、「その相手が自分にとってどれくらい重要なのか」で決まります。ですから、かなり前からタイのビジネスパートナーと面談のアポイントを入れていたとしても「政府の役人と会うことになった」というような理由で、直前で変更を求められることは良く起こります。

タイでは、渋滞は約束の時間に間に合わない十分な理由として受け入れられており、渋滞を加味して十分に早い時間に出発することは期待しにくいです。

→解決ポイント：スケジュール管理の重要性を伝える

M/Time、P/Timeの違いがスケジュール管理の違いとして表れます。日本はかなり厳しいM/Time文化を持ちます。そのため、日本人から見ると、P/Time文化圏の方は「時間を守らない」「直前でスケジュールを変更する」「同時に2つ以上のことをする」「顧客との面談中であっても同僚とチャットしたりしている」と感じられます。

→解決提案事例

時間を守ってほしい時は、単に「時間を守れ」と命ずるだけではなく、そのタスクの重要性、時間に遅れたり、時間が遅くなると起きる不利益についてしっかりと説明をすることが大切です。例えば、「明日の全社ミーティングでは社長から来期の戦略について重要な説明があります。開始は○○時ピッタリです。社長は次のスケジュールがあるので1時間で終了です」や、「明日の遠足では、バスは○○時ピッタリに出発します。なぜならば目的地でおいしいご飯を食べるには○時までに到着していることが重要だからです。○○時にいらっしゃらなければ、待たずに出発します」等です。タイ人でも時間を守る重要性がわかれば、優先順位を上げて対応するでしょう。

## 事例その3

◆中国でのトラブル

会議が「事前調整したことを発表する場になっている」と指摘される。また新しい事案に対して「本社の確認をしてからフィードバックする」というと不信感を持たれることが多い。

→背景＆理由

トップダウン式の傾向が強い中国で合意志向の進め方をしようとすると「自分で意思決定することができない」＝リーダーとしての能力が低いのではないかといったマイナスの評価を受けてしまいます。

→解決ポイント：日本的思考の“根回し”の進め方

日本は世界でも最も合意志向の強い国です。そのため、根回しで関係者の利害をしっかり調整してから決定するので、決定した後はスピーディに物事が進みます。しかし、日本以外の国では、リーダーが決定を下すトップダウン志向が強く、リーダーが決定してから物事の調整を始めることがほとんどです。

→解決提案事例

中国では日本よりも意思決定がトップダウン型でなされると同時に、不確実性の回避度が日本よりも低いため、一度下された決定が変更となることに違和感が低い社会です。こういったことを踏まえて、意思決定のスタイルを現地のスタイルに合わせるようにすることも解決策の一つでしょう。もしくは、「関係者全員が意思決定に参加するので時間がかかるように見えるが、一度決定した後の実施のスピードが速くスムーズである」という“根回し”のメリットを説明して、日本的な意思決定方法について海外の方に理解を求めましょう。

# 4 赴任心得のまとめ

赴任先で最初に行う行動に「自己紹介」があります。現地の人たちは「いったい自分たちにとってどんな役に立つことをしてくれるのだろうか」という期待をもって見ています。日本人が犯しやすい間違いとして、自己アピールをしない、必要以上に謙遜する、自分を卑下するような話をして笑いを取ろうとする、現地に対する親しみを込めてポジティブなことを言ったつもりが現地を見下したような発言になっている、といったことが多々あります。ぶっつけ本番ではなく、しっかりと準備して自己紹介に臨みましょう。

自己紹介の他にも、親しみを持ってもらえるようなコミュニケーションを意識することが大切です。そのための準備として「自己紹介のコツ」の表を参考にしながら、事前に調べておくと、関係づくりがスムーズにいきます。

文化的差異は問題の原因のひとつにすぎません。お互いの「完全な相互理解」という着地を求めず、常に「相互理解の途中にいる」ことを意識しましょう。また赴任者の重要な仕事のひとつに「相手の言語」「相手のロジック」「相手のスタイル」を持って自分のメッセージを伝え、ストーリーを語り続けること、があります。これを実行することによって、現地での高い評価の獲得と、グローバルなビジネス環境におけるキャリアアップにつながることでしょう。

| 現地での自己紹介のコツ！ | |
|---|---|
| ①相手の期待に応える | 自分の経験、能力、実績を誇りをもってPRする。 |
| ②共通点や興味関心があることを伝え、親しみを持ってもらう | 現地で使われている簡単な言語を覚える。政治・経済的な情報、現地で最も人気のあるスポーツやスター選手、人気のお店や料理などを調べる。 |
| ③ポジティブな内容に限定して話す | これからこの国で体験したいことについて具体的に話す。 |

| 対アメリカでの自己紹介事例 |
|---|
| 私は○○の分野で○年間の経験があり、手がけた代表的なプロジェクトには△や×があります。ここ●●で、自分の専門や経験を活かせることを楽しみにしています。 |
| アメリカと言えばスポーツ大国。野球が日本と同じように盛んですね。自分も野球が好きで、アメリカの○○というチームを応援しています…等、プライベートな内容でもOK) |
| アメリカのメジャーリーグの試合をたくさん見に行けることを楽しみにしています。またもしも地域のチームなどがあったら自分でもプレイしてみたいです。 |

特集②

# 直撃! 駐在直前インタビュー!!

M.Sさん：帯同家族
ご主人の仕事の関係で、2024年8月より家族帯同で駐在予定（駐在予定期間3～4年）
駐在先　イギリス/ロンドン市内
ご家族4人　長女：高校2年生、　次女：中学2年生、ペット：超小型犬
持ち家/自家用車所有

**Q. 海外赴任は何度目ですか？**

A. 長女が1歳くらいの時に2年くらいアメリカに赴任しておりました。その後、主人は10年ほど前に単身で3年間シンガポールに赴任していたので主人の海外赴任は3度目ですが、学生の子どもたち達帯同での本格的な海外赴任は今回が初めてです。

**Q. 赴任が決まって一番に気になったことはなんでしょうか？**

A. やはりまずは子どもたちの学校関係についてですね。
長女は、アメリカ留学経験があり、元々大学は海外の大学進学に興味があるので、その点ではとてもタイミングが良かったかなと思っています。ただ、イギリス英語にあまり馴染みがないので、苦労することは避けられないですし、海外大学に進学する為の色々な検定試験についてもまだまだ分からないことだらけで…これから色々と調べて、対策をしていくつもりです。
次女についてはまずは異文化での生活に馴染めるかが心配です。

**Q. お子様たちの学校は現地校、インターナショナル、日本人学校と選択肢があると思います、どれにする予定ですか？**

A. 二人とも受験を避けられない期間での駐在なので、悩んでいます。
長女は、先にも述べたように海外大学への進学に興味があるので、言葉の壁はあるかと思いますが、現地校に行かせ、海外大学受験に備える形になるかと思います。長女は*「ボーディングスクール」にも興味を持っているので、それも視野に入れて検討中です。

*ボーディングスクール：18歳までの生徒が学校で共に生活しながら学ぶ全寮制の寄宿学校

次女に関しましては、文化や習慣に慣れるまでは日本人学校に通うということも視野に入れています。
まだ本当に駐在が決まったばかりで、色々と調べ切れていないのが現状です。ネットの情報は本当に色々違い、参考になることも多いですが、逆に不安になることも多くて…幼稚園生や小学生ならそこまで悩まないようなことも色々とあり…本当に悩みます…

CHECK!
➡CHAPTER　3　【子どもの教育】
03：学校を選ぶ

**Q. 他に何か心配な点はございますか？**

A. 住む地域もまだ決まっていないので、どうやって探せばよいのか悩んでいます。一応、会社から情報はもらえますが、基本的に自分たちで不動産を探して決める形なので…

でも日本人の方は沢山いらっしゃるようなので、その方々から情報をもらいながら、探そう思っています。

子どもたちの学校のこともありますし、やはり治安のよい地域を選ばないといけないので慎重になりますよね…

> **CHECK!**
> **➡本編特集ページ「海外安全基礎知識」**
> **CHAPTER 5 「住宅」**
> **02：海外の住宅探し**
> **03：海外の不動産事情**

**Q. 犬を飼われているとのことですが、帯同予定ですか？**

A. 飛行機に乗せたこともなく、長い旅行にも連れて行ったことがないので、最初は両親に預けることも考えましたが、家を留守にすることが多く、預かるのは難しいと言われ、連れていく方向で考えています。

ただ、やはり初めての飛行機で貨物室に15時間以上閉じ込めるのは心配なので、客席に乗せられる航空会社を探しています。残念ながら、今現在イギリス便は客室のペット持ち込みが出来ないので、近隣国を経由するなど、色々と調べている最中です。

> **CHECK!**
> **➡CHAPTER 4 「引越し」**
> **02：荷物の送り方**

**Q. 日本の留守宅の管理はどうされる予定ですか？**

A. 家はそのままにして、近くに住んでいる姉夫婦に家の管理をしてもらう予定です。ロンドンはほとんどの家が家具付きなので、家具は全て日本に置いていきます。使用しない荷物は会社が契約しているトランクルームで預かってもらいます。

> **CHECK!**
> **➡CHAPTER 5 「住宅」**
> **01：日本の留守宅管理**
> **CHAPTER 4 「引越し」**
> **05：残置荷物と不要品**

**Q. 今現在、日本でお乗りになっているお車はどうされますか？**

A. 車の管理は父に任せており、渡英後に父の知り合いに売却予定です。渡英後に売却してくれるので、ギリギリまで車を使用できるのはとてもありがたいです。

> **CHECK!**
> **➡CHAPTER 1 「赴任の準備」**
> **02：運転免許と自家用車の処分**

お忙しい中、インタビューにご協力くださいましたM.Sさん。ありがとうございました。

海外赴任が決まったばかりの皆様もきっとM.Sさんと同じような不安をお持ちなのではないでしょうか？

本編はチャプター毎にそれぞれテーマ別に知りたい情報が満載。チャプターの後半にはそのテーマに合った専門機関もご紹介。
是非、皆様の新天地での生活のご準備にお役立てください。

# 被害者、年間1,317人※。「私は大丈夫」に用心を。

**日本の何気ない生活習慣も、海外ではトラブルのもとになりかねない。海外安全対策の第一歩は情報収集。知ることが自分の身を守ることにつながる。**

新型コロナ感染症の世界的な拡大がようやく収束の兆しを見せ始めた2022年。海外渡航者数が増加に転じたこともあり、年間約1,300人の邦人が海外で事故・犯罪等の被害を受けたと報告されている。安全対策の第一歩は情報収集、と言っても、集めるべき情報は多種多様。どんな情報が必要か、整理しながら準備を進めよう。ここではその第一歩として、一般でも手に入りやすい外務省が公開する情報を中心に紹介する。

■邦人被害があったテロ事件 (2013-2024年)

1. イナメナス：襲撃事件／アルジェリア (2013年1月16日)
2. 邦人殺害事件／シリア (2015年1月24日、2月1日)
3. チュニス：バルドー博物館襲撃事件／チュニジア (2015年3月18日)
4. バンコク：爆発事件／タイ (2015年8月17日)
5. ロングプール：邦人殺害事件／バングラデシュ (2015年10月3日)
6. ブリュッセル：爆発事件／ベルギー (2016年3月22日)
7. ダッカ：襲撃テロ事件／バングラデシュ (2016年7月1日)
8. コロンボ：同時爆破テロ事件／スリランカ (2019年4月21日)
9. ジャララバード：邦人襲撃事件／アフガニスタン (2019年12月4日)
10. カラチ：襲撃事件／パキスタン (2024年4月19日)

外務省領事局「2022年海外邦人援護統計」および提供資料より作成
※2022年の「事故・災害」と「犯罪被害」における援護人数の合計

## ■その他主なテロ事件(2019-2024年)

⑪ ロンドン：ロンドン橋での刃物襲撃事件／英国（2019年11月29日）
⑫ ウィーン：銃撃事件／オーストリア（2020年11月2日）
⑬ ニューヨーク：銃撃事件／アメリカ（2022年4月12日）
⑭ オスロ：バー銃撃事件／ノルウェー（2022年6月25日）
⑮ アルヘシラス：教会での刃物襲撃事件／スペイン（2023年1月25日）
⑯ ジャカルタ：移民収容センターでの刺殺事件／インドネシア（2023年4月10日）
⑰ ベオグラート：銃乱射事件／セルビア（2023年5月4日）
⑱ ジッダ：米国総領事館襲撃事件／サウジアラビア（2023年6月28日）
⑲ シーラーズ：霊廟襲撃事件／イラン（2023年8月13日）
⑳ ガザ近郊・テルアビブ：襲撃・ミサイル攻撃・拉致等事件／イスラエル（2023年10月7日以降）
㉑ ブリュッセル：銃撃事件／ベルギー（2023年10月16日）
㉒ クイーンエリザベス国立公園：外国人観光客殺害事件／ウガンダ（2023年10月17日）
㉓ パリ：刃物・ハンマーによる襲撃事件／フランス（2023年12月2日）
㉔ イスタンブール：教会襲撃事件／トルコ（2024年1月28日）
㉕ モスクワ州：商業施設での銃撃事件／ロシア（2024年3月22日）
㉖ チューリッヒ：刃物による襲撃事件／スイス（2024年3月2日）
㉗ シドニー：教会での刃物による襲撃事件／オーストラリア（2024年4月15日）
㉘ ブラチスラバ郊外：銃撃事件／スロバキア（2024年5月15日）
㉙ マンハイム：刃物による襲撃事件／ドイツ（2024年5月31日）
㉚ ゾーリンゲン：刃物による襲撃事件／ドイツ（2024年8月23日）



## ■邦人事故事例(2022-2023年)

㉛ 交通事故：歩行中の交通事故により、邦人1名が死亡（米国／コロラド州）
㉜ 水難事故：シュノーケリング中の事故により、邦人1名が死亡（モルディブ）
㉝ 交通事故：オートバイ運転中の交通事故により、邦人1名が死亡（米国／ハワイ州）
㉞ 交通事故：スクーター走行中の交通事故により、邦人1名が死亡（フランス）
㉟ 水難事故：マリンスポーツ中の事故により、邦人1名が死亡（インドネシア／バリ島）
㊱ パラグライダー事故：パラグライダー中の事故により、邦人1名が死亡（メキシコ）
㊲ 交通事故：歩行中の交通事故により、邦人1名が死亡（フィリピン）
㊳ 登山事故：登山中の事故により、邦人1名が行方不明、1名が負傷（パキスタン）
㊴ 水難事故：川を渡ろうとして高波にさらわれ、邦人1名が死亡（台湾／花蓮県）
㊵ 交通事故：観光客を乗せたワゴン車の交通事故により、邦人1名が死亡、7名が負傷（メキシコ／ユカタン）

# 1 ここは日本ではない。まずは海外モードに。

**日本人の被害例と対策を知り、日常生活を切り替えよう。**

外務省の「海外邦人援護統計」によると、パンデミック以前の2019年において犯罪被害で在外公館に援護された邦人は4,992人。その内訳は、窃盗被害が4,260人と大部分を占め、ついで詐欺被害が258人、強盗・強奪被害が241人と続く。

2022年の犯罪被害での援護数は1,205人と減少はしているが、国際的な人の往来は回復しており、また被害者数は増えていくだろう。海外赴任となると注意を払う場面が非常に多いが、日常的な犯罪対策についても今一度、「海外モード」に切り替えることで準備をはじめてほしい。まずは、どんな事例があるか、今一度、確認しよう。

## こんな事例がでている

2022年の統計における窃盗被害では、スリと置き引きが多数を占めている。事例としては、混みあったバス車内で集団に囲まれ財布をすられた、空港にて到着時にスーツケースを引き取っている間に、カートに置いたカバンが置き引きされた、レストランで食事中に、椅子にかけたジャケットのポケットに入っていた財布が抜かれた、など、いずれも長期滞在の海外赴任者でも十分に想定される被害だ。

また現地で車を運転する予定であれば、車上荒らしの被害も出ているので注意しよう。路上駐車をして買い物に出た少しの間に鍵が壊され、車内の荷物が盗まれていたケースや、ドアロックをかけずに運転していたところ、信号待ちで停車している間に後ろからオートバイで近づいてきた男にドアを開けられ、助手席の荷物を強奪された事例も過去に発生している。また、2022年の事故・災害被害による援護対象者は112人で、うち33人は交通機関による事故で、6人が死亡、9人が負傷している。一方で、スピード違反などの道路交通法違反で拘束され援護されているケースも発生している。

その他、法律や習慣の違いによるトラブルも発生している。旅行先の港の夜景が美しく、記念撮影をしたところ、警察官に止められカメラを没収された、あるいは、なんとなく撮影した市場の風景写真に、写り込んだ人々が集まってきて無断で撮影したことに抗議し、最終的には撮影料を支払ったなど、写真撮影ひとつにしても、トラブルの可能性はある。多くの国で、軍事施設や港湾、空港、大統領施設などは保安上の理由から撮影禁止となっている。

### 調べる① 安全対策の基本

海外安全対策の基本をまとめた**「海外安全 虎の巻」**。渡航前に確認しておきたいポイントや、ケーススタディとして、さまざまなトラブル例が幅広く掲載されている。
外務省の海外安全HPや海外安全アプリからダウンロードが可能。巻末には在外公館リストも掲載。

「海外安全 虎の巻」表紙
外務省海外安全HPより

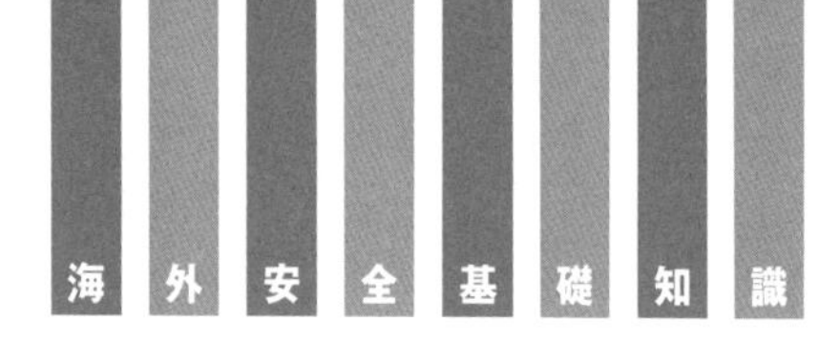


## 2 赴任地を知る。自分が生活する姿もイメージして。

**地域の特徴、住居を選ぶポイント、運転ルール。文化の違いについても確認を。**

自分の身は自分で守る、は海外安全の鉄則。いずれの被害も、ちょっとした油断や、情報の不足などが原因の場合が多く、日頃から緊張を保って行動することと、適切な判断ができるよう十分な情報を得ておくことが、海外安全の基礎になる。

### 多岐にわたる情報源。まずは「海外安全ホームページ」を確認。

何より知っておくべきなのは、赴任地の治安状況だ。最近の犯罪の傾向や手口、法律や習慣を事前に熟知しておくことで多くの被害を防ぐことができる。また、感染症拡大の影響については、その国の対策・仕組みについてよく理解し、いざと言うときに動けるようにすることが肝要だ。

とはいえ、多岐に及ぶ情報源がある中で、どのように情報を集めていけば良いか。一般的に手に入りやすい情報源は外務省の「海外安全ホームページ」。各国の基本的な安全情報と、今現在注意したい内容の両方が手に入る。ここで赴任国の事情を把握しておくと、別の情報源へ広がっていく上でも便利だろう（「調べる② 海外安全ホームページ」参照）。

海外赴任者の場合、すべてに目を通して欲しいが、基本的な情報を把握するにあたっては、「安全対策基礎データ」と「安全の手引き」を熟読しよう。これらは世界各地の在外公館が編集して作成したもので、治安情勢の基礎知識のほか、主な病院リスト、現地警察連絡先、知っておくべき現地の習慣・法律がまとめられている。同時に、今現在の安全状況を確認するために「危険・スポット・広域情報」も見ておこう。地図上で各地域の危険レベルが表示されており、発出中の最新情報も見ることができる。

また、各地の在外公館Webサイトも確認を。管轄地域内の邦人被害の報告や、在留邦人向けに実施される滞在国における安全対策セミナーなどの案内があるので、到着後、すぐに活用できるようにしたい。

### 最新の情報は、「たびレジ」の活用を。

基本的な情報が把握できたら、最新の情報で常に更新を。ここでは「たびレジ」が便利だ。

「たびレジ」は外務省の安全情報配信サービス。メールアドレスと、情報を希望する国・地域等を登録すれば、在外公館が発出する治安情報（「調べる③　領事メール」参照）を受け取ることができる。細かいところでは、発生中の事件事故についての速報なども含まれる。

登録は渡航前からいつでも可能。複数の国を選択することもできるし、日本国内の家族と情報を共有したい場合には、一緒に簡易登録しておくと、同時にメールを受信することができる。赴任国のほか、出張先、旅行先なども登録しておこう。

なお海外赴任者の場合、企業側で民間の危機管理サービスを利用して、治安情報の収集にあたっている場合もある。その点は必ず、渡航前に人事担当者と確認して情報を共有しておこう。

## 海外生活スタート。最新情報をチェックしよう。

**悲観的に準備し、楽観的に行動する。気を引き締めつつ、楽しい海外赴任生活を。**

いよいよ海外赴任がスタート。準備してきた情報や知識を生活に取り入れ実践していこう。夜間の外出は控える、人通りの少ない路地は避けるなど、基本的な対策を実行することが重要だ。

さらに到着後は在外公館をはじめ、日本人会、企業連絡会、学校の友達や近隣に住む現地の人など、周囲のネットワークの中で情報を得る機会が増える。現地メディアからの情報も得ることができるだろう。これらは日頃の情報源として非常に大切だが、噂や偏った情報が混ざっている場合もあるので、どこから発せられたのか、どのような経緯で入手したのかを確かめ、見聞きしたものに対し冷静に判断するよう心がけよう。また、人々との交流やつながりを持つことは、いざという時に助け合うためにも大切だ。日頃からお互いの安全を守るため、協力する姿勢をぜひ大切に。

ここまで読んできただけでも、注意すべきこと、知るべき情報が多く、疲れてしまうかもしれない。実際、海外生活する数年間、継続して緊張を保つのはかなりの負担になる。なので、趣味の活動を継続する、定期的に運動するなど、気分転換にも工夫を。ストレスをうまくコントロールして健康を保つことも安全対策になる。

特に環境が流動的なパンデミック以後、メンタルケア対策も海外安全につながっている。Chapter2-6「海外生活メンタルヘルス心得」も参照しよう。

### 領事メールを受信する。

2019年4月にはスリランカのコロンボで同時爆破テロ事件が発生した。「調べる③」の図は、この事件が発生した時に、在スリランカ日本国大使館が邦人向けに発出した安全情報（領事メール）だ。この領事メールは、このような緊急事態発生時に状況の詳細情報を提供するほか、安否確認などの事件発生後のケア、さらにデモや集会の予定などの注意喚起といった情報も知らせてくれる。領事メールは「在留届」を現地大使館に提出した在留邦人と「たびレジ」に登録した旅行者宛に配信されている。

### 何か起きたら、どうする?

万が一、テロに遭遇したとき、事故にあったとき、また自分ではなく家族が巻き込まれたときはどうするか。緊急事態にそなえた準備をしておくことも必要だ。

まず緊急連絡先リストは自分で作成しておこう。在外公館、現地勤務先、日本の本社、子どもの学校、医療機関、警察や消防署、航空会社、加入している保険会社やアシスタントサービスなどの住所や連絡先をまとめ、手帳やメモに記録して持ち歩く。スマホなど電子機器に登録するだけでは、電源がなくなった時に対応できないので注意。国際電話の使い方も確認しておく。

## 調べる② 海外安全ホームページ　www.anzen.mofa.go.jp/

海外安全ホームページでは、各国の安全情報を閲覧できる。まずは赴任国のページを見てみよう。各国の情報は現在以下の6つのカテゴリーで発出されている。

上記はアメリカ合衆国の地域情報ページの例。各国の情報がカテゴリーごとに閲覧できる。目的別のページでは案内冊子のダウンロードも可能。

**●危険・スポット・広域情報**

今現在の危険度について「危険情報」と「感染症危険情報」の2つに分けて発出される。

「危険情報」は、内乱、テロ情勢、各国の政治・社会情勢などを総合的に判断し発出され、安全対策の目安をお知らせするもの。

「感染症危険情報」は、新型コロナウイルス感染症を含む危険度の高い感染症に関し発出されるもの。各国の地域別に発出されるので、勤務地・居住地・近隣の地域なども確認できる。

また「スポット情報・広域情報」「現地大使館・総領事館等からの安全情報」の欄では、外務省・在外公館等が現在発出している情報を掲示。これは「領事メール」（次ページ「調べる③」参照）として発出されたものなので、発出と同時に受け取るためには「たびレジ」に登録するか、渡航後に在留届を届け出ること。

**●安全対策基礎データ**

各国の犯罪発生状況のほか、入国審査、風俗・習慣、現地の警察等、滞在中の緊急連絡先、在外公館連絡先などがまとめられている。

**●テロ・誘拐情勢**

各国のテロ・誘拐事件における特徴がまとめられている。手口の詳細、犯罪組織名、あるいは日本人・日本権益に対する脅威などに分類し説明。

**●安全の手引**

各在外公館が独自に作成している「安全の手引」。現地で注意すべき犯罪手口、交通ルール、また現地在留邦人の被害の情報など、現地滞在者目線の情報がまとめられている。

**●医療事情**

現地でかかりやすい病気、怪我に関する注意喚起のほか、一部医療機関連絡先の紹介、現地で推奨される小児予防接種の紹介など。

**●緊急時の連絡先**

現地警察、在外公館等の連絡先一覧。

なお、現地安全情報は在外公館HPにも掲載されているので、こちらもチェックしておこう。

また緊急事態には大使館から連絡がくることもある。もし在留届の届出内容に変更があった場合は、なるべく早く変更を届け出よう。

## 調べる③ 「領事メール」と在留届

右のメールは、2019年4月のスリランカ・コロンボにおけるテロ事件発生時の、在スリランカ日本国大使館からのメールだ。

【緊急】コロンボ市内ホテル等での爆発事件

●コロンボ市内複数ホテルや郊外教会等で爆発事件が発生し，複数の死傷者が発生。
コロンボ市内複数ホテルや郊外教会等で爆発事件が発生し，複数の死傷者が発生しているとの情報が入っております。
・当地にいらっしゃる邦人の皆様におかれましては，不要不急の外出（特に人混み）を避けるとともに，ニュース等で関連情報の収集に努めてください。
・邦人の皆様で，本件に関する情報（特に邦人被害に関する情報）をお持ちの方は，大使館までご連絡ください。
　電話：(国番号９４)１１－２６９－３８３１
メール：ryoujivisa@co.mofa.go.jp
【参考報道】
◎スリランカ首都などで複数の爆発
　ロイター電によると，スリランカのコロンボなどの地域で複数の爆発が起きた。ロイターと提携するＡＮＩがスリランカメディアの報道として伝えた。警察筋によれば，スリランカの教会２カ所とコロンボのホテル２カ所が爆発の直撃を受けた。
　コロンボ（スリランカ）発のＡＰ電によると，スリランカの教会１カ所が２１日，爆発の直撃を受け，礼拝者の中に死傷者が出た。

現地の大使館および総領事館では、在留邦人向けにメールによって現地最新治安情報を発信している（領事メール）。在留届を提出してアドレスを登録すれば受け取ることができる。配信されるのは治安情報（事件の発生とその後の経過、交通ルールの変更、デモの予定、外出禁止令など生活に関わる法律の発布など）のほか、緊急事態発生時にはメール返信による安否確認や、大使館の行事や在外選挙のお知らせなども含まれる。また治安情報については「たびレジ」の登録者も、同じ情報を受信することができる。

海外赴任者の場合、渡航前から在留届を提出して領事メールを受信するのがよいだろう。

また、「海外安全ホームページ」の各国の「危険・スポット・広域情報」にて、過去に発出された領事メールを閲覧することができる。

在留届

## 調べる④ 「たびレジ」

「たびレジ」は外務省の海外安全情報サービス。3か月未満の海外渡航者向けであるが海外赴任者の場合、在留届を提出している国・地域から出張、旅行する場合は登録を。

外務省公式YouTubeでは「たびレジ」・在留届の広報動画を公開しているので確認しよう。

「たびレジ」の登録はこのマークを目印に。

たびレジ

## 調べる⑤ テロ・誘拐対策の指南書

海外でのテロ・誘拐等の有事の対策を、劇画とともに分かりやすく解説した「ゴルゴ13の中堅・中小企業向け海外安全対策マニュアル」。2016年7月の邦人7名が犠牲になったダッカ襲撃テロ事件をきっかけに作成された。安全対策に欠かせない治安情報の収集方法の解説のほか、空港やホテルでの注意事項や、万が一襲撃された場合の初動体制等をチェックリスト付きで紹介している。

本マニュアルは、外務省の海外安全HPからも閲覧可能。外務省公式YouTubeでは動画版も公開中。

© さいとう・たかを

「ゴルゴ13の中堅・中小企業向け海外安全対策マニュアル」表紙

CHAPTER

# 赴任の準備

海外赴任準備の第一歩は計画づくり。社会保険、納税に関する公的手続き、日本の家族との連絡方法の確認…出発前に何をするべきかを考えて、予定を立てよう。

# 01 パスポートとビザ



### まずパスポートを

海外で日本国民としての身分を証明する公文書がパスポート。出入国に必要な大事な書類なので、まだ所持していない場合はすぐに取得手続きを進めよう。また海外旅行などで、すでにパスポートを持っている人も有効期間が十分にあるか、取得時から住所や姓名など戸籍上の変更がないかを再度確認し、切り替え申請や登録内容の変更手続きなどを済ませよう。幼児ももちろん取得する。サイン代筆などが必要なので、右頁コラムを参照しよう。

また海外赴任者は必ずビザを取得する。観光など短期の滞在であれば、ビザがなくても入国できる国が多く、あまりイメージがない人もいるかもしれないが、居住や就労目的の長期滞在の場合、ビザは必要だ。パスポートがないとビザの申請ができないので、早い段階で確認しよう。

### まだ有効なパスポートは

パスポートは有効期間が1年未満になると更新（切替申請）ができる。ただし、有効期間が1年以上残っている場合でも、海外赴任で長期滞在する予定であれば、赴任命令書などを提出することで更新できる。そのため、帰国予定前に期限が切れてしまうようであれば、出発前に更新しておこう。

なお、海外赴任中にパスポートを更新する際は注意が必要だ。一時帰国で更新の場合は、2週間程度の滞在を計画すること。また更新されたパスポートは番号が変わるので、すでに発給されたビザについて、変更手続き等が必要か、必ず赴任国の大使館等に確認を。在外公館でもパスポートの更新は可能だが、手続きの詳細は在外公館ホームページ等で早めに確認すること。

### パスポートを申請する

各都道府県や市区町村の旅券申請窓口で申請する。（2023年3月から、全ての都道府県においてマイナポータルを通じたオンライン申請が開始された。原則、切替申請が対象。2025年3月下旬から対象を拡大し、新規申請も可能となる。）申請してから受領までは1週間～10日程度かかる。長期連休前などは混み合い、それ以上かかることもある。

なお申請は代理人が行うことも可能だが、受領は必ず本人が行かなければならない。引越し準備等で多忙な時期だが、予定に組み込んで、取りに行けるようにしよう。

### ビザを取得する

必要なビザの種類や申請方法は国によって異なる。申請時には通常、申請書、パスポート、写真のほかに勤務先の推薦状、戸籍謄本、保険の加入証明、銀行残高証明、南米やアフリカなどでは黄熱病の予防接種証明などを用意する。新型コロナウイルスの感染拡大に伴う追加書類についても確認を。通常、勤務先が旅行代理店等を通じて手配する場合が多いが、書類の用意を依頼されるので、覚えておこう。

また帯同者のビザは就労が認められていないケースが多い。現地で就労を希望する場合、ビザ条件を早めに確認すること。

## 知っておきたいキーワード パスポート申請

### 申請に必要な書類

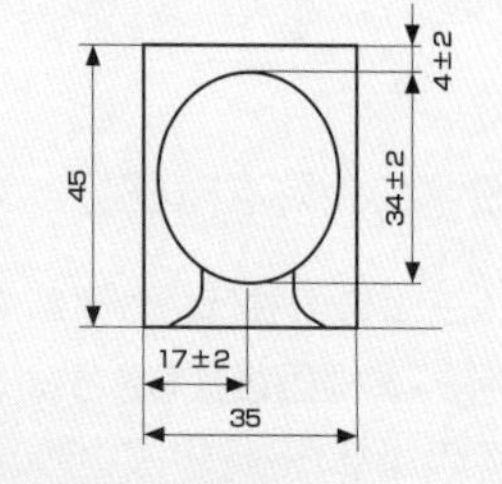


1. 一般旅券発給申請書1通：申請書ダウンロード（Web入力対応）可能。手書き書式申請書は各旅券申請窓口に備えてある。
2. 戸籍謄本1通：発行後6か月以内のもの。ただし、まだ有効なパスポートから切り替え申請する場合に、氏名や本籍地に変更がなければ省略できる。
3. 写真1枚：各寸法を充たし、正面上半身、無帽、無背景で6か月以内に撮影したもの。
   詳細：http://www.mofa.go.jp/mofaj/files/100171389.pdf
4. 本人確認書類　※有効な書類の原本に限る。
   ①1点でよいもの（一部のみ掲載）
   有効なパスポート、失効後6か月以内のパスポート、マイナンバーカード（個人番号カード）、運転免許証、船員手帳など
   ②2点必要なもの／Aから2点、またはAとBの各1点
   A:健康保険証、国民健康保険証、共済組合員証、船員保険証、後期高齢者医療被保険者証、国民年金証書（手帳）、厚生年金証書、船員保険年金証書、恩給証書、共済年金証書、印鑑登録証明書（実印も必要）等
   B:学生証、会社の身分証明書、公の機関が発行した資格証明書等　※いずれも写真貼付。
5. 以前に取得したパスポート:
   無効の処理をされた上で返却される。有効なパスポートがある場合にはそのパスポートがないと申請できないので注意。
6. 住民票の写し1通:
   住民票の住所を管轄としない窓口で申請する場合（例:東京都以外に住民登録をしている方が東京都内の窓口で申請する場合）や、住基ネットシステムでの検索を希望しない場合に必要。

※都道府県によって対応が異なるので、詳細は申請先のパスポートセンターに確認すること！

### 受領時に必要な書類

申請時には、代理人申請（代理人の本人確認書類等が必要。）が可能だが、受領時は次のものを持って、本人が必ず交付（申請）窓口に行かなければならないので注意。

1. 申請の時に渡された受理票（受領証）
2. 手数料　10年間／16,000円（18歳以上）、5年間／11,000円（12歳未満は6,000円）

（注）手数料額は2023年度時点のもの

### 未成年のパスポート取得

18歳未満の未成年者についても、マイナポータルを通じてオンライン申請が可能だが申請者が15歳未満の場合には、親権者による代理提出が必要。15歳〜17歳については本人による申請も可能だが、その場合には、親権者その他の法廷代理人による同意書（様式は外務省ホームページからダウンロード可能）を併せて提出する必要がある。

# 02 運転免許と自家用車の処分



## 日本の免許を確認

日本の免許はいつ更新するか事前に計画を。本帰国後はもちろん、赴任地・出張先での運転、一時帰国中の運転などで必要となる。出国前に更新しておくか、一時帰国を利用して更新するが、後者の場合、住所の確認について追加書類が必要なので注意（表①）。

## 現地で運転する

多くの長期赴任者が現地の運転免許を取得して運転している。取得方法は、渡航後に試験を受ける、日本の免許から現地の免許に切り替えるなど、各国・各地域で方法が異なる。詳細な書類の準備も含め、前任者や勤務先に相談する、あるいは在外公館のWEB等で情報を集めよう。

一方、国際運転免許証を日本で取得して運転する方法もある。ただし運転できるのはジュネーブ条約締約国に限り（参照:警視庁WEB「国外運転免許証が有効な国（ジュネーブ条約締約国一覧）」）、有効期間は1年。赴任地以外でも出張等で運転する場合には便利。国内の運転免許センター・試験場・指定警察署で申請する。

なお、交通事故、信号待ちを狙った強盗、スピード違反で取り締まりを受けるといった事例もある。外務省や在外公館WEB等で現地の運転事情についても情報収集を。

## 自家用車の処分

処分する場合は、売却するか、知人に譲る。出発直前まで車を使う場合、どのタイミングで引き渡すか、よく考えておこう。

売却の場合、海外赴任者専門の買取サービスが便利。各種手続きの代行に加え、出発直前まで車が使えるよう配慮してくれる。

### 表① 車の免許はいつ更新する？

| | |
|---|---|
| 出発前に更新 | 海外赴任のため、規定更新期間内での更新が難しいと判断される場合、更新期間前であっても免許の更新ができる。「特例更新」または「期間前更新」という。通常の更新手続きに加え、パスポートや出張命令書など、更新期間に日本を不在にする証明となるものを持って行く。また、免許の有効期間が通常よりも短くなるので注意。 |
| 一時帰国中に更新 | 規定の更新期間内に一時帰国する。あるいは一時帰国中に「特例更新」をする。ただし、国外転出届を提出し、住民票が海外居住になっている場合、まずは記載事項変更の届出を行い、一時滞在先を臨時の住所として登録した上で更新できる。通常の提出書類に加え一時滞在先の証明書（本人宛の郵便物や滞在先が作成したもの）を提出する。 |
| 失効してしまったら | 失効後の3年以内で、かつ帰国後1ヶ月以内に更新と同じ検査・講習手続きをすることで、免許を取得できる。ただし、過去に一時帰国して更新していなかった場合には受け付けられない場合があるので注意。また、海外の免許を所持し、一定の条件を満たしている場合、日本の免許に切り替えが可能。この場合新しい免許の発行となり、失効した日本の免許とは別のものになる。 |

警察庁Webサイトを参考に作成
「海外滞在中で日本の免許をお持ちの方」 https://www.npa.go.jp/policies/application/license_renewal/living_abroad.html
制度は変更の可能性がある。必ず、更新手続きを行う予定の免許更新センターに確認を。

知人に譲る場合は、自動車の名義変更手続きを行う。なお、印鑑証明書は出国届を出すと取得できないので注意（下のコラム参照）。

自家用車を赴任地に持って行く場合、専門業者に問い合わせる他、赴任地で十分なメンテナンスが可能か含めて計画を。

### 自動車保険の中断証明

自動車保険の等級（無事故割引）は、いったん解約してしまうと、次回契約時に継承できない。しかし、保険会社が発行する「中断証明書」があれば、次回契約時に等級を継承することができる。

取得方法・必要書類は保険会社によって異なる。一般的に、保険契約の満期日または解約日から13か月以内に申し出が可能。証明書の有効期限は10年で、帰国後1年以内に再加入する最初の契約で使用できる。ただし、中断前と中断後の、契約者・被保険者（車の主な使用者）・所有者は、それぞれ同一でなければならないので注意。なお、割引率によっては中断証明書が取得できない場合もある。

また、保険契約者の出国後、家族が国内でしばらく自動車を使用し、遅れて出国する場合には、家族の出国時に中断証明書が発行される。

## 自動車の売買等による移転登録（名義変更）

**届け出先**

自動車:国土交通省の居住地管轄の運輸支局へ。
軽自動車:軽自動車検査協会へ。

**必要書類の例**（必ず管轄の運輸局に確認しよう）

**旧所有者が用意するもの**

①申請書　②手数料納付書　③自動車車検証（紙）／電子車検証（車検の有効期間のあるもの）
④印鑑証明書　発行3ヶ月以内のもの（転出届を届け出後は発行されない。この場合、渡航後に現地領事館でサイン証明書を取得する※海外赴任専門の車買取業者への相談を推奨）
⑤譲渡証明書:所定の書式に実印を捺印　⑥印鑑（実印）
※車検証記載の住所から変更があった場合は、住民票等の住所を証明する公的書面が必要。

**新所有者が用意するもの**

①印鑑証明書　発行3ヶ月以内のもの　②印鑑（実印）　③自動車保管場所証明書　発行1ヶ月以内のもの

**必要費用**

登録手数料　500円　ナンバープレート交付手数料　約2000円
環境性能割（旧自動車取得税）　各都道府県の定める税額

**注意**

＊他の管轄の運輸支局から転入した場合、ナンバープレートも変更するので、自動車の持ち込みが必要。
＊本人が申請できない場合には所定の委任状を用意する事で、代理人に申請を依頼する事も可能。
＊新所有者と新使用者が異なる場合は追加の提出書類がある。
参考Webサイト　国土交通省「自動車検査登録総合ポータルサイト」
https://www.jidoushatouroku-portal.mlit.go.jp/jidousha/kensatoroku/

海外赴任専門だから、サポート力が違います。

# 車買取ならJCMの「海外赴任Carサポート」

### 出発間際まで車は使っていたいけど、直前の売却で本当に大丈夫？

いざ海外赴任の準備が始まると、何かと大忙し。市役所に出かけたり、買い出しに行ったりするので車は出発間際まで使いたいですよね。そんな中、車の売却はどうするかお決まりでしょうか。車の売却は、単純に車両を引き渡せば良いというものではなく、名義変更手続きを行うため、様々な書類の準備が必要です。さらに海外赴任者の場合、通常と異なる対応が必要なことも。また、もし車の名義人がすでに出国済みの場合には現地領事館でのお手続きも必要ですが、これらのご案内は、海外赴任者の対応に不慣れな業者では難しい場合があります。

### お客様の渡航スケジュールを踏まえ、専門スタッフがご提案

JCM「海外赴任Carサポート」では海外赴任の事情に精通したスタッフが、ご本人様とご家族の渡航スケジュールを踏まえ、お車売却の最適な段取りをご提案。諸手続きも代行します。また、一般的にはお車の査定から引き渡しまで3日～1週間程度ですが、JCMならご出国当日に空港や宿泊先など、お客様ご指定の場所まで引取りに伺うので、出国直前のタイミングまでお車を使うことが可能です。

### 取引実績は2,000社。海外赴任専門として35年以上の実績をもとに赴任者をサポート。

JCMは海外赴任者を多く派遣する企業、官公庁、団体にご利用いただいており、海外赴任者の車買取では国内最大級の実績を誇ります。

「安心して出国直前まで車を使いたい」。そんな海外赴任者様の声から生まれたJCMの「海外赴任Carサポート」。赴任が決まったら、まずはお気軽にご相談ください。

# 03 生活関連手続き

## 確認と計画

出発までに何をするべきか。時間は限られているので、やるべきことはしっかり整理し、効率的に準備を進めていくことがポイント。まずは巻頭「海外赴任準備チャート・出発までのチェックリスト」で赴任準備の全体を把握し、いつ・何をするか、自分の計画を立てよう。

特に、住民票や納税などの公的手続き、銀行や生命保険等の契約の確認・届け出、サブスクリプションサービスの解約など、細々とした手続き関係は、きちんと済ませておかないと何かと厄介。漏れのないようリストアップして、ひとつひとつ解決しよう。

引越し・住宅・教育・医療の準備は、各章の基本情報を踏まえてから計画作りを。

## 海外で継続して利用できるか

ネット経由のサービスは海外で利用できるか確認を。動画配信、電子書籍は日本国内からのアクセスに限定されているものが多い。SNSやチャットアプリは海外からでも気軽に連絡できる点で便利。アカウントの整理、知人への連絡をして、渡航後すぐ使えるようにしておこう。

さらに、持っているスマホがeSIM対応なら、日本国内でeSIMを購入設定してから行けば便利だ。eSIMに対応していない場合でも、SIMフリーのスマホを使うことで、現地の通信事業者と契約して手軽に使い続けることができる。(右記参照)

## 留守中の連絡先を依頼する

海外赴任中の国内連絡先は、各種手続きで確認されるので、早めに決めておこう。国内銀行口座、保険契約などいろんな場面で届け出・確認がある。両親や兄弟に依頼すると良いだろう。

また渡航後には、買い忘れた日用品や学用品、戸籍謄本など、日本でしか手に入らないものが必要になることもある。連絡先を依頼すると同時に、買い物や手続きの代行もお願いしよう。費用の精算方法、国際郵便の選び方・利用方法、海外の住所の書き方、などを打ち合わせておく。

## 国内の家族の介護

海外赴任中でも対応できるよう準備する。主なポイントは介護保険制度の仕組みを理解しておくことと、ケアマネージャーとの連携について準備しておくこと。

介護保険制度による介護サービスを利用するには、介護認定の申請が最初の手続きとなるが(右頁下「お役立ちコラム」参照)、海外赴任者の場合、まずは地域包括支援センターやケアマネージャーなど、専門の窓口に相談しよう。赴任前にできることは何か、その後の連携をどうするかなどを相談し、必要に応じて介護認定の申請など、準備を進める。

ケアマネージャーとの連携は、海外とのやりとりでもスムーズに進められるかを念頭に準備する。デイケアや各種サービスの利用は全てケアマネージャー経由での手続きになるので、渡航前に連絡方法や懸念事項などを打ち合わせておき、できるだけ不安を解消しておこう。



## 海外で携帯を使う

### 日本で契約か、現地で契約か

海外で携帯を使う場合、3つの選択肢がある。使用料金を比較すると、長期滞在の場合は①が最も経済的だ（表①）。

**①現地携帯会社と契約**　現地の電話会社で契約し、現地の電話番号を使用する。※日本で使用している電話機器がSIMフリーであれば機器は継続して使用出来る（下記参照）。

**②日本の携帯で国際ローミングを利用する**　日本で契約している携帯電話をそのまま海外に持ち込み使用する。日本で使っている電話番号が使用出来る点は便利だが料金は高額。支払いは日本の携帯電話会社へ。

**③日本で海外携帯をレンタル**　空港等で受け取り返却ができるので便利。現地の電話番号を使用する。料金は国際ローミングと同等程度。短期の出張等でよく利用される。

**表①各使用料金の比較**

| | 渡航先での通話料金 | 渡航先のデータ通信料金 | 日本語サポート（問い合わせ・相談） |
|---|---|---|---|
| ①現地携帯契約 | 安価 | 安価 | × |
| ②国際ローミング | 高額 | 高額※プランによる | ○ |
| ③海外携帯レンタル | 高額 | — | ○ |
| 参考:海外WiFiレンタル | 非対応 | 安価 | ○ |

情報提供:兼松コミュニケーションズ

### 日本で使っているスマホを使う

国内で使用しているスマホがSIMフリーの場合は、念の為、現地の周波数に対応しているか確認する。スマホの対応周波数はメーカーWEBサイトで確認でき、現地周波数は現地携帯電話会社のWEBサイト等で確認できる。また、SIMロックのスマホを使っている場合は渡航前にSIMロック解除の手続きをしておく。

お役立ちコラム

### 介護保険制度の利用方法を確認する

**●介護認定の申請からサービス利用まで：**流れとしては、介護認定の申請→調査（職員の自宅訪問、主治医の意見書作成）→介護認定の結果通知→ケアマネージャーとケアプランの作成→サービス利用開始、となる。申請から認定まで1か月程度。認定区分は要支援1～2、要介護1～5。また認定外の「非該当」となった場合でも、介護予防サービスなどを受けることができる。

**●地域包括支援センター：**介護に関する相談、申請等手続きは、まず「地域包括医療センター」に問い合わせる。介護を受ける人の居住区を管轄するセンターがどこにあるか確認しておこう。介護認定の申請から、ケアマネージャーの紹介、ケアプランの作成等を対応してくれる。

# 04 公的手続きの確認

## 海外居住の手続き

海外居住に伴い、住民登録、保険制度、その他公的制度における変更手続きが必要だ。ここでは住民登録と保険制度について確認しよう。納税（Chapter1-5）、免許（Chapter1-2）についても、並行して確認を。

## 国外転出届

1年以上日本を離れ、海外に居住する場合、市区町村に国外転出届を提出する。これにより転出証明書が発行され、住民登録が抹消される（住民票の除票）。受付は出発の2週間前から。手続きに必要な書類は居住する市区町村に必ず確認を。また住民票の除票に伴い、以下にも注意する。

### 1. 印鑑証明書

住民登録とともに印鑑登録が抹消され、印鑑証明書は取得できなくなる。車の名義変更など急に必要になる場合もあるので、抹消前に取得することも考えておく。有効期限は印鑑証明を請求する側が定めるので注意。また渡航後なら代替となる署名証明が在外公館で取得できる。

### 2. 選挙権

国外転出届を提出すると、4か月後に国内の選挙人名簿から抹消される。海外から投票するには在外選挙人名簿に登録する必要があり、国外転出届と同時に登録申請ができる。出国前に申請しなかった場合は、渡航後に現地の在外公館にて登録申請を行う（Chapter6-2「在外選挙」参照）。

### 3. マイナンバーカードの国外継続利用

国外転出者向けマイナンバーカードを取得する。
国外転出前に有効なマイナンバーカードを持っている場合、以下の手続きをすることで国外転出後も継続してマイナンバーカードを利用することができる。

①国外転出届出時に、マイナンバーカードを提出する。
②市区町村が券面に「国外転出　〇年×月△日」と追記し、ICチップ内の住所の記録を変更する処理を行う。
③市区町村が国外転出者向けの電子証明書を発行する。
④返却された国外転出者向けマイナンバーカードは国外転出後も利用可能となる。

※以上の手続きを行わないまま国外転出をすると、マイナンバーカードは国外転出予定日に失効するので注意。なお、転出後に海外から国外転出者向けマイナンバーカードの申請をすることもできるが、この場合、手数料がかかってしまうことも。

**参考webサイト**：地方公共団体情報システム機構「マイナンバーカード総合サイト」
**https://www.kojinbango-card.go.jp/apprec/abroad/other/**

## 在留届

旅券法第16条の規定により、海外に3か月以上滞在する日本人は、在外公館に「在留届」を提出することが義務付けられている。これは在外公館が在留邦人の緊急連絡先等を把握し、邦人の安全を守るべく必要な対応ができるよう、在留邦人自身が現地に滞在している事実を届け出るものだ。

在留届はオンラインで届けるものと、在外公館にて書面で提出する2通りの方法があるが、オンライン在留届であれば日本出発の90日前から、住所が決まっていなくても提出することができたり、現地でパスポートや証明書のオンライン申請が可能となるなど、利便性が高いため、海外渡航が決まったらすぐにオンラインで在留届を提出しよう。在留届を提出すれば、日本を出発する前から、安全情報や海外生活に有益な情報をメールで受け取ることが可能となる。

## 公的保険制度・社会保険

国外転出届を提出して海外居住となっても、企業で加入している社会保険の被

### 「在留届」に関する注意事項

**届出方法**

①インターネット「オンライン在留届（ORRnet）」で届け出る。日本出発の90日前から提出可能。参考Webサイト:外務省「オンライン在留届」(右QRからもアクセス可能) https://www.ezairyu.mofa.go.jp/RRnet/index.html

②在外公館の窓口で所定の用紙に記入し届け出る。

③郵送で在外公館に送付する。(遠方で窓口まで出向いて届け出できず、また、オンライン在留届も利用できない場合のみ)

**在留届の基本的な目的**

①海外での大規模な事件、事故、自然災害等の緊急事態が発生した際、大使館や総領事館等の在外公館が在留邦人の安否確認等を行うため緊急連絡先を確認する資料となる。

②大使館や総領事館等の在外公館から在留邦人に対し、緊急時を含む連絡を行う必要が生じた場合、在留邦人の連絡先を確認する資料となる。

③在留邦人のための各種支援対策を政府が検討する際の基本的資料となる。

**注意：在留届の抹消**

以下に該当する場合、在留届が抹消されることがあるので注意すること。なお、抹消された場合でも、抹消以降も海外に在留していることを証明できれば、在留届を回復してもらうことができるので、当該期間に在留していたことを証明できる書類を揃えて、在外公館に相談しよう。

①在留届に登録されている滞在終了予定日から、1年以上経過した場合

②在外公館から、1年以上の期間にわたり、連絡を取ることができない場合

③日本の市区町村に転入届を出し、又は日本に入国後1年以上出国しないなど、生活の本拠が日本にあると判断される場合

④パスポートの有効期間満了日から1年以上経過している場合

⑤在留届に登録された住所に居住していない場合

保険者資格は、海外赴任中の雇用関係によって継続の可否が判断される。基準となるのは、給与の支払い元、金額、その割合など。人事担当者に確認しておこう。また、資格を喪失する場合には個人での手続きが必要。海外居住者となるため、限定される部分もあるので、詳細に確認を(表①)。

**①健康保険**

海外居住者は国民健康保険に加入できない。組合健保は企業との雇用関係継続により被保険者資格があれば継続可能。

**②厚生年金／国民年金**

厚生年金は被保険者資格が継続する限り、海外赴任中も継続できる。

国民年金は海外居住者の場合、強制加入被保険者ではなくなる。継続加入したい場合は市区町村で任意加入手続きをする。年金保険料は国内の親族が代理で支払う、または国内口座からの引き落としを選ぶ。なお海外赴任中に国民年金に加入しない場合、その期間は受給資格期間の合算対象になるが、受給額には反映されない。

**③介護保険**

海外居住者は適用除外。保険料の支払いについては「介護保険適用除外等該当・非該当届」を提出することで、免除される。

## 帯同に伴う退職

配偶者が帯同に伴い退職する場合、雇用保険受給期間の延長を申請できる。制度上、離職後30日を過ぎてから4年以内に申請する。ただし、申請が遅くなると受給期間に影響する可能性があるので、赴任前に手続きしよう。必要書類は海外赴任命令書、海外渡航を証明できるものなど。申請する場所によって異なる場合があるので、事前に管轄ハローワークに確認を。

お役立ちコラム

### 社会保障協定

海外で就労する場合、基本的にはその国の社会保障制度に加入しなければならない。この場合2カ国分の保険料を負担することになる場合がある。ただし「社会保障協定」を結んだ国で就労する場合には、どちらか一方の国の社会保険制度に加入することで、一方は免除される。詳細な制度や手続きは各国共通のもの・それぞれ個別に定められたものがあるので確認しよう。以下のWEBサイトで、国ごとの条件等を確認できる。

参考Webサイト　日本年金機構「社会保障協定」 https://www.nenkin.go.jp/international/agreement/index.html

表①社会保険はどうなる?チェックリスト

| | 被保険者資格が継続している場合 | 被保険者資格を喪失した場合 |
|---|---|---|
| 例 | 在籍出向で国内企業から給与が一部又は全部支払われている場合 | 在籍出向で国内企業から給与が全く支払われない場合、移籍出向の場合 |
| 健康保険 | 継続(日本帰国時も国内勤務時同様、健康保険が利用できる。海外では「療養費」扱いとなり、海外でかかった療養費はいったん本人が全額立替えし、後日一部療養費として健康保険から支給される(ただし、支給される療養費は、実際に支払った金額ではなく、日本の医療機関で治療を受けた場合の保険診療料金を基準として計算される。)。) | 継続できない。対応策:<br>①任意継続被保険者手続を行う<br>ただし、健康保険の被保険者資格喪失日から最長2年間しか加入できない。<br>②国民健康保険に加入<br>市区町村に住居する者が対象のため、住民票を除票していると加入できない。 |
| 介護保険 | 海外では介護保険サービスは適用除外。ただし、住民票を除票していれば、一部例外を除き、介護保険料は支払う必要がない。 | 海外では介護保険サービスは適用除外。保険料も不要。(ただし、国民健康保険に加入している場合は、住民票の除票ができないため、国民健康保険料と併せて介護保険料も納付しなければならない。) |
| 厚生年金 | 継続(国内払い給与に対応した保険料を支払う。) | 継続できない。対応策:国民年金に任意加入。 |
| 雇用保険 | 継続するが、失業給付等は帰国時しか受給できない。 | 原則的には継続できない。 |
| 労災保険 | 適用対象外(労災保険は属地主義のため、海外勤務時は原則的に対象外)対応策:労災保険の海外派遣者特別加入制度を利用。 | 同左(移籍出向の場合は、労災保険の特別加入もできない。) |

東京三菱UFJリサーチ&コンサルティング(株) 藤井恵著「海外勤務者の税務と社会保険・給与Q&A 五訂版」より引用
海外での医療負担に対する健康保険の利用についてはChapter1-8「加入保険の確認と手続き」参照。

# 05 海外赴任中の納税

所得税、住民税、固定資産税／都市計画税について確認を。海外居住でも課税対象の場合がある。必要事項は人事担当者や税務署に問い合わせよう。

## 所得税

「日本国内の会社に勤めている給与所得者が、1年以上の予定で海外の支店などに転勤しまたは海外の子会社に出向したりする場合があります。このように国外に居住することとなった人は、国外における在留期間があらかじめ1年未満であることが明らかな場合を除いて原則として、所得税法上の非居住者と推定されます。会社からの給与だけでほかの所得がない給与所得者を前提としますと、非居住者が国外勤務で得た給与には、原則として日本の所得税は課税されません。」※国税庁タックスアンサーNo1920「海外勤務と所得税額の精算」より

このように1年以上の海外赴任で得た企業給与は基本的には所得税の対象にならない。ただし、不動産所得など国内で得る別の所得がある場合は別途手続きが必要だ。以下の例にそって確認を（図①）。

**①所得が企業給与のみの人の場合**

海外赴任中は所得税の課税対象となる所得はない。出国前に年末調整と同じ方法で控除の申請などを行う。

**②給与以外にも所得がある人の場合**

海外に居住していても日本国内で発生する所得（国内源泉所得）は課税対象。海外赴任中に賃貸している自宅の賃料による不動産所得などはこれに該当する。そのため「納税管理人」を出発前に税務署に届け出し、確定申告の代行を依頼しよう。

なお、日本法人の役員が出向する際の役員報酬等については課税対象となるので、別途税務署に詳細の確認を。

## 住民税（地方税）

住民税は、原則として毎年1月1日におけ

### 納税管理人の届け出

「納税管理人」とは国内不在の非居住者に代わって、確定申告の手続きを行い、さらに納税の手続きなども代行するものだ。赴任者が不在の間、納税に関する書類は納税管理人に郵送される。法人、個人いずれに依頼しても問題ない。親族や企業に依頼する場合が多いようだ。

納税管理人は代行する税によって届け出先が違う。所得税など国税の場合は所轄の税務署長に、住民税など地方税は市区町村に届け出る。手数料は無料。届け出書は、国税庁Webサイト、市区町村のWebサイトからダウンロードする。忘れずに手続きしよう。ちなみに、日本語入力が可能なパソコン、インターネット環境が整っていれば、国税電子申告・納税システムe-TAXで確定申告が可能。

参考Webサイト:国税庁「所得税・消費税の納税管理人の選任届出又は解任届出手続」
https://www.nta.go.jp/taxes/tetsuzuki/shinsei/annai/shinkoku/annai/07.htm

る住民登録に準じて課税される。仮に12月31日に出国した場合、翌年の住民税支払い義務はないが、年が明けて1月1日に出国した場合は支払い義務が生じる。

また、企業が給与から納税額を差し引いて住民税を収める特別徴収の場合、海外勤務中も特別徴収を継続するのであればよいが、継続されない場合には個人が納税手続きをする必要がある。このとき、赴任者は市区町村に納税管理人を届け出し、納税手続きを依頼する。

### 固定資産税・都市計画税（地方税）

国内に所有する固定資産(土地、家屋)には、非居住であっても固定資産税・都市計画税が課税される。市区町村に納税代理人を届け出し、納付を代行してもらう。

図① 海外赴任中の所得と納税

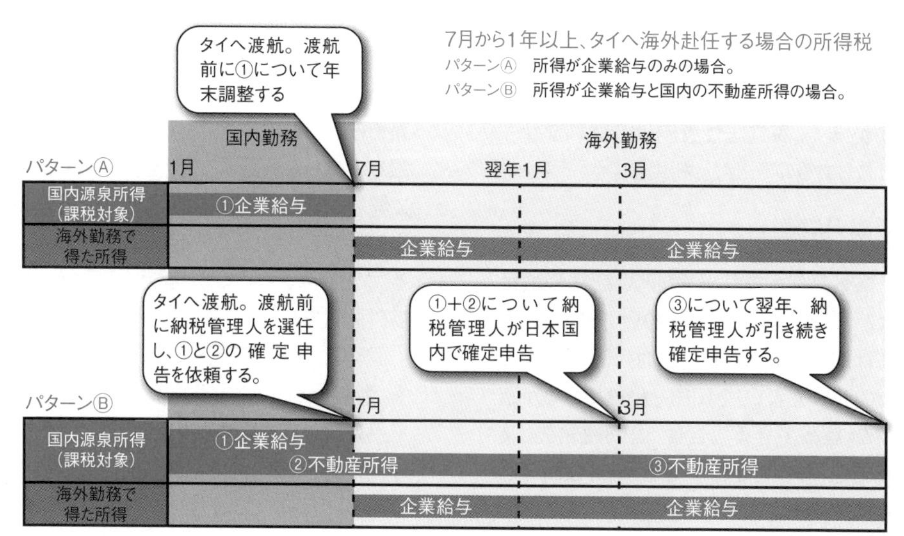


お役立ちコラム

## 所得税に関する参考資料

国税庁Webサイトのタックスアンサー「海外勤務になったとき」を参考にしよう。以下ではその一部を紹介する。詳細な手続きは必ず管轄の税務署や市区町村に問い合わせを。

①「No1920　海外勤務と所得税額の精算」
海外勤務者の所得税について、特に給与所得のみの場合を説明。年末調整の詳細などを紹介している。図①パターンⒶの場合はこちらを参照しよう。

②「No1926　海外転勤中に不動産所得などがある場合」
こちらは海外居住の間に国内で発生する不動産所得の課税と手続きについて。図①のパターンⒷはこちらに該当する。同じく課税対象になる不動産の売却（No1932）、株式譲渡（No1936）についても該当する場合は確認しよう。

③「No.1929　海外で勤務する法人の役員などに対する給与の支払と税務」

# 06 お金の手続き

## 出発前の確認事項

海外赴任中は現地銀行口座を開設の上、現地クレジットカードを利用するのが一般的。開設方法は前任者や勤務先に相談しよう。通常、渡航直後に開設するので、必要書類は出発前に調べておきたい。

一方、日本国内の口座やクレジットカードは、更新手続などを出発前に必ず済ませよう。また、海外居住者向けの便利なサービスもあるので、ぜひ、利用しよう。

## 日本の口座

海外赴任中でも、家賃収入、所得税納付など、日本国内でのお金の動きがある。まずは取引銀行に、海外居住（日本の税法上の非居住者）でも口座を継続できるか確認を。継続できる場合は、国内連絡先、渡航先住所、などを届け出る。海外住所など渡航後に決定する部分は、後日忘れずに届け出よう。なお非居住者は、投資信託など一部の取引が制限されるので、合わせて確認を。

また、海外居住者向けサービスの充実度は銀行によって差があるので、そちらに重点を置いて新規口座の開設を検討することも一考。特に、海外からでも残高照会や送金ができるネットバンキングは非常に便利。申し込みは通常、出発の数週間前まで可能。渡航後はできない。

そのほかに、持っていて便利なのはデビットカードだ。クレジットカード感覚で支払い時に使用し、口座から即座に引き落とされる。国際ブランドのカードであれば、世界中の加盟店で利用できる。

## クレジットカード

日本のクレジットカードは住所変更を届け出ておく。明細や更新カードが旧住所に発送されてしまうので忘れずに。明細はネットで確認できるようにしておこう。また、更新カードはどのように受け取るか、有効期限を考慮して計画する。出発前に繰り上げて発行してもらう、あるいは国内連絡先の人に保管してもらい、一時帰国時に受け取る、などが考えられる。一部カード会社では海外発送を行っている。

同時に、カードの付帯サービスも再確認を。海外旅行、レストランの手配を日本語で受け付けるコンシェルジュサービスやラウンジサービスが便利。また航空会社のクレジットカードではラウンジ利用や無料受託手荷物の許容量が増えるなど特典があり、国際便の利用が多い場合に便利。

## 海外送金

赴任中は、日本から赴任地へ、あるいは赴任地から日本へ、生活費や学費を海外送金する場面が出てくる。出発前には必ず送金方法、仕組み、各種手数料を確認しておく。特に海外送金はマイナンバーの登録・告知が必要だ。まだ届け出てない場合は、出国前に済ませておこう。

また、念のため国内連絡先を依頼してい

る人にも、海外送金の方法について一緒に確認をしておこう。

### 現金両替

出発前に一定額は現地通貨の現金を用意しておく。両替は、銀行窓口で行うほか、外貨宅配サービスが便利。ネットで注文し、自宅まで外貨を宅配してくれるので、出発前の準備で忙しい時期には嬉しいサービスだ。銀行、旅行会社などが提供している。

### 国際プリペイドカード

事前に専用アカウントを開設してお金をチャージしておく。渡航後は、クレジットカードのように使用し、チャージした金額から引き落とされていく。現地口座の開設までの間に利用すると便利。ただし、基本的には海外旅行者向けサービスなので、海外居住者はサービス対象外。出張など場面に合わせて検討しよう。

## 各種サービス例

ここでは、各サービスの一部を紹介する。サービスは変更される可能性があるので必ず問いあわせよう。

**海外赴任者向けネットバンキングサービス**

企業から派遣された赴任者に限定して、日本の口座の継続と、ネットバンキングサービスを提供。
三菱UFJ銀行:グローバルダイレクト　出国予定日の2週間前まで受付
三井住友銀行:SMBCダイレクト・グローバルサービス　出国予定日の3週間前まで受付

**デビットカード(国際ブランド)**

お買い物に利用でき、支払額が即座に口座から引き落とされる。国際ブランドのものであれば、世界中の加盟店で利用可能。
SMBC信託銀行プレスティア:GLOBAL PASS®(多通貨Visaデビット一体型キャッシュカード)」
三菱UFJ銀行:三菱UFJデビット(JCBまたはVISAデビットカード)　他

**国際プリペイドカード**

海外旅行者や留学生向けが多い。ネット等で事前に開設したアカウントに希望の金額をチャージしておき、ATMや支払いに使用する。
JAL Global WALLET、CashPassport 他

**クレジットカードと付帯サービス**

JCBカード
世界各都市に設置された「JCBプラザ」が利用できる。日本語で現地レストランの予約や旅行手配などのサポートがうけられる。
JALカード
空港ラウンジ利用や海外旅行保険特典など。またドル決済型の JAL USA CARD は渡米90 日前から申し込み可能。
ANAカード
海外旅行保険、ラウンジ利用などのほか海外赴任サービスとして超過手荷物料金一部免除サービスなどが利用できる。また、アメリカ・中国・台湾・香港在住者向けのカードも発行されている。

# 07 出発前の語学学習



## 赴任前の語学学習

すでに外国語を習得している、あるいは海外生活経験がある赴任者でない限り、着任後、徐々に現地の言葉を身につけていくのが一般的。到着直後の住民登録や入学手続き。そのあとも、買い物や日常生活の中で、よく使う単語や便利なフレーズを覚えていく。現地で語学学校に通うケースも多い。

とはいえ、着任直後は何かと忙しく、快適に使いこなせない外国語での生活は、それなりにストレスがかかる。やはり赴任前から、重要単語の暗記や、日常会話の基本から始めて、できる限り勉強しておこう。

また、赴任先が英語圏であるとも限らない。英語以外の言語となると、過去に勉強したことがない限り、なかなか取り組みにくい。この場合、旅行用の単語帳などを探し、トラベル単語だけでも覚えておこう。加えて英語も勉強しておくと、いざという時に英語を話せる相手であれば、やりとりすることができるので役にたつ。

## オススメの英語学習法

ここでは海外生活経験のある方々が実践している英語学習法をいくつか紹介する。赴任前に時間があれば、自分にあった方法を試してみよう。各地域の情報を提供している施設にも行ってみると良い。(表①)。

### ●スマホアプリの活用

スマホの語学学習アプリは非常に多い。単語を覚える、文法から理解する、日常会話を身につける、など自分の目的をはっきりさせて探すようにしよう。また「英会話」だけでなく、「語学」など別のキーワードでも探してみると、選択肢が増える。

また、海外赴任中は辞書を使う場面も非常に多いので、辞書アプリもダウンロードしておくと便利。オンライン辞書や翻訳アプリはオフラインでも利用できるか、確認を。

### ●単語カード・付箋の活用

単語や熟語を書いた付箋をよく目につく場所に貼っておいて、日常生活の中でより多くの単語を覚える反復学習を実践している人は意外に多い。また、単語カードを作り、覚えた単語カードはドンドン捨てて、覚えていないカードは覚えるまで繰り返し見返すという方法もオススメ。日常生活で使う単語ばかりなので、実際の海外生活でもきっと使うシーンは多いだろう。

### ●日記やブログを書く

英語のライティング力をアップさせる近道は、1文でも多くの英文を書くこと。ブログや日記、ツイッターなどを活用し、日々「自分の言葉で書く」ということはとても効果的である。

書きなれない最初のうちは「日本語と英語の2カ国語で書いて、最初は英語をちょっとだけ。そこから英語を徐々に増やしていった」という話もよく聞くので、気軽に始めてみて欲しい。

英語が得意な知り合いや、英語の先生などがいれば添削してもらおう。

**●映画・動画の鑑賞**

自分の好きな映画や音楽を用いて学習するのもいいだろう。自分の興味のあるものから学ぶことは、学習を長続きさせる秘訣のひとつだ。

映画の場合は日本語の字幕を見ないで聞く練習をしてみよう。既に内容を知っている映画を英語で見ることで、「あ、この場面ではこういう英語を使っているんだ」と発見できることもたくさんある。学校では習わない、生活の中で一般的に使われる表現も多く出てくるだろう。

**●英会話スクール・オンライン英会話**

お金をかけずにできる自己学習の場合、いかに自分のモチベーションを保つかが、非常に重要。自分の目的とレベルに合った練習を考え続けるのもなかなか難しい。

自分自身での学習が難しい場合は、英会話スクールに通う。自分のレベルや、要望に合わせたレッスンであれば、効率良く学ぶことができる。赴任前の限られた時間を活用するには、有効な方法だ。

また、ネット通話を利用したオンライン英会話も多数のサービスがある。教室まで出かけるのが難しい場合には、こちらがオススメ。

以上、いくつかの学習方法を紹介したが、英語だからといって難しく考えるのではなく、気軽な気持ちでトライして欲しい。無理なく自分に合った学習方法を実践し、より充実した海外生活を実現しよう。

**表① 海外情報の提供・イベントの開催等を行なっている施設例**

| 名称 | 住所 | 電話 |
|---|---|---|
| 日本交通公社旅の図書館 | 東京都港区南青山二丁目7番29号<br>日本交通公社ビル | — |
| JICA図書館 | 東京都新宿区市谷本村町 10-5 | 03-3269-2301 |
| (一社)日本在外企業協会 | 東京都中央区京橋 3-13-10 中島ゴールドビル 7F | 03-3567-9271 |
| ジェトロ・ビジネスデータベースコーナー (東京) | 東京都港区赤坂 1-12-32 アーク森ビル (総合案内6F) | 03-3582-5511 |
| ジェトロ大阪・データベースコーナー | 大阪府大阪市中央区安土町 2-3-13<br>大阪国際ビルディング 29F | 06-4705-8606 |
| アジア経済研究所図書館 | 千葉県千葉市美浜区若葉 3-2-2 | 043-299-9716 |
| 駐日韓国大使館韓国文化院 | 東京都新宿区四谷 4-4-10 | 03-3357-5970 |
| 中国研究所図書館 予約制(月)のみ | 東京都文京区大塚 6-22-18 | 03-3947-8029 |
| アメリカンセンターJAPAN | (来館受付なし。アメリカ関連インベント情報はWEBに掲載中) | 03-5545-7435 |
| カナダ大使館 E・H・ノーマン図書館 | 東京都港区赤坂 7-3-38 | 03-5412-6200 |
| (一社)ラテンアメリカ協会 | 東京都千代田区内幸町 2-2-3<br>日比谷国際ビル 1F 120A | 03-3591-3831 |
| ブリティッシュ・カウンシル | 東京都新宿区神楽坂 1-2 | 03-3235-8011 |
| イタリア文化会館 | 東京都千代田区九段南 2-1-30 | 03-3264-6011 |
| ゲーテ・インスティトゥート東京ドイツ文化センター | 東京都港区赤坂 7-5-56 | 03-3584-3201 |
| アンスティチュ・フランセ東京 | 東京都新宿区市谷船河原町15 | 03-5206-2500 |

# 08 加入保険の確認と手続き



## 国内で契約している保険の確認を

保険契約、特に保険期間が長期に渡る生命保険は保険料の払込が途絶えると契約が失効してしまう。そのため出発時に代理人を設定し保険会社に届け出ておこう。多くの保険会社では、海外渡航届といった書類が用意されており、代理人を設定できる。

**<代理人の方ができる手続き(例)>**

・保険料の払込みおよび国内口座の管理
・保険契約に関する通知の受理
・保険契約に関する手続きの取次ぎ

また、自宅や自動車を処分する際の保険解約なども忘れずに。効力の切れてしまった保険の保険料を払い続けているといった無駄が発生しないようにしよう。以下は主な保険契約のチェックポイント。

**①火災保険**

・持ち家を売却する場合:火災保険(建物)については解約、火災保険(家財)については保管場所へ保険の異動手続きが必要。
・賃貸物件として貸し出す場合:火災保険(建物)については、保険契約は継続させておく。火災保険(家財)については売却時と同様、保管場所への異動手続きが必要となる。
・空き家にする場合:火災保険契約の構造変更による異動手続きが必要となる場合がある。

**②傷害保険及び個人賠償責任保険**

海外赴任中に国外で負ったケガ、出来事も補償されるのか確認しておく。

**③生命保険**

死亡保障生命保険の場合、契約が有効に継続していれば、海外赴任中も国内と同様に約款の規定に基づき、各種保険金は支払われる。ただし、生命保険会社は、戦争等により大勢の被保険者が死亡し、保険の計算の基礎に影響を及ぼす場合には、死亡保険金を削減して支払うと約款に定めている。政情が不安定な地域に赴任する場合には注意が必要だ。

また、住宅環境やお子さまの教育環境の変化などに伴い、必要な保障の大きさも変化する可能性が高い。出発前にプランの見直しをしておくと安心だ。

**④医療保険**

医療保険の場合も死亡保険同様に海外で入院等をした場合は保障される(各健保での対応は右頁参照)。

また一般的に、生命保険会社による給付金の海外送金は非対応となっている。保険料引落口座など、国内の口座への支払いとなる点も覚えておこう。

## 海外旅行保険を付保する

必要に応じて海外旅行保険の加入も検討する。海外赴任者向けのプランは「海外駐在員保険」とも言われ、海外旅行保険をベースに長期間海外で生活することを前提にアレンジした保険だ。

病気やケガの治療費や入院費に加え、持ち物の破損や盗難、第三者への賠償などの補償、さらに日本国内の家族が危篤の場合に緊急に一時帰国する際の費用を補償するもの、などもある。海外に長期間生活することを自分でイメージしてプランを選ぼう。多くの場合、企業側で加入するが、その際にはきちんと補償内容等を自分で確認しておくこと。

### 保険請求等の手続きも確認を

いずれの保険も、万が一の時に使いこなせるよう、各種手続きについて確認する。海外赴任中の適用の可否はもちろん、保険請求の手続き、その他、相談窓口の電話番号などを確認しておく。

なお、海外で支払った医療費は海外療養費として各健保で対応している。治療後、一旦全額を支払い、その後日本に帰国した際に領収書などの必要書類を提出し手続きする。詳細は加入している健保に問い合わせを（表①）。

また海外療養費の金額は、実際に現地で支払った金額ではなく、同様の治療を日本国内で受けた場合の費用を基準に算定される。海外の医療費は一般的に日本より高額な場合が多く、治療内容によっては自己負担額が高額になるので気をつけよう（Chapter2-2「海外医療制度の基礎知識」参照）。

### リスクに対応するために

そのほか、企業側で危機管理サービスや医療サポートサービスなどを契約している場合もあるので確認する。緊急事態発生時の退避等の手配や、急を要する病状に対し入院の手配をする、近隣国への医療搬送などの対応がある。

一方、自分自身で現地の専門病院や救急病院等を利用できるよう調べておく。脳卒中や心筋梗塞など、一刻も早く専門医院に駆け込むことが重視される救急の場合にも、適切に現地医療機関を利用できるよう、準備しておこう。

### 表①海外旅行保険と健康保険

| | 海外旅行保険 | 健康保険 |
|---|---|---|
| 保険料 | 赴任先により異なる場合がある。本人プラン、家族プランなど様々。 | 健康保険組合等により異なる。 |
| 医療機関での支払い方法 | 保険会社のサービス内容により異なるが、キャッシュレスメディカルサービスとして、保険証券や保険契約証を現地提携病院に提示するだけで、現金不要で治療が受けられ、非常に便利である。 | いったん全額を立替払いし、日本の保険者に請求する。 |
| 医療費負担額 | 契約した保険金額を限度に実際にかかった医療費の実費が支払われる。 | 健康保険から支払われるのは、日本国内で保険診療を受けたとした場合の費用を基準とするため、医療費が高い欧米で治療を受けた場合、実際に支払った金額とかなり差額が生じる可能性がある。 |
| 対応しない療養費 | ①持病を含む既往症<br>②妊娠・出産費用<br>③歯科疾病 | 健康保険対象外の治療等 |
| 備考 | 一般的には海外旅行保険には、「救援者費用」「賠償責任」「携行品被害」に対する補償があることが多い。 | 海外旅行保険のような「救援者費用」「賠償責任」「携行品被害」に対する補償はない。 |
| 問い合わせ先 | 各保険会社 | 所轄年金事務所、各健康保険組合 |

藤井恵著「海外勤務者の税務と社会保険・給与Q&A　七訂版」より引用

## 総合サービス

海外赴任に役立つサービスをご用意、あなたの新しい挑戦を応援します。

# ANAマイレージクラブ「赴任コンポ」

**全日本空輸株式会社**

海外赴任には様々な準備が必要です。ANAマイレージクラブでは、赴任される方々のために特別なサポートプラン「赴任コンポ」をご用意しております。荷物が多くて費用がかかる、小さなお子様を連れて行く時に空港内のサポートが欲しい、早い時間の飛行機に備えて前日は空港近くのホテルに宿泊したいといった場合に役立つのが、ANAマイレージクラブ会員専用サービスの「赴任コンポ」です。

「赴任コンポ」は海外赴任時にANA国際線を対象運賃で購入すれば申し込みいただけます。お客様がもれなく申し込みできる「ベーシックコンポ」とご利用路線・予約クラスによって決まる点数の範囲内で自由に選べる「サービスコンポ」があり、組み合わせてご利用いただけます。「ベーシックコンポ」は、飛行機に無料で預けられる手荷物が2個までの場合でも、さらに2個無料になる超過手荷物料金一部免除サービスと、大人お一人のみで小さなお子様を同伴する場合などに、空港でのチェックインカウンターから搭乗ゲートまで案内してもらえる海外赴任ファミリーサポート（ご利用人数に限りあり）を利用いただけ、快適な海外赴任をサポートいたします。

さらに、「サービスコンポ」では荷物の空港宅配、前泊ホテル手配、自宅から空港までのハイヤーなど、メニューも多彩です。

不安の多い海外赴任や新しい環境での生活をスムーズに始めるためのご渡航をANAはお手伝いいたします。

お好きな組み合わせでご利用可能な「赴任コンポ」

もれなくお申込　**ベーシックコンポ** ＋ 点数内で自由に選択　**サービスコンポ**

※本記事は2024年8月時点の情報です

### ANAマイレージクラブ「海外赴任サービス」

ANA 国際線で海外赴任される ANA マイレージクラブ会員のお客様を対象に、「赴任コンポ」の他に様々なサービスをご用意しています。
ご赴任時や一時帰国の際、特別料金での ANA クラウンプラザホテル成田前泊サービス、アメリカ・香港・台湾・中国での一部海外の銀行と提携した ANA カード発行、海外への引越やマイカー売却にマイルが貯まるパートナー企業紹介など海外赴任時の渡航と海外生活をバックアップいたします。
詳しくは ANA ウェブサイトにてご確認ください。

ANA マイレージクラブに関するお問い合わせ
ANA マイレージクラブ・サービスセンター　0570-029-767　03-6741-6683
月～土 9:00 ～ 17:00（日・祝・年始休）

海外人事のトータルオペレーションサービス

# 株式会社アム・ネット

## アム・ネットのグローバルモビリティー

アム・ネットは、窓口ひとつで海外赴任を総合的にサポート。海外人事のプロフェッショナルとして、豊富な経験とノウハウをもとに、信頼あるサービスを提供し、多くの海外進出企業に選ばれています。

**◆お客様の立場に立ったサービス**

創業以来25年以上蓄積してきた、経験・情報・ノウハウをベースに、多様なサービスを提供。常にお客様目線での提案を行い、状況や事情に合わせたサービス提供体制を作り、最善のチームで海外人事業務を全面的にサポートいたします。

**◆豊富なネットワーク**

アム・ネットは、各分野・各業務に対して国内外の幅広いネットワークを確立しています。多種多様な専門会社と業務提携し、多くの仕事を手掛けています。

提携会社それぞれの特性を把握し、情報を蓄積してきたことで、お客様の目的やご要望に合わせたコーディネートを実現します。

**◆フレキシブルな対応**

特定の提携会社や運用方法に限定されず、お客様のニーズにフレキシブルに対応。

ノンパッケージ型のサービスで、お客様のニーズに合わせて体制を作ることにより、顧客企業およびそのご赴任者の皆様に、ご満足いただけるサービスを提供します。

**◆トータルコストの削減**

複数会社の業務を窓口ひとつで集中管理することにより、お客様およびご赴任者が単独で業務を行うよりも効率的。

そして集中管理によるスケールメリットを生かしたコストダウンを可能にします。

多様なネットワークを駆使した価格比較により、コストの適正化を図り、トータルコストの大幅な削減に貢献いたします。

海外赴任、外国人雇用・受入に詳しいコンサルティングファーム

# 行政書士法人シンシアインターナショナル

## 海外ビジネスのプロッフェッショナル

行政書士、社会保険労務士、弁理士などの企業法務の専門家と、ビジネス経験豊富な中小企業診断士が、外国語対応力を武器に、企業の海外ビジネスを力強くサポートします。

## ビザ、在留資格はシンシアへ

行政書士法人シンシアインターナショナルが、外国人受入にともなう就労ビザ(在留資格)取得をサポートします。海外赴任のビザ取得も提携パートナーにて対応可能です。

## 国際人材育成と人事労務対応

グローバル人材としての成長が期待される方々へ、階層別研修などの様々なプログラムをご用意しています。

また、複雑な年金や保険などの専門的な労務業務は、専属の社会保険労務士がまとめて対応いたします。

## ◆シンシアの得意分野◆

**●外国人労働者の雇用・受入なら**

・外国人在留資格の申請取次業務
・国際人事コンサルティング
・人事労務体制の整備・給与設計サポート

**●日本進出を希望される方へ**

・外国人創業ワンストップ支援
（事業計画策定）
・法人設立、ビザ、労務手続き等の
法務関連代行
・会計・税務関連の手続きサポート

**●海外進出を希望される方へ**

・海外進出支援
（海外展開コンサルティング）
・貿易・商談代行サービス・通訳翻訳
・戦略的知財活用・中国進出支援
・出張規定・海外赴任者規定作成

外国人雇用の不安を解消
かんたん 安心 信頼 の
外国人在留資格
クラウド管理システム
グローバル企業の人事が選ぶ
外国人管理ツールの決定版!!
SMART VISA
スマートビザ 検索
神奈川県川崎市麻生区万福寺 1-1-1 304B
☎044-299-7218

ANAマイレージクラブ　海外赴任サービス

# AIG損保の「海外長期滞在者向け保険」

## 株式会社マーガレットリバーズ

### 海外赴任者・研究者・社会人留学生向け海外旅行保険

●この保険プランはANAマイレージクラブ「海外赴任サービス」メンバー向けの独自のセットプランになっております。

●3カ月から（1カ月単位で）最長3年間までの長期滞在に対応しています。

●すでに会社で加入している補償に上乗せし、補完するプランをご用意させていただいております。

### 窓口での支払いのないキャッシュレス・メディカルサービス。

米国を中心に、世界５５万カ所以上の医療機関で、その場で自己負担することなく治療を受けていただけるサービスです。
※提携する医療ネットワーク、サービスの内容や範囲は予告なく変更・中止することがあります。

### 米国における長期滞在の場合、「賠償責任」への備えも重要です。

他人にケガをさせたり、他人の物に損害を与えたケース以外にも、失火によるアパートなどの借用住宅に対する損害賠償責任や、自動車事故による損害賠償責任（現地の自動車保険で支払い切れない場合など）についても補償可能です。
（2024年9月現在の内容です。）

### この保険の詳細につきましてはパンフレットをご参照下さい。

**資料請求・お問い合わせは・・・**
取扱代理店　（株）マーガレットリバーズ
TEL: 03-3281-4512
FAX: 03-3281-4513
〒104-0028
東京都中央区八重洲2-8-10
松岡八重洲ビル4F
E-mail:mizoguchi@mgrs.co.jp
URL:https://funinguide.jp/c/form/form_aiu

**引受保険会社**
AIG損害保険株式会社
〒105-8602
東京都港区虎ノ門4-3-20
神谷町MTビル15F
トラベルサービス首都圏支店

B-240368

総合サービス

ご赴任者・ご家族様の赴任前から出国までのスケジュールを作成・管理

# ヤマト運輸の赴任者サポート

**ヤマト運輸株式会社**

ヤマト運輸では、海外赴任者様に必要な健康診断や予防接種などの様々なお手続きや手配を人事担当者様からのご依頼にもとづき代行いたします。またそれらのスケジュールや、最新の赴任規定、世界各地で発生している有事情報を共有するなど、様々な業務（タスク）をWEBで管理し、業務の見える化を図ることで、人事担当者様の負担を軽減し、海外赴任業務をサポートしています。ご赴任者様からのお問い合わせなどにも対応しています。

### まかせて安心①
### ～事前のガイダンスで不安を解消～

ご渡航前にするべきこと、ご渡航や現地生活に際して注意すべき点・心構えについて面談形式でガイダンスを実施いたします。面談形式なのでご渡航前に不安に思っていること、気になることを気軽にご相談いただけます。

### まかせて安心②
### ～赴任者サポート～

ご赴任が決まったらご赴任者様ごとにご予定に合わせたスケジュールの作成を致します。それぞれのご都合に合わせて作成するため、事前のご出張などでお忙しいご赴任者様にもご好評いただいております。

### まかせて安心③
### ～最新情報でのスムーズなご手配～

海外ご渡航のお手続きについては国ごとにルール変更が頻繁に起こります。ヤマト運輸では、国ごとの最新情報に基づいてご案内を行いますので、よりスムーズにご渡航いただけます。
（※一部現地情報を除きます）

その他、お引越についてはもちろんご赴任中・ご帰国時の御相談も承ります。
まずはお気軽にご相談ください！

海外赴任時の労務管理…お悩みではありませんか

# 海外赴任トータル人事労務サポート・小岩事務所

社会保険労務士　小岩事務所

■**海外赴任時の労務管理のお悩み解決！**

企業の海外進出に伴う労務管理の勘所は事前の労働環境整備。諸規程づくり（ルールづくり）を始めとした各種サポートをご利用ください。弊事務所加盟のLCG（日本人事労務コンサルタントグループ）の各種メニューでフルサポートをさせて頂きます。

■**海外赴任諸規程作成・運用**

特に初めて海外進出する企業では、どこから手をつけていけばいいのか不安がつきものです。まずは就業規則の記載内容の改訂からスタート。その他海外駐在員規程・海外出向契約書・海外赴任者給与規程・海外出張旅費規程等、社内ルールを作成することです。労働時間や賃金等は労働条件の勘所。その他社会保険・労働保険の適用の有無等詳細なルールづくりのお手伝いをさせて頂きます。

■**諸外国における現地就業規則の作成・運用**

国内規程に留まらず、海外現地の就業規則を作成する必要に迫られる場合もあります。弊事務所では、特に、中国・タイの就業規則の作成・運用のサポート（人事制度構築、人事評価制度構築、各種規程整備等）にお応えすることが可能です。

■**（公的・私的）医療保険・年金・労災保険等の社会保険制度の交通整理**

社会保障は万全を期したいもの。赴任者が安心して業務に従事できるようにバックアップをすることは労務管理の勘所です。国外で適用できるものできないものの交通整理のお手伝いをさせて頂きます。労災保険は所定条件を満たすと、国外でも適用になる「特別加入制度」をフル活用したいものです。

■**海外進出現地人材確保サポート**

海外進出にあたって適正な人材の確保は不可欠。信頼できる提携企業をご紹介いたします。

LCG（日本人事労務コンサルタントグループ）加盟
就業規則等の社内諸規則作成プロフェッショナル事務所

日本橋人事賃金コンサルタント

社会保険労務士　小岩事務所

TEL：03-5201-3616　FAX：03-5201-3712
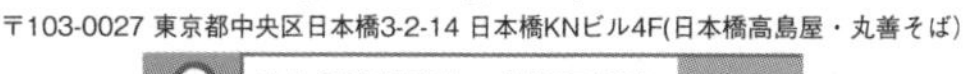
E-mail：koiwa@khh.biglobe.ne.jp　https://www.koiwaoffice.com/
〒103-0027 東京都中央区日本橋3-2-14 日本橋KNビル4F(日本橋高島屋・丸善そば)

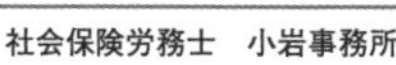

海外赴任ご家族への「生活&教育サポート」

# mint　ミント

**海外教育の専門員(海外補習校元校長/教員・日本語教員)と世界各地で暮らした経験豊富な女性たちによる生活・教育相談［少人数定員制］**

赴任先別の生活情報と出産・子育て・教育・帰国後の進学まで、丁寧にアドバイスいたします。参加者の多くから「参加してよかった！」「不安が軽くなり前向きな気持ちになりました。」との感想をいただいています。

**◆ミントの生活・教育相談会◆**
**(現在オンラインで実施しております。国内外どこからでもご参加できます)**

前半＝海外生活・教育の準備と心構え
後半＝赴任先地域別の少人数でアドバイザーと懇談
個別相談、企業への出張相談会も対応いたします。(日本国内外に対応可)

**お問い合わせ・お申込み**
●日本通運㈱ 海外引越統括部
グローバルサポートセンター（ミント受付代行）
e-mail：nittsu-rem-gsc_cs@nipponexpress.com
電話 03-6284-6146
【受付時間】月～金曜日 9：00 ～ 17：00
※土・日曜日・祝日は除きます。
●東京都千代田区神田和泉町２番地 NX ビル６階
海外引越統括部 GSC 内　ミント事務局
e-mail　mint@tenor.ocn.ne.jp
URL　https://www.mint-kaigai.com
●お申込み
「ミント海外生活」で検索可
https://www.nittsu.co.jp/relocation/service/moving/japan/useful/life/mint.html
**赴任前相談会は、赴任者及びご家族の渡航が６ヶ月以内に確定している方が対象となります。**

| | ①生活相談会 | ②教育相談会 | ③個別相談 |
|---|---|---|---|
| 内容 | ●海外生活に向けての心構え<br>●渡航前の準備：諸手続き、持ち物、引っ越し　ほか<br>●海外生活：住まい、医療、安全に暮らす、異文化での生活ほか<br>●質疑応答：地域別少人数グループ | ●海外での子育てと教育全般親の心構え、幼児教育、学校選択、ほか<br>●日本語の学習、現地校（インター校）の学習<br>●帰国子女受け入れ校、試験と準備<br>●質疑応答：地域別少人数グループ | ●「生活」・「教育」の項目からご相談希望を指定してください。(両方も可能)<br>●海外生活・教育の不安を減らし、前向きに赴任されるようマンツーマンで詳しくアドバイスいたします。主に現地の生活に詳しい相談員、専門員がご対応いたします。(資料配布)<br>●赴任中、帰国後の相談にもご対応いたします。(現地校の学習・日本語の維持ほか) |
| 予定日 | 原則として第二・四木曜日<br>10：00 ～ 11：30<br>相談会の日程、時間等に変更がある場合もあります。 | 原則として第二・四木曜日<br>13：00 ～ 14：30 | 日時は事前に相談の上決定いたします。 |
| 参加費 | 無料 | 無料 | 一項目　　　：¥15,000－（消費税別）<br>生活と教育：¥16,000－（消費税別） |
| 備考 | ①各相談会・個別相談の申込の締め切り日は、参加希望日の２週間前とさせていただきます。<br>②お申し込み後、参加不可能になった場合は、相談会３営業日前までにご連絡ください。個別相談の当日キャンセルはキャンセル料が発生しますので、ご注意ください。<br>③現在相談会はオンラインで実施しております。詳細は以下のサイトでご確認ください。<br>https://www.nittsu.co.jp/kaigaihikkoshi/convenient/benefit/departure/sp_mint.html | | |

海外駐在員・家族・出張者の安全と医療をフルサポート！

# 「海外安全サポートプログラム」

## 安全サポート株式会社

### ～海外危機管理担当者様へ～

### ■地政学リスクへの対応

世界各地が不安定な状況です。遠い場所での出来事と思っていたらすぐそこに危機は迫ってきています。
会社として備えは出来ていますか？
安全サポート株式会社では、海外危機管理マニュアル作成、退避計画作成から情勢モニタリング、国外退避の対応支援まですべてをサポート！現地とのリスクコミュニケーションのサポートも致します。

### ■【緊急事例シミュレーションで学ぶ】海外危機管理体制構築セミナー

何をすればいいか分からないという方はまずはこのセミナーに参加してください。
緊急事例をリアルに疑似体験することにより、緊急対応方法だけでなく、平時の予防策、必要な準備についても学んでいただくことができます。

### ■海外安全サポートプログラム

本プログラムは貴社の海外危機管理体制をまるごと支援する仕組みです。平時からの予防や緊急事態への準備を含め、緊急時の対応まで24時間体制で支援します。
理想的な危機管理体制の構築から運営、情報収集、万が一の際の国外退避、誘拐や脅迫など重大事案まで自社のみで対応するのは困難です。本プログラムを導入いただければ安全サポートが貴社の危機管理体制構築をお手伝いいたしますので、その日からすべての課題を解決可能です。詳細はお問い合わせください。
**危機管理アプリも用意しております。**

## 貴社の海外危機管理体制は万全ですか？

何から手を付けたらいいか分からない・・・まずは

**【緊急事例で学ぶ】海外危機管理体制構築セミナー**

対象：海外人事・海外危機管理担当者様　　安全サポート　セミナー　検索

**https://www.anzen-support.com/**

安全サポート株式会社（SSI）　代表取締役　有坂 錬成
本社：東京都港区西新橋 1-2-9 日比谷セントラルビル 8F
TEL 03-3593-5605　E:mail info@anzen-support.com

危機管理・アシスタンスサービス

世界リスク情報をリアルタイム取得、緊急時にアラート発動！

# グローバル危機管理アプリ「SAFEY」

**兼松コミュニケーションズ株式会社**

## 予測不能な世界情勢だからこそ、身の回りで起こりうる様々なリスクに備えたい

海外渡航時は「万が一」と実際に遭遇してしまう確率が日本滞在時よりも高まります。なぜなら世界一安全な国と称される我が国と比較して海外諸国は治安事情や対策状況、生活習慣や価値観などが大きく異なり治安・衛生上の相対的リスクが増加するためです。海外渡航時はこうしたリスクに対する基本認識に加えて、可能な限り「万が一への備え」を施しておくことが賢明です。SAFEYアプリは世界200カ国以上のデータベースに加えて、犯罪、自然災害、健康、医療など９つのリスク分類に対する危険度の評価を提供しております。加え、直近のリスク情報が世界地図上に表示され、滞在国で発生しているリスク情報や危険レベルも常時確認できます。

## 突発的なリスクに遭遇した場合にどんな行動をとりますか？

SAFEYアラート機能は利用者の現在地に基づいた周辺リスク情報をプッシュ通知でいち早く配信し、利用者へ対策を促します。更にご自身の危険をアプリ上のSOS発信ボタンを通じて所属企業の危機管理担当者へ通報することが出来ます。誰がどこでどのようなリスクに遭遇しているかを迅速かつ正確に把握することにより的確な指示やアドバイスが実現可能となります。

## 最先端の技術と情報で信頼される、米国発のグローバル危機管理アプリ

SAFEYは欧米企業や大学を中心に4000社以上で利用されている世界有数のグローバル危機管理アプリです。海外渡航時の必須アプリとして装備することで「万が一」が生じた場合の危険を回避することに繋がります。

【20言語に対応】豊富な受講スタイルで社員とご家族をサポート

# ECC法人向けサービス「海外赴任前研修」

株式会社ECC

## 海外赴任でよくあるトラブルに巻き込まれないポイントは?

海外赴任をいかに成功させるかは、渡航前の準備で決まります。20言語に対応、年間2千人以上をサポートするECCの海外赴任コンサルタントが、トラブル回避方法を解説します。

**①まずは日常会話に絞って学習する**

現地のスタッフと意思疎通ができないことで問題が起こるケースがよくあります。まずは日常会話のアウトプットを多く行い、問題無くコミュニケーションが取れる力を身に付けることが重要です。

**②異文化への理解を深め尊重する**

赴任先の文化を理解しておらず、日本式のやり方によって相手の反感を買うケースがあります。赴任前に異文化について理解を深めることが非常に大切です。

**③すき間時間を利用する**

短期間でも集中的に取り組めば、語学力は伸びます。週末にまとめてより、すき間時間を利用して、毎日コツコツと続ける方が効果的です。

**赴任前英語学習のポイント**

| | |
|---|---|
| ○ 毎日すき間時間に | × 週末まとめて |
| ○ 日常英会話 | ○ 異文化理解 |

言葉と文化を効率よくインプットできる語学研修を採用される企業様が近年増えています。国内3千社以上の顧客を持つECCの海外赴任前研修は、語学レッスンだけでなく、異文化理解などのサポートも充実。最適なプランで、自信をつけて旅立っていただけるシステムをご用意しています。まずはウェブサイトを覗いてみてください。

●お問い合わせ:0120-144-248
https://www.biz.ecc.co.jp/

## 赴任前研修・映像教材

赴任時期・赴任先・経験値が異なる赴任者に、最適な学習機会を提供！

# 海外赴任前研修1日公開講座&映像教材

**サイコム・ブレインズ株式会社**

## 「異文化マネジメント力」を向上し、赴任先で高パフォーマンスを発揮！

ビジネス慣習が日本国内とは異なる海外において、文化の差異が大きな障害となり、残念ながらミッションを遂行できずに任期途中で帰国せざるを得ないケースも多く見受けられます。
こうした状況を改善すべく、サイコム・ブレインズでは、2013年から『海外赴任前研修1日公開講座』を開催しており、年間約500名の方が本講座に参加しています。

## このような反響を頂いています！

**海外赴任者の声**

・赴任者が陥りがちな状況について、具体的な事例とともにイメージすることができた
・状況が厳しくても、あきらめずに現地の人とコミュニケーションを取る重要性を強く感じた

**人事／派遣担当者の声**

・毎月開催・1名から参加可能なため、日程調整がしやすい
・赴任者が少ない時期の教育コストの削減も期待できる
・理論的なレクチャーから、実践的なケーススタディや演習まで、一日の中でコンパクトに実施されている

■開催日：毎月1～3回
■開催時間：9:00～17:00
■開催方法：オンライン（Zoom）
■言語：日本語
■定員：各20名（最少開講人数5名）
■受講料 税込価格
公開講座（1日） 52,800円＊
＊2025年1月16日開催分から53,900円となります。
映像教材（ライトコース）
視聴期間 年間：21,780円／半年：11,880円
※公開講座と映像教材のお得なセット価格もございます。詳細はお問合せください。

人事担当者の無料見学随時受付中

海外から高齢者介護を必要とするあなたを親身に支援

# NPO法人　海を越えるケアの手

## 海外にいて気になる親の暮らしと介護問題

国内に老いた親を残して海外で生活している人や、これから海外赴任する人にとって親の暮らしぶりや健康は、気懸りなもの。ましてや、親に介護が必要な状態であれば尚更です。しかしながら、海外からの親の支援や介護は、多くの困難が伴うにも拘らず、これまで当事者が自己解決するしか方法がありませんでした。当団体はこの問題の深刻さと強い支援ニーズに着目し、総合商社OBを中心とした海外駐在経験者と介護分野の専門職が連携して、様々なサポートを行っています。

## 海を越えるケアの手のサポート内容

個人会員になられた方は、日本全国で以下のサービスを受けることができます。尚、お勤め先が法人会員の場合、年会費なしに介護に関するご相談を無料でうけることができます。まずはご相談下さい。

●個人年会費（消費税別）24,000円/年

① **ご相談及び情報提供（無料）**

高齢者介護や支援のあらゆるご相談に対応致します。

② **高齢者サポートプログラム（有料）**※
**代行・見守りサービス**

ご両親の介護に関するご相談の結果、ご家族の皆様が直接ご両親のケアができない時、専門職がご家族に代わってご両親の見守り或いは、必要な業務の代行を行います。

●費用（消費税別）

| | |
|---|---|
| 半日業務 | 15,000円 |
| 一日業務 | 25,000円 |
| 見守り訪問 | 1回15,000円 |

※尚、高齢者サポートプログラムは身体介護、生活援助等、直接のサービスを提供するものではありません。また、救急や緊急通報に対応するものではありません。

詳細はホームページ「海を越えるケアの手」をご参照下さい。

特定非営利活動（NPO）法人
海を越えるケアの手


〒103-0025
東京都中央区日本橋茅場町2-7-3　イースト・インタービル10階
TEL & FAX　03-3249-7231
Email mail@seacare.or.jp　URL http://www.seacare.or.jp

## 業務渡航手配

専門スタッフによる赴任ビザのコンサルティングから取得までをトータルサポート

# エムオーツーリスト株式会社

### ＜安心の信頼と実績＞

エムオーツーリストは企業の出張や赴任を専門とする旅行会社です。1960年の創業以来60有余年に亘り一貫して企業のビジネストラベルをサポートしております。

これまで長きに渡り培われたKNOW-HOWと最新（ビザ）情報により年間150社、3,900名を超えるご赴任者様および帯同ご家族のビザ取得のお手伝いをしております。

### ＜赴任ビザ専門スタッフが対応＞

弊社では赴任ビザ手配に特化した専門部署のスタッフが対応しております。

ビザのご手配は非常に複雑であるため、豊富な知識と経験を有した専門スタッフが対応することにより、円滑なご手配のご提供が可能となっております。

また、各国大使館・領事館からも高い信頼と評価を得ており、円滑なビザ取得の一助となっております。

### ＜お手続イメージ（一例）＞

### ＜業務の効率アップ＞

ビザ手配は煩雑で工数が多く、且つ短期間で進めなければなりません。進捗管理を含めたビザ手配にまつわる業務を弊社にアウトソースすることにより、手配担当者様のご負担が大幅に軽減され、業務効率化やコスト削減にお役立て頂けるものと考えております。

「働き方改革」「テレワーク」対策にも最適です。

赴任ビザのコンサルティングから取得までをトータルサポート

M.O. TOURIST CO., LTD.
エムオーツーリスト株式会社

**お問合せ先　海外赴任部　担当：松山・橋本**

**TEL▶03-6658-4793　E-mail▶info@mo-tourist.com**

〒130-0013 東京都墨田区錦糸 1-2-1　アルカセントラル 17 階
https://www.mo-tourist.co.jp/service/visa/#anchor-visa03

海外赴任のあれこれ全部お任せ！

# 株式会社トッパントラベルサービス

## 就労ビザ取得を中心とした海外人事業務の課題解決

長年の「就労ビザ」取得実績で培ったノウハウで、海外赴任者の出入国アドバイスまでサポート。出入国のみならず、海外人事に関わる総合アシスタンスとして、課題解決に向け最適な提案をいたします。

## TOPPANの「海外人事サポート」主なサービス

**■海外赴任サポート**

就労査証取得代行を中心に、赴任前オリエンテーションから赴任地渡航アドバイスまで赴任人事業務をトータルサポートいたします。

・就労査証アドバイス
・海外引越手配
・進捗管理・手配「見える化」システム
・赴任者オリエンテーション
・福利厚生サポート　　　　　　等

**■海外人材受入サポート**

年間の受け入れ実績500名以上。外国人雇用後の受入手続きはお任せください。在留資格取得はもちろん、口座開設等もサポートいたします。

・出入国VISAの取次業務
・受入プロセス設定
・生活オリエンテーション
・住宅斡旋
・日本入国後トラブル対応デスク　等

**■海外人事クラウド管理システム「Global Manage」**

海外赴任業務をクラウドで一元管理可能！業務効率化が可能です！

・赴任業務タスク管理
・ビザ・滞在許可証・その他期限管理
・ワークフロー標準化:申請、承認を一括で管理 :赴任手配の全体進捗レポート

●お問い合わせ:03-4577-8787
https://www.toppantravel.com/mobility/

海外赴任、現地での手続きや困りごと対応は日本語でスムーズに！

# 1分から使えるオンライン通訳「Oyraa」

**株式会社Oyraa（オイラ）**

## 海外赴任中、あらゆるところで言語の壁が待ち受けています

海外赴任では想像以上に「言語の壁」にぶつかります。たとえば、通常のビジネス会議に加え、役所や銀行、不動産まわりの各種手続きや医療機関受診、お子様の通う学校での保護者面談など、母国語同士で確実な意思疎通を図るべきコミュニケーションが多く存在します。ある程度現地語を学習した方でも海外生活におけるあらゆる会話や手続きに対応することは不可能です。

## 153言語2,700名の通訳者をスマホで即時に呼び出し1分単位で利用できる通訳アプリ『Oyraa』

Oyraaは、海外赴任中のあらゆる外国語コミュニケーションを強力にサポートします。スマホさえあれば24時間365日いつでも必要なときに通訳者を即時に呼び出し必要な分だけサポートを受けることができます。通訳料金も1分120円からとリーズナブル。120の専門分野で検索することで専門知識が必要な会話でも最適な通訳者を選択できます。

## Oyraaならこんなことも

Oyraaは三者間通話機能により、各種予約や問い合わせなど電話での会話にも通訳者を加えることができます

また、通訳者と無料チャットで直接コミュニケーションできるので、アプリ上での通訳に限らず、Web会議や現場での通訳、翻訳その他様々な依頼を行うことができます。

## 数万人をサポートしてきた実績

Oyraaは国境をまたぐ多くの方のビジネス・生活を支援してまいりました。海外赴任中のあらゆる課題解決にOyraaをご活用ください。

独身ビジネスマンに応える会員制結婚情報サービス

# キューピッドクラブ

**株式会社キューピッド**

慶應義塾大学ＯＢ間の親睦パーティから発足 45 年。結婚を誠実にお考えの方限定の会員制クラブです。

## インターナショナルシステム

海外赴任される独身ビジネスマンのための特別な紹介システムです。
ご帰国に合わせて、集中した出会いをセッティングします。
ご紹介するお相手は、日本の心の文化を受け継ぐ、魅力的な女性です。
ご帰国の予定に合わせて、専任スタッフが 8 名の女性会員を丁寧にお選びします。
プロフィールがよくわかる詳細なエンゲージシート※と写真を EMS でお送りします。
趣味・興味や考え方など、事前に得られる情報のおかげで、歓談はとてもスムーズです。
短期間のご帰国でも、交際へ発展する確率が高く、効率のよい紹介システムです。

※経歴書& LifePhilosophy（20 項目メッセージ）

インターナショナルシステム入会資格
・海外勤務中の方
・３ヶ月以内に海外勤務予定の方
・結婚を誠実にお考えの方
・25 ～ 45 歳
・定職におつきの方
・喫煙しない方、入会を機にやめる方
※入会に際して審査があります。

インターナショナルシステム入会費用
入会金 66,000 円 登録手続費 33,000 円

## お問合わせ先

**キューピッドクラブ**

〒 107-0062
東京都港区南青山 1-1-1
新青山ビル東館 10F
TEL　03-5843-1581
www.cupid.co.jp
月曜定休
●オンラインでのご説明も承ります。

海外生活をはじめるあなたへ。

**現地で仕事を続けながら、真剣に結婚に向き合えます。**

※海外勤務が決まった方、赴任までに集中したご紹介もできます。

キューピッドクラブ　検索

●4,500 通を超える“結婚カップルメッセージ”でご確認ください

赴任の準備
医療と健康
子どもの教育
引越し
住宅
現地の暮らし

海外赴任・移住・出張・留学、旅行者向けのスペシャルパッケージ！

# eSIM＋VPN＋日本の動画・TV視聴

株式会社 ビザイア

日本VPN搭載AndroidTVドングル
RAKULINK日本VPN1年間利用料

＋

Tabi たびぱす Pass グローバル eSIM ▶▶▶

## 海外でもスマホや大画面TVで日本の動画・テレビを楽々視聴

日本VPN搭載TVドングルにVPN年間使用料が付いたお得なセット。海外から、ABEMA、TVer、NHK+、アマプラなど日本IP限定のコンテンツをスマホやTVで視聴できます。複雑な設定は不要！TVに挿すだけで、日本と同じエンタメ生活に！

## 海外赴任必須のeSIMをプレゼント スマホにセットするだけで利用可能

世界170か国対応の海外赴任・旅行者向けのグローバルeSIM。基本料は不要、QRコードを読み込んで設定するだけで、現地のモバイルデータ通信が利用できます。RAKULINK日本VPNセットを購入すると、eSIMチャージとその他の製品とサービス合計8,380円をプレゼント！

## モバイル通信、VPN、エンタメ 海外赴任の悩みをパック1つで解決

海外赴任地のモバイルデータ通信、VPNサービス、日本の動画・テレビ・ラジオを簡単に視聴できる製品とサービス、「赴任地都市別生活情報」冊子6点を集めた海外赴任専用の楽々パック。海外での日本のエンタメ不足による寂しさや、ネットワーク問題が解消され、日本と同様に楽々・快適に過ごせます。

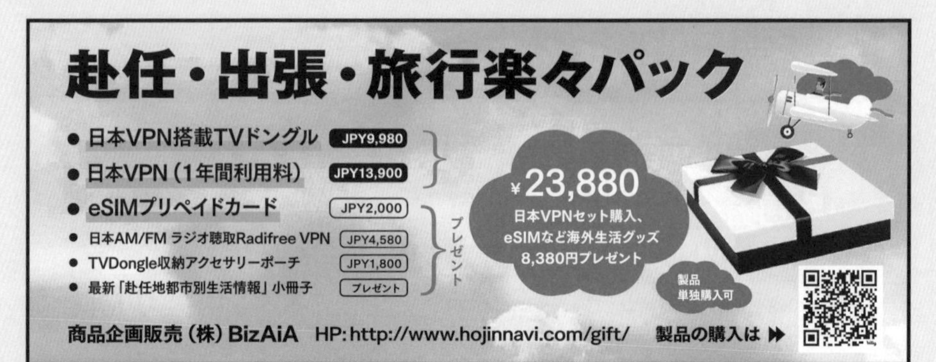

赴任・出張・旅行楽々パック
● 日本VPN搭載TVドングル JPY9,980
● 日本VPN（1年間利用料） JPY13,900
● eSIMプリペイドカード JPY2,000
● 日本AM/FM ラジオ聴取Radifree VPN JPY4,580
● TVDongle収納アクセサリーポーチ JPY1,800
● 最新「赴任地都市別生活情報」小冊子 プレゼント
プレゼント
¥23,880
日本VPNセット購入、
eSIMなど海外生活グッズ
8,380円プレゼント
製品
単独購入可
商品企画販売（株）BizAiA HP: http://www.hojinnavi.com/gift/ 製品の購入は ▶▶

## 情報アプリ

海外赴任・出張・帰国の準備と海外生活に欠かせないツールや現地情報が満載

# 「邦人NAVI」アプリがリニューアル！

株式会社 ビザイア

邦人NAVI アプリ

「邦人NAVI」は海外赴任、出張、海外移住した邦人のために、赴任、帰国関連情報及び海外現地情報を発信するポータルアプリです。海外赴任生活に欠かせないツールが盛りだくさんで、便利な情報取得アプリとしてもご利用いただけます。

1

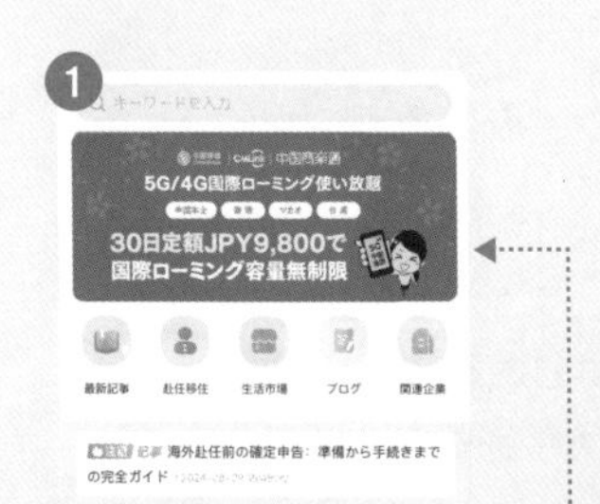


### 海外赴任・出張・帰国情報「赴任ナビ」が新たに登場！

赴任、移住、出張の準備から帰国までの関連情報、サービスが充実。関連企業のリストや、赴任関連の最新情報がチェックできます。また、オンラインショップ「生活市場」では、海外赴任に欠かせない生活用品が購入できます。

2

### 「赴任都市別生活情報」「日本VPN」「eSIM」が1つになった会員限定特典

海外にいても日本の動画・TVが簡単に視聴できるVPN付きエンタメサービス、現地のモバイル通信を可能にするeSIM、世界70か国・170都市を網羅する「赴任都市別生活情報」を1つにまとめた便利でお得な会員限定「楽々海外赴任パック」を提供中！

3

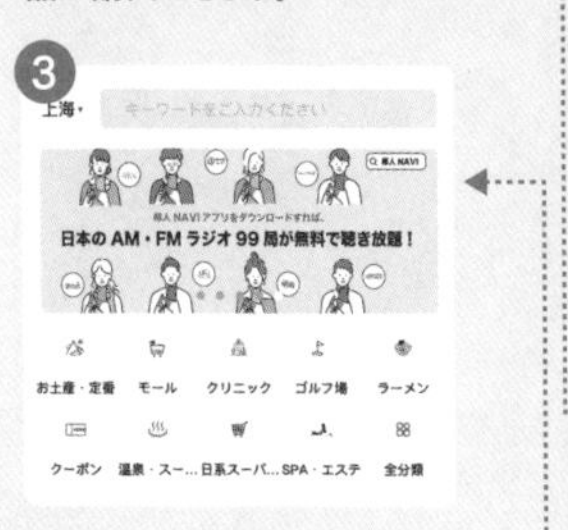


### 中国、ベトナム、インドなど赴任先の現地情報をチェック！

「現地ナビ」では中国、東南アジア各国の病院、学校、レストランといった生活に密接した現地情報を発信中。ロケーションを選択するだけで所在地の情報が検索&閲覧できます。また、「フリマガ」では各国の日本語フリーペーパーが無料で閲覧可能！

4

### 海外から日本のIP制限動画・テレビ・ラジオを視聴する製品&サービス

海外在住の邦人向けに日本の動画、TV、ラジオが簡単に楽しめるサービスを提供しています。アプリ内の「動画・TV」をタップすると、外部アプリの「RAKULINK」に接続し、日本IP制限のABEMA、TVer、NHK+アマプラなどの動画・TV番組が簡単に視聴できます。また、「ラジフリー」のタブキーからは日本のAM/FMラジオが無料で聴取可能。しかも今なら、アプリのダウンロード&会員登録するだけで、RAKULINK日本VPNが7日間無料で利用できます！

5

### 法人も個人も簡単に情報発信ができ、商品・サービスのPRにうってつけ！

「邦人NAVI」に登録すれば、自社の情報発信が自由自在！AI翻訳要約機能もあり、自社商品やサービスのPRが多言語で行えます。

(株) ビザイア 050-6866-5857 http://www.hojinnavi.com
〒111-0051 東京都台東区蔵前3-19-8シンエイ第2蔵前2/F
support_jp@bizaia.com

QRコードを読み取り各アプリストアにお進み頂くか、APKファイルをダウンロードしてください

アメリカSIM・携帯電話通販サイト

# アメスマ

## JPEX America, Inc.

### アメスマとは?

アメスマは、日本にいながらアメリカの携帯・SIM カードを契約、受取できる通販サイトです。日本でお使いの携帯（スマホ）が SIM ロック解除済みでアメリカの通信キャリアの規格に対応していれば、SIM カードを入れ替えるだけでご利用いただけます。また eSIM での契約にも対応しております。アメリカで使える携帯（スマホ）もご一緒にご購入いただくことも可能です。

### 料金は?

月々の料金プランは税込 $25 ～、一番人気は SMS、高速データ通信 LTE ギガ使い放題のギガプランで月額 $50 となっています。現地の携帯ショップなどで契約する半額程度の値段でご利用いただけます。

### サービスの強みは?

日米で 10 年以上携帯電話販売を行う JPEX グループが、ご契約からアフターサポートまで、日本語で対応しております。アメリカの大手通信キャリア（Verizon、AT&T、T-Mobile ネットワーク網）からお好きなサービスをお選びいただけます。決済は日本のクレジットカードでも可能、月ごとの契約なので、急なご帰国でもすぐに解約可能です。

渡米後、飛行機が到着したその瞬間から電話とインターネットが使えるようになるので、とても便利です。

アメスマ
日本注文
翌日受取OK
月額（税込）
$25-
通話、SMS、4G LTE
選べる4プラン

選ばれて18周年！　アメリカ赴任と日本一時帰国の携帯電話サービス

# アメリカSIMのHanaCell

**Mobell Communications Ltd.**

## 日本で準備できるアメリカSIM

アメリカ赴任が決まった皆さま、ご自身やご家族がアメリカで使うスマホの準備はお済みですか？ ハナセルのアメリカ携帯電話プランは、月額基本料金が$9.99から。渡米前にネットで簡単に契約できます。

### お持ちのスマホがアメリカで使えます

スマホのSIMを入れ替えることで、アメリカでデータ、通話、SMSが使えます。商品は日本・アメリカへ送料無料でお届けします。

### アメリカのeSIMも選べます

eSIMなら物理的なSIMの入れ替えが不要。eSIMをスマホにダウンロードすることで、ハナセルのアメリカ携帯電話プランが使えます。お申し込み後、最短で即日利用を始められます。

### 日本語で丁寧にサポートします

お申込みから解約まで、全てのお手続きが日本語です。お問い合わせには日本人カスタマーサポートチームが回答します。英語に不安がある方もご安心ください。

●アメリカSIMの詳細・お申込み
www.hanacell.com

## 一時帰国に特化した日本SIM

どの国にお住まいでも購入できる一時帰国向け「ジャパンSIMカード」も取り扱っています。

データ通信はもちろん、日本の携帯電話番号で通話・SMSが利用できます。使わない月は料金がかからず、維持費は年間8米ドルのみ（初年度無料）。

●一時帰国SIMの詳細・お申込み
www.hanacell.com/japan

海外赴任者専門に19年。郵便物から通販商品まで国内外に発送。

# ポスティのセカンドアドレスサービス

## 株式会社ファーストプランニング

### ポスティの『セカンドアドレスサービス』郵便物と通販品を保管発送

海外赴任中に日本として登録することができます。メンバー登録後、お客様専用ページにログインができます。郵便物や通販商品は、専用ページからお好きな時に発送希望日をご指定いただけ大変に便利です。

**◆出発前に申し込みされ、早めのご準備を。出発1～2か月前のご登録をお薦めいたします。**

パーソナルプランメンバー登録後、住所が付与されますので、転居届や各機関へ住所変更手続きの準備を始めていただけます。1つのアカウントでご家族全員、ご両親が追加料金なしでご利用いただけます。

**◆海外渡航後はお客様専用ページから簡単にご利用いただけます。**

教材、通販品など購入し、お好きな時に国内外発送依頼ができます。

**◆一時帰国～本帰国**

お帰りの空港、宿泊先のホテルへお届けします。本帰国後2か月間郵便物限定で無料保管いたします。

**◆当社サービスの特徴**

1. 国内外への発送
2. 振込、着払代引代行
3. 簡易郵便物（委任状必要）
4. 荷物を軽量し1箱にまとめて発送

**【パーソナルプラン利用料】**

●初期登録料：無料

●毎月利用時に最大980円割引

●月利用料：2,700円

2,700円 - 980円＝**実質月々1,720円**

●パーソナルプラン特典

1. 新品箱代：大中小箱袋　無料
2. 郵便保管：1年間無料
3. 最優先梱包オプションが無料

詳しくはホームページにてご覧ください。

【アメリカ赴任の方必須!】ドル建てクレジットカード

# JAL USA CARD

## 米国で取得が困難な現地クレジットカードをJALがお届け

アメリカ生活で必須のクレジットカードですが、赴任される方のほとんどが「アメリカのクレジットヒストリー」がないため、取得するのは大変困難です。
JAL USA CARDは、日本航空(JAL)とアメリカの現地銀行First National Bank of Omaha(FNBO)の提携により発行している、クレジットヒストリーがない方でもお申込み可能なドル建てクレジットカードです。

## マイルなど魅力的な特典が満載

日々のカード利用でマイルやLife Status ポイントがたまるほか、JALの航空券購入分のショッピングマイルが2倍、初回のJAL国際線ご搭乗で5,000ボーナスマイル、さらに外貨手数料無料など、たくさんの特典があります。

## アメリカでも日本語対応のカスタマーサービス

カードが取得できたあとも、支払いや紛失・盗難のトラブル時など慣れない言語での対応は、日本で生活する何倍もの労力が掛かります。JAL USA CARDはアメリカからでも日本語でのお問い合わせが可能。日本人スタッフによる丁寧で安心の接客を現地でもお届けしています。

## 日本からもお申込み可能

渡米90日前からお申込みいただけます。

お問い合わせ
0120-828-750(日本)
1-877-443-5587(米国)
www.jalusacard.com
※カードの詳細や特典はウェブサイトをご確認ください。

アメリカ生活に必須!
米ドル建てクレジットカード
＼特典満載／使うたびにマイルがたまる!
初回国際線ご搭乗で
5,000ボーナスマイル
1ドル＝1マイル
JAL航空券は2倍
外貨手数料
無料
他
JAL USA CARD
Business Card
JAL
JAPAN AIRLINES

## 業務渡航手配／総合サービス

赴任ビザのコンサルティングから取得までをトータルサポート

### エムオーツーリスト株式会社

培われたKNOW-HOWと最新(ビザ)情報により年間150社、3,900名を超えるご赴任者様および帯同ご家族のビザ取得をお手伝い。1960年の創業以来、60有余年に亘り一貫して企業のビジネストラベルをサポートしています。
海外赴任に関わる各国ビザを円滑に取得する為、当社の赴任ビザ専門スタッフが支援。
赴任者ご本人様・国内外の企業ご担当者様と連携をとりながら、アドバイス、書類チェック、代理申請を行っております。

■〒130-0013 東京都墨田区錦糸1-2-1 アルカセントラル17階
■TEL：03-6658-4793■FAX：03-5608-5511■E-mail:info@mo-tourist.com
■URL：https://www.mo-tourist.co.jp/service/visa/#anchor-visa03
■お問合せ：松山(まつやま)・橋本(はしもと)

まかせて安心。プロの旅。

### (株)阪急阪神ビジネストラベル

官公庁の海外出張、赴任の手配を専門に行っています。
渡航の際の航空券の手配、渡航先のビザの手続き、現地ホテルの手配、海外旅行傷害保険の加入手続き等を迅速かつ正確に行います。
また海外からのインバウンド手配や海外での国際会議案件の手配も数多く行っています。
緊急時は24時間対応のヘルプデスク（有料）にて対応致します。

■〒103-0001　東京都中央区日本橋小伝馬町14-4岡谷ビルディング3階
■TEL：03-6745-7685
■URL：https://www.hhbt.co.jp/

企業の海外展開を人事面からトータルサポート

### ヒューマンリンク㈱（三菱商事グループ）

企業の経営方針に基づいた人事施策のプランニングから施策の導入まで対応。海外人事分野では商社の長年のノウハウを基に、会員企業向けサービス（HLC International Service）にて、海外給与・厚生における各種処遇の情報提供や海外給与説明会、駐在員及びその家族を対象とした赴任前セミナー（E-learning）を提供し、トータルサポート。■サービス：海外人事規程等コンサルティング、HLC International Service（情報提供サービス）、赴任前セミナー（駐在員ご本人様向け、帯同ご家族様向け）、海外物品送付サービス他

■〒100-0005 東京都千代田区丸の内2-2-3 丸の内仲通りビル8階
■URL：https://www.humanlink.co.jp
■E-mail：his-info@org.mitsubishicorp.com

#### 駐在体験者に聞いたちょっといい話

**【彼女のためにパエリアを】**

バレンシア地方でフライパンを意味する「paella」が語源と言われているスペインの代表的料理「パエリア」。このパエリアにもう一つロマンティックな語源があることをご存知でしょうか？「paella」は「para ella」と発音が似ており、その意味は英語で「for her」(彼女のために)という意味だそうです。その語源通り、スペインでは日曜日に男性が愛する彼女のため作るとのこと。スペインの昼下がりに大切な人に男性が作るパエリア！素敵ですね。

是非、スペインに駐在される男性は、日曜日の昼下がりにご家族のためにパエリア作りに挑戦してみてはいかがでしょうか。

（情報提供者：スペイン駐在歴３年）

COLUMN

# 日本国内の投資について

日本国内の投資環境は、ここ数年で大きく変化しています。低金利政策や超高齢社会の加速、2024年1月から新NISA（少額投資非課税制度）が始まり非課税枠が拡大され、保有期間が無期限になったこともあり、投資に対する関心が大いに高まっています。3月には日経平均株価は史上初めて4万円を超えました。本コラムでは、特に注目されているNISA（少額投資非課税制度）について海外赴任時に必要な手続きについて紹介します。

| | |
|---|---|
| 1.株式投資 | 企業の株式を購入し、配当金や株価の上昇を通じて利益を得る方法。 |
| 2.投資信託 | 複数の投資家から資金を集め、専門家が運用する金融商品。 |
| 3.不動産投資 | 不動産を購入し、賃貸収入や物件の価値上昇による利益を狙う。 |
| 4.債券投資 | 国や企業が発行する債券を購入し、利息収入を得る方法。 |

## 最新の投資情報

近年の投資動向として、ESG（環境・社会・ガバナンス）投資やフィンテックの進展が挙げられます。ESG分野では、持続可能な社会の実現を目指し、環境や社会に配慮した企業への投資が注目されています。また、フィンテック技術の発展により、スマートフォンを使った手軽な投資サービスも増加しています。

## 海外赴任時の投資維持手続き

海外赴任により一時的に出国する場合には、予め手続きを行うことにより、NISA口座で保有する上場株式等について、一定の期間、引き続き非課税の適用を受けることができます。

また、これまで海外赴任者に対してNISA口座の閉鎖・解約を求めていた一部の大手金融機関も解約ルールを改定すると明らかにしました。よって、大半の金融機関でNISA口座を閉鎖・解約しなくてもNISAを通じた投資を継続できるようになりました。ただし、海外赴任により日本を離れる場合、現在保有している投資口座を維持するためにはいくつかの手続きが必要です。あくまで維持なので、赴任先で新たに買い付けはできません。なお、赴任前に口座を持っていない場合、赴任してから新たな投資口座は開けません。

| | |
|---|---|
| 1.金融機関への連絡 | 企業の株式を購入し、配当金や株価の上昇を通じて利益を得る方法。海外赴任の予定が決まり次第、NISA口座を開設している金融機関に連絡し、今後の手続きについて確認しましょう。<br>※取扱いの有無等については、金融機関によって異なります。具体的な手続きを含め、詳細については、口座開設先の金融機関にお問い合わせください。 |
| 2.マイナンバーの更新 | マイナンバーが必要な投資の場合、住所変更手続きとともにマイナンバーの登録情報を最新に保つ必要があります。海外転出者向けマイナンバーカードを取得しましょう。（CHAPTER1-4「公的手続きの確認」参照） |
| 3.非課税口座の扱い | NISAなどの非課税口座を持っている場合、海外在住者としての扱いについて確認しましょう。非課税口座を維持できない場合もあるため、詳細は各証券会社・銀行に確認を。 |
| 4.納税手続き | 海外に居住することで税務上の居住者区分が変わる可能性があります。税務署に連絡し、必要な手続きを確認し、適切に納税義務を果たすようにしましょう。 |

日本の投資環境は多様化しており、個々のニーズに合わせた投資方法を選択することが重要です。特にNISA制度の改正は、個人投資家にとって大きなメリットとなるでしょう。海外赴任時には、投資の維持に必要な手続きを適切に行うようにしましょう。

COLUMN

# 知っておきたい携帯の準備

出発前に準備を

新崎　千裕（米国通信、スマホ・SIMサービス『アメスマ』）

## 海外赴任前

①ご自身のスマホが海外で利用できるかの確認

日本で購入したスマホの大半にはSIMロックがかかっており、赴任に伴い海外の通信キャリアと契約する場合はSIMロックを解除する必要があります。SIMロック解除方法は「ドコモ（ご利用の携帯会社名）SIMロック解除方法」など検索して、スマホをSIMフリーの状態にしましょう。また、海外の通信キャリアは日本と利用する周波数帯が異なるので、SIMフリーのスマホでも利用できない場合があります。日本にいながら海外の通信キャリアと契約できるサービスも増えてきているため、事前にサービス提供者にお手持ちのスマホの海外通信キャリアでの使用可否を確認することをおすすめします。

②日本の携帯電話の利用停止

海外赴任が決まったら、日本の携帯電話は解約か、利用一時停止を、出発前に事前に行いましょう。契約するか利用一時停止とするかは判断が迷うところですが、1年以上海外に赴任する場合は、携帯電話を解約しておくのが一般的です。数年前は携帯ショップに行って解約手続きをする必要がありましたが、最近は多くの通信キャリアがオンラインでの解約も受け付けています。詳細は、各通信キャリアのホームページよりご確認ください。

## 海外赴任後

アメリカへの赴任を例に、現地での携帯手続きをご紹介します。一般的な方法としては、現地の携帯ショップへ直接足を運び、契約することでしょう。家電量販店でも携帯電話の購入、契約手続きが可能です。この方法のメリットとしては、色々実店舗を回って話が聞けるので、プランの選択肢が多いという点です。一方でデメリットとしては、英語での契約手続きの煩雑さがあること、赴任後しばらくは携帯電話が使えない状態で生活しなければいけない点などが挙げられます。また2年契約や分割支払いをする場合、クレジットヒストリーと呼ばれる信用力が求められますが、赴任直後だとそのスコアが低く、契約できない可能性があります。そんな時はプリペイドでの契約がオススメです。

## 海外赴任前に現地携帯を契約できるサービスもある

最近では、アメリカをはじめ、現地で使用できる携帯電話やSIMカードを日本に居ながら契約、受取できるサービスも登場しているので、興味のある方は「アメリカ（赴任する国名）駐在 携帯」のようにキーワードを入れて、ウェブで検索してみるとよいでしょう。

【解約に関する情報】
NTTドコモ：https://www.docomo.ne.jp/support/cancel/
au：https://www.au.com/support/service/mobile/procedure/contract/cancel/
ソフトバンク：https://www.softbank.jp/mobile/support/cancellation/
楽天モバイル：https://network.mobile.rakuten.co.jp/guide/cancellation/

駐在期間が1年以内の短期間の場合、利用一時停止することもできます。各通信キャリアの利用停止条件、方法は以下の通りです。日本に戻って電話番号を変えたくない方は、利用一時停止をオススメします。

【利用一時停止に関する情報】
NTTドコモ：https://www.docomo.ne.jp/support/keep_number/
au：https://www.au.com/support/service/mobile/procedure/contract/stopping/
ソフトバンク：https://www.softbank.jp/mobile/support/oazukari/
楽天モバイル：https://mobile.rakuten.co.jp/support/can_i_help_you/

CHAPTER

# 医療と健康

心身の健康は海外赴任の基本。健康診断や、ワクチン接種、常備薬の準備、英文診断書の用意など、入念に準備をしておこう。

※本書に掲載している医療機関が個別に扱っている海外製（輸入）ワクチンについては、副作用発生時の医薬品副作用被害救済制度の対象になりませんので、ご注意ください。接種を依頼する医師とよくご相談ください。

# 01 海外赴任前の医療対策



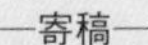

—寄稿—

航仁会　西新橋クリニック
理事長

大越　裕文　先生

1981年東京慈恵会医科大学卒、同大病院助手、米国留学後、日本航空健康管理室主席医師。2008年より現職。日本渡航医学会理事、日本産業衛生学会代議員など。

**海外赴任中の健康対策は
事前の準備が最も大切。
ポイントを押さえて、計画的な対策を。**

赴任が決まったら、すぐに準備に取りかかりましょう。

## 1. 渡航先の情報収集

海外滞在中は、気候や衛生状態などの環境の変化により健康問題が発生しやすくなります。まず感染症の流行を含め、渡航先の情報を入手してください。

①収集すべき情報:気候・大気汚染・交通事情・衛生状態・感染症流行・必要な予防接種・医療事情、出入国制限や要件（ワクチン接種、検査）など

②情報の収集方法
　*前任者や赴任経験者からの情報
　*トラベルクリニックからの情報
　*インターネット情報（チェック①参照）

## 2. 健康診断の受診

赴任が決まったら、すぐに健診を受診し、再検査、精密検査が指示された場合は、できるだけ出発前に解決しておきましょう。

①海外赴任者:6ヶ月以上海外に赴任される方は、健康診断は義務です。赴任が決まったらすぐに健診を予約してください。その他、渡航先によっては就労ビザや就労許可のための検診が必要になります。

②帯同成人:健康診断の受診は義務ではありませんが、できるだけ健診を受けましょう。女性の方は、婦人科検診の追加を検討してください。なお、中国に渡航する場合は、居留許可のための検診が必要です。

③帯同小児:乳幼児健診、学童健診で問題を指摘された項目につき、かかりつけの先生と相談してください。

④全員、歯科医のチェックを受けて、出発前に治療が終わるようにしましょう。

## 3. 予防接種と証明書

渡航に必須なワクチンや推奨されているワクチンを外務省の情報などを参考に確認してください。

①推奨ワクチン:渡航先で推奨されているワクチンの接種を受けてください。医療レベルに問題がある国へ渡航する際は、日本で接種し、一時帰国の際に追加接種を受けてください。

②黄熱ワクチン:渡航国が入国時に黄熱ワ

クチン接種を義務付けているかを確認してください。接種を義務付けている場合や感染のリスクがある場合は、最寄りの検疫所あるいは関連施設で接種してください。1回接種後10日目から生涯有効です。また黄熱ワクチン接種後27日間はほかの生ワクチンが接種できません。黄熱ワクチン以外のワクチンを接種する場合は、まず医療機関で接種スケジュールを相談してください。

③帯同小児の予防接種：年齢相応の日本の定期予防接種とおたふくかぜワクチンを接種してください。お子様が入園・入学の際に要求されるワクチンを接種し、所定のフォームを用いて接種証明書を作成してもらってください。合わせて接種記録を作成しましょう。「英語/日本語母子健康手帳」の利用をお勧めします。（チェック①参照）。

④トラベルクリニックの活用

ワクチンや証明書などのことは、海外渡航に詳しいトラベルクリニックに相談することをお勧めします。

### 4. 持病の対策

海外渡航中は、生活習慣の変化や治療の中断などにより持病が悪化しやすくなりますので、しっかりと準備をしてください。

①主治医から海外渡航時の注意をうける。
②持病のコントロールを改善しておく。
③英文医療情報を用意する。
・基本情報：名前・生年月日
アレルギー・既往歴など
・疾病情報：病名・内服中の薬・データのコピー、緊急時の対処法
④発作性疾患やアレルギーなどがある場合は「緊急用カード Medical alert card」を準備しましょう。基本情報・疾病情報・緊急連絡先・対応方法を記載したcardを常に携帯してください。

## チェック①

**海外の医療情報を探す**

外務省世界の医療事情　https://www.mofa.go.jp/mofaj/toko/medi/index.html
外務省海外安全ホームページ　https://www.anzen.mofa.go.jp/
厚生労働省検疫所FORTH　https://www.forth.go.jp
日本渡航医学会　https://jstah.umin.jp/join.html
Care the world（出産・子育て情報）http://www.caretheworld.com/

**予防接種を受ける・調べる**

黄熱病の予防接種について「FORTH」 https://www.forth.go.jp/moreinfo/topics/yellow_fever_certificate.html
予防接種医療機関を調べる「FORTH」 https://www.forth.go.jp/moreinfo/vaccination.html
日本渡航医学会トラベルクリニックリスト　http://jstah.umin.jp/02travelclinics/
※海外製のワクチンが必要な場合はトラベルクリニックを受診してください。

**英文の母子健康手帳を用意する**

公益財団法人　母子衛生研究会　https://www.mcfh.or.jp/

⑤可能であれば、渡航前に海外のクリニックに問い合わせしましょう。
・クリニックの診療内容・担当医師の情報
・内服中の薬剤の処方の可否、処方できない場合の代替薬の確認。
⑥常用薬は長期処方（3ヶ月分くらい）をしてもらい、入国時のトラブルを避けるために、薬剤が個人使用である証明書を持参することをお勧めします。なお、一部の薬剤は、持込めないものがありますので、渡航国の日本大使館等に確かめてください。

これらの対策の他にも、市販薬や衛生用品の購入や、ストレス対策、さらに現地の医療機関を受診するために必要な情報の確認など、健康な海外赴任生活を維持するためにしておくべき準備が、まだまだあります。チェック②を参考に対策をしておきましょう。

まずは必要な対策を確認し、漏れのないようにひとつひとつ準備をしましょう。

## チェック②

### チェック1　渡航に必要な証明書の準備

①ワクチン接種証明書　②その他（健康証明書等）

### チェック2　市販薬と衛生用品の準備

①解熱鎮痛剤・総合感冒薬・胃腸薬、うがい薬など
注意）デング熱流行地では、解熱鎮痛剤はアセトアミノフェン系薬剤を持参
②消毒液、包帯、ガーゼ、絆創膏、生理用品、湿布薬、虫刺され薬、浣腸、体温計、氷のう（アイスノン）など
③スポーツドリンク、経口補水塩ORS(粉末)　④殺虫剤、昆虫忌避剤、蚊取り線香

### チェック3　生活習慣病・ストレス対策の準備

①渡航先の情報入手:歴史・文化・習慣・食事・気候・医療など
②簡単な会話の勉強あるいは準備
③現地でできる運動（屋内、屋外）・趣味・リラクゼーション方法を確保
④相談相手の確保;元同僚・友人・産業保健スタッフ　⑤体重測定による自己管理

### チェック4　海外の医療機関受診のための準備

①渡航先の医療制度や医療文化の違いを確認
②医療費の支払い方法を勤務先と確認:旅行保険、渡航先の保険、立て替え払いなど
③かかりつけ医候補の情報を入手
④受診の準備　＊基本情報の整理:持病、内服薬、既往歴、薬剤アレルギー・家族歴など
＊指さし会話集や翻訳ソフトの用意

### チェック5　飛行機搭乗の際の注意

①航空会社の注意事項を守りましょう。
②健康状態に不安がある場合は航空会社に相談してください。
③具合が悪くなったらすぐに乗務員に申し出てください。

# 02 海外医療制度の基礎知識

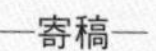
—寄稿—

医療法人社団TCJ
トラベルクリニック新横浜院長
古賀　才博　先生

1992年産業医科大学卒、長崎大学熱帯医学研究所等で研修し松下電器（現パナソニック）の海外医療対策室勤務、2002年より労働者健康福祉機構　海外勤務健康管理センター勤務。2010年トラベルクリニック新横浜を開設。

## 医療制度の違いに注意を
## ～日本の医療はガラパゴス？～

日本はかつて“水と医療はタダ”と言われた時代もありましたが、現在でも一部有料化されたとは言っても医療機関へのアクセスはそれほど大変ではありません。一方、海外では良質な医療を受けたい場合、医療制度の違いを知っておかなければ様々なトラブルにつながることがあります。

事例Aは米国の皆保険制度（オバマケア）が導入前の事例ですが、ほぼ実話にもとづいており、米国に限らず海外へ赴任・帯同する方々には知っておくべき内容が多くご紹介させていただきました。

ここでは、日本と海外の医療制度の違いを説明するとともに、トラブルを避けるために注意したい点をご紹介します。

### 1. 高額な医療費

海外で良質な医療を受ける場合、一般に医療費は日本に比べ高額になります。特に

### 事例A：ニューヨークで勤務するAさんの場合

中小企業の社員で海外勤務となりましたが、初の海外進出ということもあり仕事に追われる毎日を過ごしていました。そのため自身の健康保険に関しては、現地の民間医療保険に加入することもなく、日本の健康保険に継続して加入しているため大丈夫と考えていました。以前より時々虫垂炎を患うことがありましたが、日本ではその度ごとに病院を受診して抗菌薬を内服し、手術を受けるような状態にはなりませんでした。

ある週末、同様の症状が出現し医療機関へ受診しようと考えましたが英語が堪能なAさんでも医療用語は難解なため躊躇し翌日まで様子をみることにしました。翌日の明け方、下腹部の激痛と発熱で目が覚め、これまで経験したことのない痛みのため日本では119番に電話し救急車を呼ぶところですが、救急車を呼ぶ電話番号も分からず、やっとの思いで通勤途中にある総合病院の救急外来へタクシーに乗りたどり着きました。

救急外来ですぐに医師の診察が受けられると思っていましたが、病状により優先順位が決定されるため廊下の簡易ベッドで数時間待つことになりました。その間、医療保険の有無や医療費の支払い方法について問われ、無保険であることが分かると支払い能力を証明するか、前金として一定額を支払わない限りこれ以上の医療を提供できないと言われました。幸い仕事上のパートナーが電話で交渉し、日本の会社が医療費を負担することで決着しましたが、虫垂炎から腹膜炎を来たしており開腹手術となり最終的な医療費の合計は1000万円近い金額が必要となりました。

米国では医療保険に加入してない場合、個人で支払うことが不可能な額を請求されることがあります。また途上国であっても、外国人が利用する医療機関で支払う医療費は日本に比べて高額になります。

海外では低所得者や高齢者へ最低限の医療を提供する公的な医療制度はあっても、高度な医療や快適で清潔な医療はサービスの1つと考えられています。それらのサービスを受けるには、相応の費用負担が必要になるため“支払い能力の有無”が問われることになります。

また途上国では日本国内と同程度の医療を受けたい場合、近隣の医療先進国へ搬送しなければならない場合もあります。医師や看護師の同乗の有無や医療搬送専用機と民間の航空機のいづれを使用するかなどで費用に違いがありますが、通常数百万円のコストがかかります。そのような費用をカバーするためには、保険の加入が必要ですがその内容により享受できるサービスに違いがあるため確認が必要です。中東の産油国で現地の国籍を有する者は医療費無料というところもありますが“海外では医療はお金がかかるもの”と思って間違いはないでしょう。

## 2. 医療保険の違い

日本から海外に赴任する場合、先進国では、現地の民間の医療保険に加入することが一般的です。その場合でも加入した医療保険の契約内容によって、受診できる医療機関や受けられる医療サービスに違いがあります。米国では医療を受ける場合、通常事前に家庭医と契約しておくことが必要ですが、その際に加入している保険により契約の可否が問われます。

一方、途上国では海外旅行保険に加入することが多いと思いますが、既往症は担保されないことが多く、注意が必要です。すなわち日本国内で既に高血圧や脂質異常症などの内服治療を受けており、海外で既往症の治療を継続する場合、海外旅行保険ではカバーされないことが一般的です。

日本の健康保険に加入を継続していると海外で支払った医療費を還付する制度もありますが、書類の和訳等手続きが煩雑な上、一旦は自分で全額を支払い、同様の医療を国内で受けた場合に相当する費用が戻るのみのため現実的ではありません。

## 3. 救急車の違い

日本で救急車を呼ぶ場合は、119をコールし費用は一般的に無料です。米国では911にコールし、費用は有料となります。路上で具合の悪い人がいて親切心で救急車を呼び、その方が利用を拒否した場合、呼んだ者が費用を負担しなければなりません。日本国内でもタクシーの代わりに救急車を呼ぶようなケースが社会問題になったりしますが、海外では有料が普通です。

また途上国では救急車は最低限の医療機器さえも備え付けられていない場合もあり、搬送先はどこの医療機関となるかも分かりません。そのため救急車が必要な場合は、現地のプライベート病院が所有する専用の救急車を呼ぶか、自家用車で搬送することになります。

## 4. フリーアクセスは日本だけ

日本では患者が自由に医療機関を選択することが可能です。大学病院や高度な医療を提供する専門病院でも一般的に医療機関からの紹介状があり、医療保険の範囲内であれば自由に医療を受けることが可能です。先進医療を受ける場合は自費治療となりますが、このようなシステムは世界的にはまれで、米国では先の家庭医が医療のゲートキーパーとなり、必要があれば専門医へ紹介します。そのため加入している医療保険により受診できる医療機関や治療内容さえも左右されることになります。先の事例のように救急受診が必要な場合は、家庭医に電話をするか、保険会社の専用ダイアルに電話をする、救急車を呼ぶなどの対応になりますが、米国では救急外来を受診するほどの病状ではないがすぐにでも医療機関にかかりたい場合は、Urgent Care ClinicやWalk-in Clinicと呼ばれるような施設を利用することも可能で近所の施設をあらかじめ探しておくことも良いでしょう。

途上国では良質な医療を受ける施設は限られるため、外国人が利用する医療機関は民間の医療機関となることがほとんどです。日本国内では国公立病院などは医療機器も人材も高いクオリティーが確保されていますが、海外では公的医療機関は低所得者を対象にし、医療機器も不十分なことも多く、必要最低限の医療を提供する施設であることが一般的です。

## 5. ドクター選び

日本国内でも転勤などで見知らぬ土地に住むことになった場合、どこの医療機関へかかるか迷うこともあるでしょう。ましては海外ではなおさら主治医選びは大変ですが、一般的には前任者からの紹介や日本人コミュニティのなかでの口コミ、帯同家族がいればお子様の学校入学のための健康診断や予防接種の必要性から自然に決まることが多いと思われます。一旦決まった主治医は固定されるものではなく、相性や考え方の違いから主治医を変更することも可能です。また日本でも一般的になってきましたが他の医師に意見を訊くセカンドオピニオンを活用するのも良いでしょう。

## 6. 日本が1番？

言葉の壁やこれまで慣れ親しんできた医療制度から日本の医療が1番と思いがちですが、一概にそうとも言えません。日本は皆保険制度のもと医師の経験や技術によらず一定の医療費が医療機関に支払われるため医師間の競争原理が働かず、医療をサービスという視点でとらえることに違和感を持つ医療従事者もいます。かたや米国では高額な医療費が問題となっていますが、移植医療に代表されるような日本国内では一般的ではない先進医療で助かる邦人もいます。

一方、医療ツーリズムで脚光を浴びるタイのバンコクでは、ホテルのような医療施設で日本語による医療サービスを受けることも可能であり、海外旅行保険に加入していれば窓口での支払いはありません。そのため過剰な検査、医療になる問題も指摘されていますが日本以上に快適な環境で無痛分娩を経験した奥様にとって評価は高くなるかもしれません。

以上のように海外では日本と異なる医療制度である事を理解していないと十分な医療を受けることが出来ないだけでなく、結果的に多額の医療費が必要となることもあります。健康でトラブルなく赴任期間を過ごせることが何よりですが、事前の準備が大切です。

# 03 感染症の対策



―寄稿―
東京医科大学病院　渡航者医療センター
福島　慎二　先生
1999年に産業医科大学医学部を卒業し、産業医科大学病院や横浜労災病院/海外勤務健康管理センターで勤務の後、2010年からは現職。専門は、渡航医学、感染症学、小児科学。

## 主な感染症と感染経路

海外でも発展途上国（途上国）では感染症が日常的に流行しており、日本からの渡航者が現地で発病するケースも数多くみられます。海外渡航者にリスクのある感染症を表①に示します。流行地域の詳細は厚生労働省検疫所のホームページなどをご参照ください。以下に主要な感染症を解説します。

**①経口感染症**

飲食物から経口感染する旅行者下痢症やA型肝炎は、途上国であればいずれの地域でも高いリスクになります。経口感染症の予防には、ミネラルウォーターや煮沸した水を飲用すること、食品はなるたけ加熱したものを摂取することなどが重要なポイントです。また、外食をする場合は衛生状態の良い店を選ぶようにしましょう。

旅行者下痢症はとくに頻度が高く、1ヶ月間の途上国滞在で半数近くの渡航者が発病するという調査結果もあります。多くは大腸菌が原因で、命にかかわることは少ないのですが、かかってしまうと大変に辛いものです。もし下痢をおこしたら、水分や糖分の補給に努めましょう。これには経口補水液を用いると効果的です。下痢の回数が多い時は、下痢止めを服用してください。ただし、下痢とともに血便や高熱をきたしている場合は、下痢止めの使用を控え、早めに医療施設を受診しましょう。

**②蚊が媒介する感染症**

蚊が媒介する感染症は、滞在する地域によってリスクが異なります。デング熱は東南アジアや中南米で毎年雨期に流行が発生しており、日本人の感染例も数多く報告されています。マラリアの流行は、アジアや中南米では特定の地域に限定されており、日本人が行動する範囲での感染リスクは低くなります。その一方で、赤道周囲のアフリカ（タンザニア、ガーナなど）では都市や観光地でも感染リスクがあります。とくにアフリカでは重症化する熱帯熱マラリアが流行しており、注意が必要です。

デング熱やマラリアを予防するためには、蚊の吸血を防ぐことが最も大切です。蚊の発生する場所では長袖、長ズボンを着用して皮膚の露出を少なくするとともに、皮膚には昆虫忌避剤を塗布しましょう。屋内への蚊の侵入を防ぐためには、殺虫剤や蚊取り線香を用いてください。なお、デング熱を媒介するネッタイシマ蚊は昼間、マラリアを媒介するハマダラ蚊は夜間に吸血します。蚊の対策を実施する時間帯はそれぞれの流行状況に応じて調整しましょう。

**③性行為感染症**

性行為で感染する梅毒、尿道炎、B型肝

炎、HIV感染症も、途上国では注意が必要です。また、途上国の医療施設の中には、医療器材の消毒が十分に行われてない施設もあり、院内感染としてB型肝炎やHIV感染症に罹患するリスクがあります。さらに、ピアスの穴開けやタトゥーなどの美容行為で感染するケースもあるので、ご注意ください。

**④動物が媒介する感染症**

狂犬病は途上国を中心に流行しており、発病すると致死率は100%に達します。海外の流行地域ではイヌなどの動物に接触しない注意をするとともに、動物に咬まれた場合は、狂犬病の発病を予防するための予防接種を迅速に受けましょう。

## どのワクチンを接種する?

感染症対策の要となる予防接種。ワクチンを選ぶ場合には、まず表②で予防接種が推奨される感染症の特徴を確認します。次に表③と表④を参考にしながら、滞在期間、滞在地域、現地での行動パターンなどに基づいて選びます。

## ワクチン接種を計画する

ワクチンとは、感染症の原因になる病原体を弱くしたり(生ワクチン)、殺したり(不活化ワクチン)したもので、これを接種すると感染症への抵抗力が獲得できます。生ワクチン(黄熱など)は1回接種するだけで充分な効果がありますが、不活化ワクチンは一般に2回以上の接種が行われます(表⑤)。また、ワクチンの効果は次第に弱くなるので、数年毎に接種を繰り返す必要があります。

破傷風、A型肝炎、B型肝炎、日本脳炎はいずれも3回の接種が必要です。通常は2回目まで接種した時点で出国し、3回目は現地か一時帰国して接種するようにスケジュールを組みます。

このように、予防接種を完了するには一定の期間が必要になるため、出発の1ヶ月前には開始しておくことをお奨めします。もし時間がない場合は無理をせずに、現地で受けることも検討してください。なお、医師の判断で複数のワクチンの同時接種を行うことができます。また、生ワクチンを接種すると1ヶ月間は生ワクチンの接種ができなくなるので、ご注意ください。

表①海外渡航者にリスクのある感染症

| 主な感染経路 | 感染症 | 主な流行地域 |
|---|---|---|
| 経口感染 | 旅行者下痢症、A型肝炎 | 途上国全域 |
| | 腸チフス | 途上国全域(とくに南アジア) |
| | ポリオ | 南アジア、熱帯アフリカ |
| 蚊が媒介 | デング熱 | 東南アジア、南アジア、中南米 |
| | マラリア | 熱帯・亜熱帯地域(とくに熱帯アフリカ) |
| | 黄熱 | 熱帯アフリカ、南米 |
| | 日本脳炎 | 東アジア、東南アジア、南アジア |
| マダニが媒介 | ダニ媒介性脳炎 | ヨーロッパ〜ロシア |
| 性行為感染 | 梅毒、HIV感染症 | 途上国全域 |
| | B型肝炎 | 途上国全域 |
| 動物が媒介 | 狂犬病 | 途上国全域 |
| 患者から感染 | 結核、麻疹 | 途上国全域 |
| | 髄膜炎菌 | 西アフリカ、中東 |
| | 新型コロナウイルス感染症 | 全世界 |
| 皮膚・傷口から感染 | レプトスピラ症、破傷風 | 途上国全域 |

## 表②ワクチン接種を推奨する感染症

### 渡航者全員に推奨

| | |
|---|---|
| 麻疹 | 麻疹は空気感染する病気で、アジア、アフリカなどで流行しています。過去の罹患歴やワクチンの接種歴を確認することをお勧めしています。 |
| 破傷風 | 破傷風は土の中に病原体が潜んでおり、大きな怪我をすると傷口から感染します。発病すると強い痙攣をおこし、死亡することも多い病気です。日本であれば、怪我をしてから医療施設を受診し、破傷風ワクチンの接種を受けることができます。しかし、海外で生活していると医療施設を手軽に利用できないため、国内よりも発病のリスクが高くなるので出国前の接種をお奨めしています。 |

### 渡航国に応じて推奨

| | |
|---|---|
| A型肝炎 | A型肝炎は飲食物からかかる病気で、日本人が好む海産魚介類から感染するケースが多くみられます。日本では近年になり患者数が減少しましたが、途上国では今でも流行がつづいています。死亡することは稀ですが、1ヶ月近い入院生活を強いられます。このため、途上国に渡航する場合は滞在期間にかかわらずワクチン接種をお奨めしています。 |
| B型肝炎 | B型肝炎は性行為や医療行為などから感染します。途上国で広く流行しており、とくに中国や東南アジアは高度流行地域です。発病すると長期の入院を強いられるだけでなく、一部は劇症型となり、命を失うこともあります。高度流行地域に滞在する場合は、ワクチン接種を受けておくようにしましょう。 |
| 狂犬病 | 日本では狂犬病が根絶されましたが、インドやフィリピンなどの途上国では、多くの患者が発生しています。イヌやネコなどの動物に咬まれて感染しますが、発病すると100%死亡する恐ろしい病気です。ただし、咬まれた後に予防接種を受ければ発病を予防できます。このため、信頼できる医療施設が少ない場所に滞在するケースでは、事前のワクチン接種をお奨めしています。 |
| 日本脳炎 | 日本脳炎は中国、東南アジア、南アジアで流行しています。蚊に媒介される病気で、発病すると意識障害や麻痺をおこし、死亡することも少なくありません。ただし、都市部では稀な病気で、郊外の農村地帯などで流行しています。こうした場所に立ち入る機会が多い方は、ワクチンの接種を受けてください。 |
| 黄熱 | 黄熱は蚊に媒介される病気で、熱帯アフリカや南米が流行地域です。通常はジャングルの中で流行しているため、日本からの渡航者が感染することは稀です。しかし、発病すると死亡率が高いことから、流行国に滞在する際には、たとえ短期間であってもワクチンの接種をお奨めしています。流行国やその周辺諸国の中には、入国する際にワクチン接種証明書（イエローカード）の提示を求める国もあります。 |
| 髄膜炎菌 | 熱帯アフリカや中東では、乾期に髄膜炎菌による髄膜炎が流行します。この病気は飛沫感染するため、流行地域に滞在する方には髄膜炎菌ワクチンの接種をお奨めしています。また、米国などに留学する際も、学校側から髄膜炎菌ワクチンの接種を要求されることがあります。 |
| 腸チフス | 飲食物から感染する病気で高熱をおこします。途上国全域で流行していますが、とくにインドなど南アジアで感染するリスクが高くなります。このため、南アジアに滞在する方には、ワクチンの接種をとくにお奨めしています。 |
| ダニ媒介性脳炎 | ヨーロッパからロシアなどの国でマダニに刺咬されることにより感染します。とくに、初夏から秋にかけて野外活動などを行う方には接種が推奨されます。 |

### ※ワクチン接種以外の対策が必要な感染症

| | |
|---|---|
| マラリア | 熱帯や亜熱帯地域に広く流行している熱病で、有効な予防接種は今のところありません。媒介する蚊に刺されない対策が必要です。<br>マラリアを媒介する蚊は夜間吸血性なので、夜間の外出を控え、室内に侵入する蚊を殺虫剤などで駆除しましょう。どうしても夜間外出する際には、皮膚が露出しない服装を選び、防虫スプレーを塗ってください。薬剤（マラロン®やメファキン®など）を定期的に服用して予防する方法もありますが、副作用もあるため、感染症専門の医師に相談してから実施するようにしましょう。 |

## 表③海外渡航者(成人)に推奨する予防接種

16歳以上の成人に推奨している予防接種です。子どもの予防接種については Chapter2-4「子どもを帯同する時の準備」を確認しましょう。

| ワクチン | 滞在期間* | | 対象となる滞在地域 | とくに推奨するケース |
|---|---|---|---|---|
| | 短期 | 長期 | | |
| 麻疹ワクチン | △ | △ | アジア、アフリカなど | 30歳代〜50歳代(麻疹免疫が弱いため) |
| 破傷風ワクチン | △ | ○ | 先進国、途上国全域 | 外傷を受けやすい者 |
| A型肝炎ワクチン | ○ | ○ | 途上国全域 | 衛生状態の悪い地域に滞在する者 |
| B型肝炎ワクチン | | ○ | アジア、アフリカなど | 医療従事者 |
| 狂犬病ワクチン | △ | ○ | 途上国全域 | 動物の咬傷後すみやかな処置が困難な地域に滞在する者 |
| 日本脳炎ワクチン | | △ | 中国、東南アジア 南アジア | 農村地帯に滞在する者 |
| 黄熱ワクチン | △ | ○ | 熱帯アフリカ、南米 | 接種証明書の提出を要求する国に滞在する者 |
| 髄膜炎菌ワクチン | | △ | 熱帯アフリカ、中東 | 乾期に滞在する者 |
| 腸チフスワクチン | △ | △ | 途上国全域 | 南アジア(インドなど)に滞在する者 |
| ダニ媒介性脳炎 | | △ | ヨーロッパ〜ロシア | 初夏から秋にかけて、野外活動を行う者 |

*短期:1ヶ月未満の滞在　○:推奨する、△:必要に応じて推奨する

## 表④地域別に推奨する予防接種

該当する地域に長期(1ヶ月以上)滞在する成人に推奨する予防接種。

| 地域名 ＼ ワクチン名 | 破傷風 | A型肝炎 | B型肝炎 | 狂犬病 | 日本脳炎 | 黄熱 | 髄膜炎菌 | 腸チフス | ダニ媒介性脳炎 |
|---|---|---|---|---|---|---|---|---|---|
| 東アジア(中国、韓国など) | ○ | ○ | ○ | △ | △ | | | △ | |
| 東南アジア(タイ、ベトナムなど) | ○ | ○ | ○ | ○ | △ | | | △ | |
| 南アジア(インドなど) | ○ | ○ | ○ | ○ | △ | | | ○ | |
| 中近東(サウジアラビアなど) | ○ | ○ | ○ | △ | | | △ | △ | |
| アフリカ(ケニアなど) | ○ | ○ | ○ | ○ | | ○(赤道周辺) | △ | ○ | |
| 東ヨーロッパ(ロシアなど) | ○ | ○ | ○ | ○ | | | | △ | △ |
| 西ヨーロッパ(イギリス、フランスなど) | ○ | | | | | | | | |
| 北アメリカ(合衆国、カナダなど) | ○ | | | | | | | | |
| 中央アメリカ(メキシコなど) | ○ | ○ | △ | ○ | | | | △ | |
| 南アメリカ(ブラジルなど) | ○ | ○ | ○ | ○ | | ○(赤道周辺) | | △ | |
| 南太平洋(グアム、サモアなど) | ○ | ○ | ○ | △(島による) | | | | △ | |
| オセアニア(オーストラリアなど) | ○ | | | | | | | | |

○:推奨、△:必要に応じて推奨

### 副作用は?アレルギーなどは事前に相談を

ワクチンの副作用を心配する方もいるようです。接種後の腫れや痛みといった軽い副作用は時々おこりますが、ショック症状やケイレンなどの重篤な副作用は大変に稀です。ただし、アレルギー体質があったり、以前に予防接種で副作用をおこした方については、事前に医師とご相談ください。

なお、日本で承認されていないワクチンは、副作用が発生した時にも医薬品副作用被害救済制度の対象になりません。

表⑤各ワクチンの接種回数

| | 種　類 | 接種回数 | 一般的な接種間隔 | 有効期間 |
|---|---|---|---|---|
| 破傷風[#1] | 不活化ワクチン | 3回 | 0日、4週後、半年～1年後 | 10年間 |
| A型肝炎 | 不活化ワクチン | 3回 | 0日、2～4週後、半年～1年後 | 10年間 |
| B型肝炎 | 不活化ワクチン | 3回 | 0日、4週後、半年～1年後 | 10年以上 |
| 狂犬病 | 不活化ワクチン | 3回 | 0日、1週後、3～4週後 | 2年以上 |
| 日本脳炎[#2] | 不活化ワクチン | 3回 | 0日、4週後、1年後 | 4年間 |
| 黄熱 | 生ワクチン | 1回 | 0日 | 一生 |
| 髄膜炎菌 | 不活化ワクチン | 1回 | 0日 | 3年～5年間 |
| 腸チフス | 不活化ワクチン | 1回 | 0日 | 3年間 |
| ダニ媒介性脳炎 | 不活化ワクチン | 3回 | 0日、1-3か月後、2回目接種の5-12か月後 | 3年間 |

#1.破傷風:1968年以降に生まれた方は小児期に三種混合ワクチンとして接種を受けていることが多く、その場合は1回の接種のみを行います。#2.日本脳炎:成人の場合、通常は1～2回の接種のみを行います。

**お役立ちコラム**

### ワクチン接種がうけられる医療施設を探す

海外渡航者向けワクチンの接種が受けられる医療施設は限られています。事前に医療施設に電話をして、接種が受けられるかを確認しましょう。以下のWEBサイトには、接種可能な施設が掲載されています。

●厚生労働省検疫所:https://www.forth.go.jp/●日本渡航医学会:http://jstah.umin.jp/
さらに感染症に関する情報を集める場合は以下のサイトも参考にしましょう。

●東京医科大学病院渡航者医療センター　海外の感染症流行情報を毎月掲載
http://hospinfo.tokyo-med.ac.jp/shinryo/tokou/

●海外渡航と病気　海外でリスクのある感染症を分かりやすく解説
http://www.tra-dis.org/

COLUMN

# 東南アジア圏における留意すべき感染症について

関西医科大学総合医療センター　総合診療科感染症内科　診療部長　三島　伸介　先生

**（1）はじめに**

コロナ禍を経て、感染症がいかに社会に大きな影響を持つかを痛感させられたと思います。個人だけでなく社会にも影響を与えるのが感染症ですが、ここでは東南アジア圏における特徴的なものについて既述します。

**（2）地域的特徴**

熱帯気候に属し雨季と乾季があり、雨季にはスコールや突発的な雷雨が発生しやすいです。特に雨季は蚊の大量発生に伴いデングやマラリアなどの蚊媒介性疾患が大きな流行をみせるときがあります。都市部などは比較的衛生状態は保たれているものの、トイレ後の手洗い用にアルコール浸漬のウエットティッシュを携行しておきましょう。

**（3）マラリア**

世界三大感染症の一つで、今もなお人々の生命を脅かします。きれいな水域を好むハマダラカ属の蚊が媒介し、街中よりは郊外の自然の美しいところで注意が必要です。突然の高熱で発症することが多く、高熱を出した翌日は解熱して元気になったりしますが、発熱と解熱を繰り返して数日中に意識障害を起こすなどして致死的となり得ます。発熱した場合は解熱剤などで様子を見ず、ただちに受診してマラリアの鑑別を受けて下さい。状況に応じて予防内服薬投与も検討されます。帰国後体調不良で受診する際には、必ずマラリア流行地域への渡航歴を医療機関にお伝えください。

**（4）デング熱**

ネッタイシマカが主に媒介し、感染しても8割ほどが不顕性感染となるようですが、高熱で発症することが多く、それに伴う倦怠感や頭痛、筋肉痛などがみられます。目の奥が痛くなる（眼奥痛）こともあります。対症療法が主体で、多くは1週間程度で軽快しますが、時に出血傾向や血圧低下など重症化することがあります。肌の露出部を減らしたり、白っぽい明るめの服装を心がけたりするなど防蚊対策を行いましょう。

**（5）腸チフス**

チフス菌が血液中で増える菌血症が主な病態です。衛生状態の悪い食べ物や飲み物の摂取で感染します。時に40℃を超える発熱をみますが、高熱の割に元気というのが特徴だったりします。適切な抗菌薬がありますが、治療開始時期が遅れると重症化の恐れがあります。不活化ワクチン、生ワクチンがあるので、必要に応じてトラベルクリニックに相談して下さい。

**（6）狂犬病**

日本とは異なり、東南アジア圏全域で注意が必要です。多くが犬による咬傷によりますが、全ての哺乳類が狂犬病ウイルスを持ち得るので、動物には近づかない触らないことが原則です。咬まれる前にワクチンを接種しておくことも可能ですし、咬まれた後に直ちに接種開始する方法もあります。

**（7）寄生虫感染症**

蚊に吸血されて感染するリンパ系フィラリア症、土から経皮的に感染する各種線虫症、淡水域から経皮的に感染する住血吸虫症、淡水魚を生食して感染する吸虫症など、種々の寄生虫感染症があります。急性期に致死的とはならずとも、種々の健康被害をもたらし得るので、こちらについても充分な情報収集が大切です。

**（8）さいごに**

海外では予期せぬことが発生するものです。渡航前には渡航医学の専門家へご相談いただき、現地滞在を安全で健康的に過ごすため健康管理について助言を受けて下さい。帰国後の体調不良も同様にご相談下さい。感染症は自分だけにとどまらず、周りの方への影響も懸念されますことを再度強調させて頂きます。

# 04 子どもを帯同する時の準備

―寄稿―
東京医科大学病院　渡航者医療センター
福島　慎二　先生
1999年に産業医科大学医学部を卒業し、産業医科大学病院や横浜労災病院/海外勤務健康管理センターで勤務の後、2010年からは現職。専門は、渡航医学、感染症学、小児科学。

## 子どもの海外滞在。健康を保つために必要な知識と準備。

子どもを帯同して海外赴任する場合に、皆様がとくに心配するのは、現地の治安、教育、健康の問題です。本項では、子どもの健康管理に関するポイントをまとめました。

### 1. 海外でおこる健康問題は?

海外でかかりやすい病気は、かぜ、胃腸炎です。その他、気管支炎や肺炎、手足口病、みずぼうそう、おたふくかぜなどがあります。また成長の過程で、虫歯や、視力低下などが顕在化することもあります。このように、海外でも子どもがかかりやすい病気は「日本にいる場合とあまり変わらない。」と考えられます。

重篤になりやすい健康問題の一つに事故があります。日本でも海外でも、事故は子どもの健康をおびやかす最大の要因です。子どもの発達に応じて的確に対応することにより、事故を予防することが可能です。たとえば、乳幼児期の子どもは誤飲、転倒、やけどなど家庭内の事故がみられます。また海外では住宅にプールが備えてあったりするので、溺れないように注意をしてください。

### 2. 基礎疾患の管理

治療中の病気がある子どもは、まず早めに担当医と相談してください。「今の状態で、海外で生活できるかどうか」、「フォローや治療の継続を海外で行うのか、日本国内で一時帰国時に行えばよいのか」などを相談します。そして出発前には、担当医から英文の診断書を書いてもらいましょう。現地で医療機関を受診する際の大切な情報になります。診断書には病名と簡単な経過、服用している薬の名前などを記入してもらってください。

### 3. 現地で病気やケガをした時のために

子どもは、発熱や嘔吐、咳といった突発的な症状やケガの頻度が多いため、簡単な育児書もしくは医学書を持参すると、現地で調べたり、応急処置をしたりする時に役立ちます。

そして、普段から受診しやすいかかりつけ医を決めておきましょう。もちろん、病気やケガは平日の昼間だけにおこるとは限りません。夜間や週末に受診可能な病院も調べておくと安心です。

海外赴任したばかりの時期は、環境の変化に伴い、子どもも病気やケガをしがちです。さらに、生活に慣れるまでは、医薬品を現地で入手することも困難であるため、解熱剤など頻繁に使う薬は、日本で使い慣れた薬を持参するようにしましょう。赤ちゃん用の爪切りや綿棒などの衛生用品も数個持参していくと便利です。

## 4. 子どもの予防接種

日本で接種できる月齢・年齢相応の定期接種を実施することが基本です。また、日本では、「おたふくかぜワクチン」は任意接種ですが、海外に渡航する場合には年齢相応に接種してください。さらに、余裕があれば海外渡航者向けワクチン（トラベラーズワクチン）の接種を行いましょう。

### 1　定期予防接種の記録を持参する

母子手帳に記載された予防接種記録を英訳して持参してください。現地で接種を継続したり、学校に入学したりする際に必要です。

文書の作成はかかりつけの医師に依頼するのが理想的ですが、難しいようならトラベルクリニックや母子手帳の英訳を業務とする会社に依頼する方法もあります。

### 2　定期予防接種を海外で継続する

日本では2歳頃までにBCGや四種混合ワクチンなどの主な定期予防接種を終了しますが、その途中で子どもを海外に帯同する場合でも、現地で接種を継続することが大切です。

### 3　トラベラーズワクチンの接種

海外渡航者向けワクチン（Chapter2-3「感染症の対策」参照）の子どもへの接種は大人に準拠して行いますが、大人と異なる小児への注意点を、各ワクチンに関して示します。

**①破傷風トキソイド**

定期接種の「三種混合ワクチン（ジフテリア、百日咳、破傷風）」や「四種混合ワクチン（ジフテリア、百日咳、破傷風、ポリオ）」もしくは「五種混合ワクチン（ジフテリア、百日咳、破傷風、ポリオ、ヒブ）」で接種しているので、子どもには、破傷風トキソイドのみで追加接種をする必要はありません。

**②A型肝炎ワクチン**

A型肝炎は、子どもでは感染しても症状が軽いと考えられていますが、かかりやすい経口感染症であることから、A型肝炎ワクチンの接種を推奨します。主に1歳から接種します。

**③狂犬病ワクチン**

生活環境（とくに動物との接触頻度）や現地の医療事情により接種を検討します。子どもの方が動物に近寄っていく可能性が高いため、狂犬病ワクチンの接種が推奨されています。主に歩き始める1歳から接種します。

事前に接種しても、リスク国で動物咬傷を受けた場合には、追加接種が必要です。

**④日本脳炎ワクチン**

日本では定期接種であり海外渡航の有無にかかわらず年齢・月齢相応に接種しましょう。とくにアジアの流行地域へ渡航する場合には、積極的に日本脳炎ワクチンの接種をお奨めしています。生後6か月から接種が可能です。

**⑤髄膜炎菌ワクチン**

髄膜炎菌感染症は重篤な感染症です。アフリカに渡航する場合や先進国でも学校に入る思春期の子どもには接種が推奨されています。

**⑥黄熱ワクチン**

アフリカや南米の一部の国に渡航する子どもには接種が推奨されます。生後9か月から接種が可能です。

**⑦腸チフスワクチン**

アフリカやアジアの一部の国に渡航する子どもには接種が推奨されます。

**⑧ダニ媒介性脳炎**

ヨーロッパからロシアなどの国でマダニに刺咬されることにより感染します。とくに、初夏から秋にかけて野外活動などを行う子どもには接種が推奨されます。

## 5. 東京医科大学病院 渡航者医療センター

東京医科大学病院渡航者医療センターでは、海外渡航する家族の相談、予防接種や健康診断などを行っています。

通常の外来の他にも、「オンラインによる予防接種相談」を行っていますので、ぜひご利用ください。

https://hospinfo.tokyo-med.ac.jp/shinryo/tokou/vaccine_consul.html

以上、子どもを帯同して海外赴任する際のポイントを示しました。

子どもと一緒に、皆さんが海外でも健康に過ごせる一助になれば幸いです。

### 子どもの予防接種相談例

外来で受けることの多い相談をもとに、下記に例を示しました。参考にしてください。

**1. ベトナム・ハノイに渡航する0歳8か月児**

日本の予防接種スケジュールに従い、ヒブ、肺炎球菌、B型肝炎、ロタウイルス、四種混合、BCGワクチンを月齢相応の回数を接種しているか確認しました。また、日本脳炎ワクチンも生後6か月から接種が可能です。さらに、現地に滞在中は、ベトナムの予防接種スケジュールで接種を追加することにしました。

**2. シンガポールに渡航する3歳児**

シンガポール所定の英文予防接種証明書の記載が必要です。麻しん・風しんと、おたふくかぜワクチンの2回目を接種して証明書の記載をしました。さらに、出発までの期間でA型肝炎ワクチンを接種しました。

**3. アメリカ・カリフォルニア州に渡航する5歳児**

母子手帳の接種歴とアメリカの予防接種スケジュールと比較して、接種が足りてないワクチンを接種しました。足りていないワクチンは、日本で接種しても良いし、渡米後に接種しても良いと思います。

英文の予防接種証明書を記載しました。現地で通う幼稚園の所定書類(健康診断書や予防接種証明書)などが事前に入手できれば、事前に確認しましょう。

**4. タイ・バンコクに渡航する7歳児**

過去の接種歴を母子手帳で確認のうえ、A型肝炎と狂犬病ワクチンなどを接種しました。

**5. ガーナ・アクラに渡航する6歳児**

入国する際に義務となる黄熱ワクチンを接種しました。また、過去の接種歴を母子手帳で確認のうえ、A型肝炎、髄膜炎菌、狂犬病、腸チフスワクチンなどを接種しました。

(2024年8月30日現在)

# 05 歯とお口の健康管理

―寄稿―

社会福祉法人鶴風会
東京小児療育病院
歯科診療担当科長

萩原　麻美　先生

海外邦人医療基金（JOMF）が実施する海外専門医療相談において2006年よりマレーシア、タイ、ドイツ、フランスを担当。在留邦人の歯の健康に関する悩みをサポートしている。

## 海外滞在中も歯を健康に保つために

海外で生活するほとんどの方は「歯や口腔に悩みや不安」を経験しているようです。口腔内の悩みはある日突然起こり、慣れない海外生活のストレスが歯科疾患を引き起こすこともあります。

歯科の２大疾患はむし歯と歯周病ですが、歯科疾患のほとんどは予防可能で、高額な歯科医療費は、予防によって抑制できます。ここでは海外で生活するうえでの歯科口腔管理に関するポイントを紹介します。

## 出発前にしておくこと

**①すぐに歯科を受診する。**

かかりつけ歯科を定期的に受診していても、赴任が決まったらすぐにチェックを受けましょう。出発の時期やおおよその期間を必ず伝えてください。通常では、早急に治療の必要がないことでも、海外赴任で、すぐには来院できなくなる場合、治療をしておいた方が良いケースもあります。期間を要する治療もありますので、余裕をもった受診をお勧めします。

お子さまの場合、むし歯の有無だけでなく、永久歯への交換が近い歯の有無、歯並び・かみ合わせについてのチェックやアドバイスも受けましょう。

**②歯ブラシなど口腔ケアグッズを準備**

赴任地でも購入可能ですが、特に歯ブラシは日本のもののほうが、質が良いようです。おおよそ1ヶ月に1本と考え（学童期のお子さまは、学校や園でも必要です）必要数を持っていきましょう。その他、必要に応じて歯磨剤、デンタルフロス、歯間ブラシ、高濃度フッ化物ジェル、含嗽剤などを準備しましょう。

2017年3月、薬事法が改正され日本でもフッ化物濃度が1450ｐｐｍも歯磨剤が購入できるようになりました（6歳以上）。う蝕リスクが高い方は使用をお勧めします。

**③予防処置を受けましょう。**

海外では、治療だけでなく予防処置も非常に高額で、子どものフッ化物塗布は数万円（ドイツ）かかることもあるようです。歯石の除去、歯のクリーニング、フッ化物塗布などの予防処置は出発前に済ませて、以降は一時帰国時のタイミングになさることをお勧めします。

**④相談可能な連絡先を確認**

十分に準備をしても口腔内のトラブルはある日、突然生じます。そのような場合、慌てたり不安にならないために、かかりつけ歯科医院や相談可能な歯科の先生の連絡先（電話番号やメールアドレス）を確認しておきましょう。メールで相談する場合は、口腔内の写真を添付するとわかりやすいので的確なアドバイスを受けることができます。

## 海外で多い相談内容

**①根管治療か。抜歯をしてインプラントか。**

海外でインプラントを勧められた、という相談を多く受けます。日本に比べて根管治療（神経の消毒・治療）を繰り返さずに抜歯をしてインプラントを勧められることが多い印象を受けます。中には日本なら、インプラントを選択しないのではないか、あるいは早急性はなく帰国後にじっくり考えても良いのではないか、と考えられるケースもあります。

インプラント治療は非常に高額で、海外で受けた場合には、帰国後にトラブルが生じた際にアフターケアがスムースに受けられないこともあります。慎重に検討しましょう。

**②矯正治療**

ドイツの歯科医院では日本の子どもたちのほとんどが歯並びの悪さを指摘され、矯正治療を勧められているようです。確かに外国の子供たちはみな歯並びが良く、笑顔が素敵な印象がありますし、歯並びは良いにこしたことはありません。

ただし、数年間の海外生活の中で矯正治療を『今、やるべきか』という判断は、お子さまの状態によって異なります。是非渡航前の歯科検診で、歯並びについて一度ご相談されることをお勧めします。現状を踏まえてある程度の予測、アドバイスがいただけると思います。

**③子どもの全身麻酔下での歯科治療**

小さなお子さまや発達障害のお子さまなどは、歯科治療に対する恐怖が大きいために治療に協力できないことがあります。この場合、日本では歯科スタッフやご両親がお子さまを抑えて治療することが多いですが、海外では全身麻酔下での治療を勧められることがあります。

高額であることに加え、虫歯治療で全身麻酔が必要なことに日本では馴染みがないため、保護者はびっくりされますが、全身麻酔下での歯科治療には、お子さまの恐怖感によるストレスを与えることなく、一度に多数歯の治療ができるというメリットもあります。このような事態にならないよう、予防を心がけましょう。

## 海外での歯科受診感染症の予防をふまえて

唾液中には非常に多くの感染源が存在しています。加えて、回転切削器具を使用した歯科治療や、超音波を利用した歯石除去を行うため、飛沫物が生じて感染症を拡大するリスクが非常に高いことが報告されています。しかしながら、適切な感染対策を実施している歯科医院では歯科診療を原因とする感染は1例も報告されていません。したがって、COVID-19の感染拡大予防の観点から、現地の歯科医院の感染対策に不安がある場合は、全くトラブルがない場合の定期健診など、不要不急の歯科受診は控えてもかまいません。しかしながら十分な感染対策下での定期的な歯科検診は歯科疾患予防の観点から受診することをお勧めします。歯科ユニット、ホース類はカバーがされており、患者ごとに交換していること、術者はゴ

お役立ちコラム

### 自分で調べる歯と口腔ケア　参考資料

●日本歯科医師会「海外派遣労働者のためのお口の健康手帳」
https://www.jda.or.jp/Foreign-temporary-workers/

口内炎ができた、歯がぐらぐらする、などの対処法についてまとめた「渡航中のお口のトラブル　原因と対処法」はじめ、海外滞在中にいざというとき参考にしたい情報等がまとめられている。上記WEBサイトからダウンロードが可能なので、ぜひ活用を。そのほか、一般的な歯とお口の健康に関する情報が掲載されている。

●厚生労働省HP:健康日本２１(歯の健康) https://www.mhlw.go.jp/www1/topics/kenko21_11/b6f.html

ーグル、フェイスシールド、マスク、ガウン、グローブを着用していること、処置の際に口腔外バキュームを使用していること、充分な換気がなされていること、などが目安となります(図①参照)。

## 生活習慣としての口腔ケア

むし歯と歯周疾患は生活習慣病です。糖尿病、低出生体重児をはじめとする全身の

健康状態にも影響します。

海外生活では、水道水を容易に口に入れることができないため、日本のように手軽に歯みがきやうがいができません。しかしながら、お菓子類は日本に比べて甘く、カロリーも高いものが多くみられます。「外から帰ったら、手あらい・うがい。食べたら、歯みがき。」を心がけ、口腔にも良い生活習慣を身につけましょう。

図①　歯科治療における感染対策

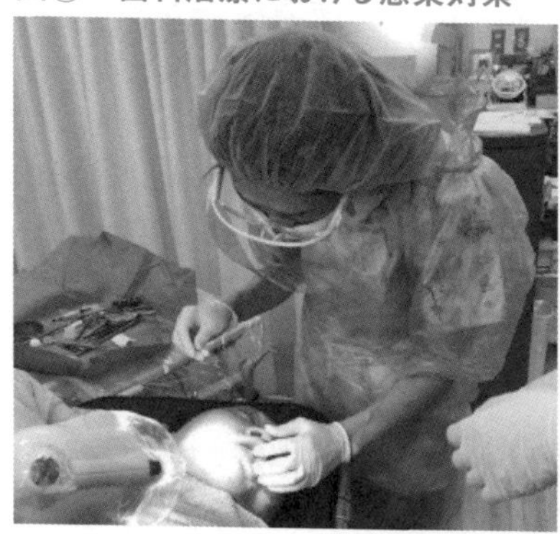

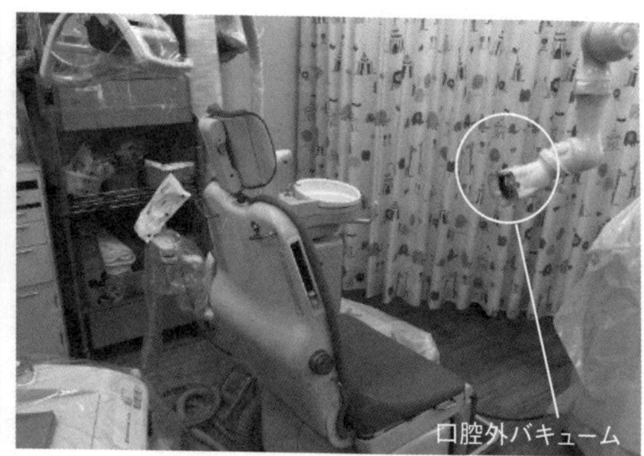


写真左:術者のゴーグル等の着用　写真右:歯科ユニット、ホース類のカバー、口腔外バキューム

### これってオーラルフレイル?　〜心身の衰えはお口から〜　肥満、糖尿病も要注意です

「フレイル(虚弱)」とは、加齢により心身の活動(筋力、認知機能、社会とのつながりなど)が低下した状態をいいます。また、筋肉量が減少し、筋力や身体機能が低下している状態を「サルコペニア」といいます。フレイルとサルコペニアはお口の機能が衰えること(オーラルフレイル)から始まりますので、お口の些細な衰え(オーラルフレイル)のサインを早めに気付き、フレイルを予防することが大切です。

(図)　オーラルフレイルのセルフチェック表

| 質問事項 | はい | いいえ |
|---|---|---|
| □半年前と比べて、堅い物が食べにくくなった | 2 | |
| □お茶や汁物でむせることがある | 2 | |
| □義歯を入れている | 2 | |
| □口の乾きが気になる | 1 | |
| □半年前と比べて、外出が少なくなった | 1 | |
| □さきイカ・たくあんくらいの堅さの食べ物を噛むことができる | | 1 |
| □1日2回以上、歯を磨く | | 1 |
| □1年に2回以上、歯医者に行く | | 1 |

点数の合計が
0〜2点
オーラルフレイルの危険性は低い
3点
オーラルフレイルの危険性あり
4点以上
オーラルフレイルの危険性が低い

出典
東京大学高齢社会総合研究機構
田中友規　飯島勝矢

オーラルフレイルの人はそうでない人と比べ、2年以内に身体的フレイルを発症する確率が2.4倍、4年以内に死亡するリスクは約2倍ということがわかってきました。咀嚼機能の低下は、歯の問題に起因し、その主な原因である歯周病は糖尿病や肥満もリスク因子となるため、生活習慣の改善と、日ごろからお口や歯をケアしてフレイルを予防しましょう。

(参考)おくちチェック:無料でダウンロードできる iphone/android アプリがあります。

# 06 海外生活メンタルヘルス心得

—寄稿—
精神科医師・医学博士　鈴木　満　先生
英国国立医学研究所研究員として1987—1992年ロンドン滞在。世界各地の在留邦人メンタルヘルス支援に携わり、2009—2021年外務省勤務。ロンドン、バンコクでの長期滞在に加え世界140都市以上を来訪。外務省内に日本初の「在外ストレス相談室」を開設。

近著『海外生活ストレス症候群—アフターコロナ時代の処方箋—』／弘文堂

## はじめに
## – 異国でこころを病んだとき –

海外在留邦人とは、海外に3ヶ月以上滞在する邦人とされています。その数は新型コロナウイルスによるパンデミック下で一時減少したものの2023年10月時点で129万人と報告されています。在留邦人のうち、帰国を前提とした長期滞在者は約72万人、永住者は約57万人です。本書の読者の大半は海外駐在員と帯同家族であり、長期滞在者に相当します。

国境を越えての生活は、人生の中でもとりわけ大きな環境変化です。海外赴任しなければ国内で出会ったであろう人や縁などをあからじめ失ってしまう「喪失の先取り」も環境変化に潜む不安要素の一つです。急速で大きな環境変化への対峙には、心の痛みが伴います。痛みがより強く発現した場合が、メンタルヘルス不調です。

人類の歴史は、自然災害、感染症、戦争、困窮と共にあります。加えて、近年は気候変動による大規模自然災害が相次ぐ中で、政治経済的な分断の様相が色濃くなり、海外邦人が直面する環境変化は連動化、複雑化しています。さらにパンデミックにより加速化された情報革命は、海外駐在員のライフスタイルを変えつつあります。このような情勢下で、海外生活でのメンタルヘルス不調への予防的心得が、以前にも増して重要視されています。

## 海外駐在員は「精神医療過疎地」で生活する「災害弱者」

海外赴任先で身体の具合が悪くなった場合、先進国であれば現地での治療選択肢が多数あります。しかしメンタルヘルスの領域では、言葉と文化の理解度が「診たて」を大きく左右しますので、海外での治療の場は限られています。そして介入が遅くなれば症状は重くなり「待ったなし」の状況になりえます。その結果、心ならずもメンタルヘルス不調のために帰国する事例が恒常的に発生しています。赴任先が先進国であったとしても、大半の邦人にとって海外は「精神医療過疎地」なのです。

メンタルヘルス不調のために帰国治療に至った方々は、「たまたま調子を崩したのが海外滞在中だった」、「赴任前から心の問題を抱えていた」、「海外生活に適応できなかった」、「海外で惨事に巻き込まれて心の傷を負った」等、様々ですが、早期発見、早期治療ができていればここまで悪化しなかったのに、と思う事例を多数経験してきました。災害に遭遇した時に逃げ遅れやすい「災害弱者」の特徴は、情報遮断と自発的な移動の制限です。高齢者、子ども、障害者と並んで外国人（海外邦人）も災害弱者に該当します。

早期介入のための二本柱は、海外駐在員の「セルフケア能力」と送りだす企業の「メンタルヘルス・ケア体制の整備」です。派遣前のメンタルヘルス研修はセルフケア能力の強化に有用であり、派遣後の随時相談体制やストレスチェック活用は予防に通じます。一部の企業では、研修や相談の対象を帯同家族にも拡げています。

### 文化適応関連事例
### – 海外生活ストレス症候群 –

海外邦人のメンタルヘルスにおいて最も多くの人が援助を必要としているのは「文化適応関連事例」、最も早急な援助を必要としているのは「精神科救急事例」、より専門的な援助を必要としているのは「トラウマ関連事例」です。

文化適応関連事例は、環境変化への心身の不適応反応を呈するものです。予想と現実とのギャップがしばしば引き金となります。日本ほど便利で清潔で安全な国はなかなかありません。赴任先で生活立ち上げがうまく進まず、腹が立ったり途方に暮れたりすることはよくあります。

日本に居るころから持っていた夫婦や親子間の葛藤が顕在化することもあります。中でも日本人社会での人間関係に悩んで行き詰まるケースが多いことは是非知っていてほしいと思います。小規模な邦人コミュニティの中で肥大化した対人葛藤は、国内でのそれよりも深刻なものとなりやすく（愛憎は倍増！）、噂話が一人歩きしやすいので注意が必要です。

一口に海外勤務と言っても、多様化する海外生活を一般化することはますます難しくなっています。海外赴任に伴う生活勤務環境によるストレス要因には共通するものと、赴任地特有のものがあります。

単身赴任か、家族帯同赴任かによっても大きな違いがありますし、小さな駐在所であれば上司や同僚との相性も勤務環境を大きく左右します。その他にも派遣元の海外勤務慣れ、派遣先地域の治安情勢、現地採用職員の多寡など、複数の要素が影響します。

とはいえ、大半の方は自分自身で、あるいは周囲の支援を得て乗り越えることができます。困難を克服する人々に共通して見られる要素は「希望を見つける力」です。日々の生活においては、自文化中心主義（日本が一番、わが社が一番）、過度の一般化（海外勤務なんてどこでも一緒）、二分法的考え（白か黒か）に陥らぬことが大事です。

多様な生活習慣や価値観を柔軟に受け入れ、それでいて自文化の価値を再評価するというのが熟達の駐在員の方々に共通して見られる姿勢です。運動や趣味といったマルチチャンネルの生活習慣も推奨されます。

### 海外での精神科救急事例
### – 速やかな医療的介入が必要な事態 –

精神科救急事例とは、「いつもと違う」「何をするかわからない」といった切迫した精神症状を示します。気分が高揚しすぎて周囲とトラブルを起こしたり、幻覚や妄想に左右されて予想もつかない行動に走ることがあります。

一番困るのは、ご本人に病気の自覚がな

く「病院に行きたがらない」という場合です。時には「死にたいと言う」「興奮して怒りやすい」という症状が夜間休日にも発生し「明日まで放っておけない」という状況を引き起こします。この場合、速やかな医療的介入が必要ながら海外での対応には限界があります。ほとんどの事例では薬がよく効きますので、何とか地元の専門医につなげることができれば、数週間で落ち着きを取り戻します。

ただし、現地で入院すると国によっては高額の治療費を請求されます。残念ながら海外旅行保険に入っていなかったり、保険の適応外となるケースがあります。また、発展途上国で救急事例化した場合には、近隣の先進国や日本に搬送しなければならないことがありますが、症状が落ち着かないと飛行機に乗せてもらえないので対応に難渋します。日本国内で治療歴のある方の「服薬中断」による症状再燃が多いので、国内の主治医からの服薬指導と家族の理解・協力がとても重要です。

## トラウマ関連事例
## – 大規模緊急事態に巻き込まれた場合 –

海外ニュースを見ると毎日の様に世界のあちこちで大きな事件や事故が発生しています。大規模緊急事態には暴動、クーデター、紛争、大規模事故、自然災害、テロ、人質事件・ハイジャック、パンデミック、原子力災害などがあります。

外務省では、海外で邦人が事故や事件に巻き込まれた時に様々な援護活動をしています。外務省の海外邦人援護統計(2022)によると年間約1万7千人が援護を受けています。この中には重傷者、死亡者も含まれています。これらの集計は在外公館が援護した事例のみで、ご家族や職場が対応した事例は含まれていないので氷山の一角といえましょう。

トラウマ（心的外傷）とは、圧倒されるような精神的衝撃で、強い恐怖や不安を伴い、個人がその対処に困難を感じるような出来事による体験です。上記の大規模緊急事態に巻き込まれた方々の一部に心的外傷後ストレス障害（PTSD）の症状が認められます。PTSDは3ヶ月以内に多くが回復しますが、重症の方には専門的治療が必要です。

## 日本語によるメンタルヘルスサービスの需要と供給

東南アジアと中国に住む邦人駐在員を対象とする調査で、「日本語で心の問題を相談できる機関が必要だと思いますか」という問いに対して、全体の約6割が「非常にそう思う」「そう思う」と回答しました。「必要とされる専門家・体制は？」という問いへの回答をまとめると、「日本語と日本文化を理解できる精神科医、心療内科医、臨床心理士、カウンセラーによる、秘密を守ってくれる相談体制」という結果でした。

日本の医師免許が通用する国は以前より増えてはいます。また現地で医師免許を取得する邦人医師や国際結婚カップル子女が現地で医師となる例も増えています。しかし、海外で診療をしている邦人精神科医はごく少数であり、海外が精神医療過疎地であることに変わりはありません。一部の先進国大都市であれば、複数言語に対応したメンタルヘルスサービスを期待できるものの、発展途上国では精神医療機関自体が少なく日本語による対応を期待することは困難です。

一方、インターネットを活用したメンタルヘルス関連のサービスや、派遣元からのオンラインによる支援が急速に普及しつつあります。世界各地の邦人コミュニティにおけるボランティアによるメンタルヘルス・ケア活動もそれぞれの国の医療福祉制度に合わせた形で行われており、徐々にネットワークが拡がっています。詳細については参考資料（文末「お役立ちコラム」）をご覧下さい。いずれも篤志に支えられている素晴らしい活動ですが、運営基盤が不安定で活動休止となる団体もありますので日本からの手厚い支援が必要です。

## まとめ

海外邦人のメンタルヘルス対策は、個人にとどまらず、企業、国家それぞれのリスク・マネジメントです。平時におけるメンタルヘルスケアの対象は、国内でも発生しうるメンタルヘルスの問題に加えて、海外生活特有のストレス要因への心身の反応があります。有事においては、精神科救急事例に代表される個人的な危機と、邦人コミュニティが遭遇する大規模緊急事態があります。

派遣前・派遣後を通したセルフケア能力の向上、現地医療資源に関する情報収集、日本からの遠隔メンタルヘルス支援、被災者・被害者のケアなどの課題に対して、組織的な「備え」を怠らぬことが大事です。しかし、海外に拠点を置く日系企業の大半は小規模で、自前の体制整備ができる企業はごく一部です。大規模緊急事態においては一層の官民産学連携が期待されます。

最後に、大多数の海外邦人は健やかで実り多い生活を送っておられることを強調させて下さい。海外生活という大きな環境変化に伴うのは痛みだけではありません。痛みと共に得られる学び、成長、昇華は、人生の味わいを深めるスパイスとなります。

（本稿の内容は筆者の個人的見解に基づくものです。）

参考資料・文献（順不同）
●海外在留邦人数調査統計（2023年10月）https://www.mofa.go.jp/mofaj/files/100436737.pdf ●海外邦人援護統計（2022年12月）https://www.anzen.mofa.go.jp/anzen_info/pdf/2022.pdf ●鈴木 満（編著）:異国でこころを病んだとき / 弘文堂（2012） ●鈴木 満：日本企業東南アジア駐在員のメンタルヘルス－フィリピン、シンガポール、インドネシアでの調査より／海外邦人医療基金（2012） ●鈴木 満:海外生活ストレス症候群 / 弘文堂（2023）

お役立ちコラム

### 海外生活におけるメンタルヘルスに関する情報

●海外在留邦人の医療・福祉・メンタルヘルス等に取り組む団体（順不同）

| | |
|---|---|
| 日本在外企業協会 | https://joea.or.jp |
| 外務省海外安全ホームページ「孤独・孤立及びそれに付随する問題でお悩みの方へ」 | https://www.anzen.mofa.go.jp/life/info20210707.html |
| JAMSNET | http://jamsnet.org |
| JAMSNET日本 | http://www.jamsnettokyo.org |
| Hope Connection | https://www.hopeconnection.org.au |
| JB Line, Inc. | https://www.jbline.org |
| JSS | https://jss.ca |
| Group With | https://www.groupwith.info |
| With Kids | https://www.withkids-kaigai.com |
| じょさんしonline | https://josanshi-cafe.com |
| 英国なかよし会 | https://nakayoshikai.co.uk |
| ゆいグローバルネット | https://yuiglobalnet.wixsite.com/website |

# 07 オンライン医療相談



## 海外医療や健康への不安

海外赴任するにあたり、健康や医療に関することは大きな不安要素ではないだろうか？海外医療は、日本の医療システムとは大きく異なる。主に下記のような不安が多く聞かれる。

**日本と異なる医療制度への不安**

①病院の予約や受診の仕組みが不明
②ホームドクターが決まらない
③専門医に診てもらうまでに時間がかかる

**コミュニケーションの不安**

①「シクシク痛む」、「キューッとする」などのニュアンスが伝えられない
②ドクターの説明が理解できない
③食生活など文化の違いを理解してもらえない

**医療費や保険制度への不安**

① 治療費がいくらかかるか分からない
② 保険が使える病院が限られている
③ 保険が使えない持病がある

## オンライン医療相談とは

オンライン医療相談は、自宅などからPCやスマホアプリを利用して、日本人医師と顔を見ながら相談ができるサービス。海外生活において不安の大きい健康をサポートしてくれる心強い存在だ。

**多彩な相談科の日本人医師と相談可能**

総合診療科、内科、外科、整形外科、耳鼻咽喉科、神経内科、消化器内科、皮膚科、産科・婦人科、眼科、歯科・口腔外科、小児科、メンタルヘルス、産業医など。

## 利用者が多い活用方法を紹介

オンライン医療相談は、駐在員だけなく帯同する家族の医療、健康の相談も可能な場合も多々ある。気になる時に早めに相談することで、重症化リスクを回避できることもある。次に多く利用されている活用方法を紹介。

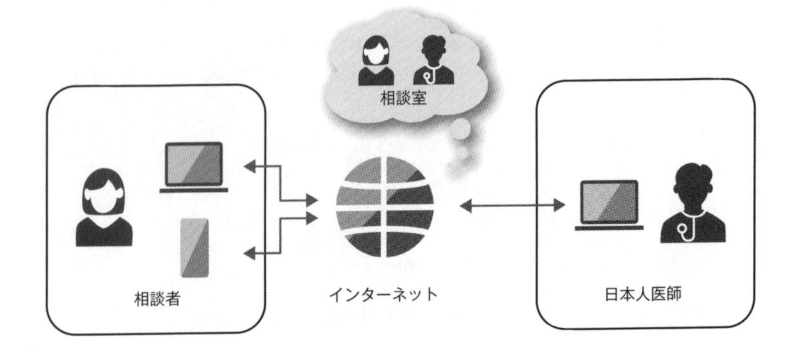

## 人に話しにくいメンタルの相談

慣れない環境での生活、言葉や文化の違い、仕事や人間関係などのストレスから、メンタルを患う人も多いようだ。不調を感じても身体に原因が見つからないと、「自分が弱いせいだ」と自分自身を追い詰めてしまいがち。
メンタルを患うと、骨折や癌よりも長期間治療が必要になるので、症状の軽いうちに対処したい分野。しかし、海外で専門医を受診するのは、ハードルが非常に高い分野でもある。

オンライン医療相談は、自宅などから人目を気にせず日本人医師に相談ができる。医師と話すだけでも治療効果が期待できるので、メンタル面はオンライン相談に向いていると言えよう。

**セカンドオピニオンとして利用**

現地の病院を受診した際、医療レベルに不安を感じたり、「この治療法が適切なのか?」と疑問を感じたりすることがあるのではないだろうか。手術や高額な医療費がかかる場合はなおさらだ。日本ではどんな治療をするのか、客観的に判断して治療方針を決めるために、経験豊富な相談医師の意見がとても参考になるのだ。
レントゲンや検査結果などの画像も共有でき、現地医師の説明で理解できなかったことも確認できるというメリットもある。

**現地医療機関の通院準備として利用**

海外では、予約をしても受診まで2週間以上待たされる可能性もある。受診できても、別のところで検査するように言われたり、必要に応じて専門医を紹介されたり、その都度また数週間待つことになる。また、「シクシク痛む」など、症状の微妙なニュアンスを現地の言葉で伝えるのは容易ではない。
オンライン医療相談では、海外生活経験のある医師も多く、どんな検査や治療が必要か、医療機関にかかる目安、現地の医師にどう説明すれば良いかなどをアドバイスしてもらえる。

**現地の処方薬や市販薬に関する相談**

現地の病院で薬を処方されても「どんな成分が入っているの?」「体格が違うけど大丈夫?」など、不安になることがあるはずだ。また、軽い症状だから市販薬でなんとかしたいと思っても、ドラッグストアに溢れている薬やサプリメントを見ると、何を購入して良いか迷ってしまうことは容易に想像できる。
オンライン医療相談では、処方薬や市販薬、現地で購入できるサプリや漢方薬、食事や生活習慣なども相談できる場合も多々ある。

**子育てや子どものメンタル相談として**

慣れない海外で知り合いもいない環境は、大人と同様に子どもたちもストレスを感じるであろう。また、海外での子育てで母親たちは孤独感を感じている。子どもの発育や食事のことなど、病気ではない不安や悩みを気軽に相談できる人がいるだけで、心強いものだ。

オンライン医療相談では、小児科や小児メンタルヘルスなど、子どもの専門医も在籍している。海外で子育て中の母親をサポートをしている医師もおり、子育ての悩みも相談できる。

・インターネットとパソコンやスマホだけで利用可能
・オンライン診療とは異なり、医療行為は行わない

情報提供:YOKUMIRU 株式会社

大学病院のトラベルクリニックだからできる海外渡航者の総合的健康サポート

# 東京医科大学病院 渡航者医療センター

## 予防接種からメンタルヘルスまで 渡航医学の専門医が総合サポート

大学病院という総合的な医療環境のもと、渡航医学（トラベルメディスン）のエキスパートが、小児から高齢者まですべての海外渡航者を対象に予防接種、健康診断、メンタル対策などを提供します。

●一般外来（一般的な健康診断、各種書類作成、予防接種など）：黄熱ワクチンも含め、ほとんどの予防接種が可能です。

●登山者・高山病外来：登山医学の専門家が高所に滞在する方の健康相談に応じます。

## 家族帯同の不安を解消 お子様は小児科医が対応します

成人だけでなく小児も対応可能です。小児に対しては、小児科専門医が健康診断や予防接種、渡航に関連した健康相談に応じ、英文予防接種証明書など各種書類作成も行います。

## オンラインによるワクチン相談

海外渡航にあたり最適なワクチンを担当医が提案します。詳細は当センターHPをご覧ください。https://hospinfo.tokyo-med.ac.jp/shinryo/tokou/vaccine_consul.html

## お電話にてご予約ください。

**●予約受付●**

電話：03-5339-3726（電話のみ）
月曜日～金曜日　9：00～12：00
　　　　　　　　13：00～16：00
土曜日（奇数週のみ）9：00～12：00

**●黄熱ワクチン予約●**

専用電話：03-5339-3137
月曜日～金曜日 13：00～16：30

**●診療時間●**

| | 月 | 火 | 水 | 木 | 金 | 土* |
|---|---|---|---|---|---|---|
| 9：00～12：00 | 一般外来 | 一般外来 | 一般外来 | 一般外来 | 一般外来 | 一般外来 |
| 13：30～16：30 | 一般外来<br>高山病外来 | 一般外来 | 一般外来 | 一般外来<br>高山病外来<br>レジリエンス外来 | 一般外来 | |

*土曜日は第1、3、5週のみ診療。
休診日：日曜・祝日・第2・4土曜日
健康診断：月曜日～金曜日の午前中のみ実施（土曜日は不可）。

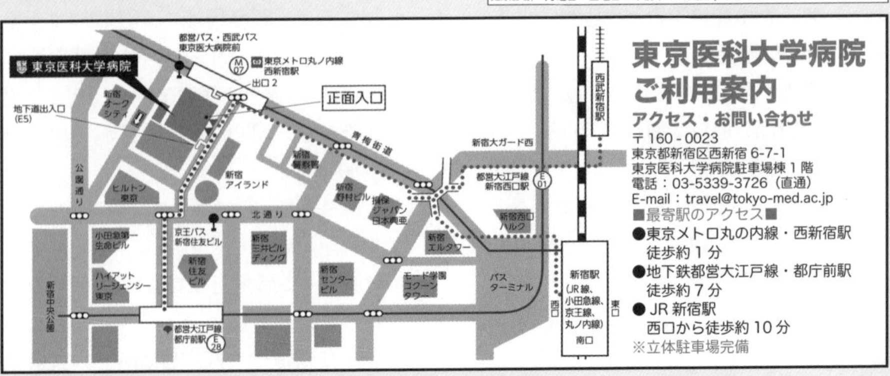

## トラベルクリニック

年間約4000人の海外赴任者と帯同家族の健康をサポート

# 医療法人社団 航仁会 西新橋クリニック

**虎ノ門駅・新橋駅・内幸町駅から徒歩可**
**完全予約制　当日予約も可！**

- 海外医療情報の提供
- ワクチン接種（国産・海外製）・接種記録発行　海外製ワクチンにも国産同様の補償付
- 薬（マラリア薬・旅行者下痢症等）の処方
- 留学に必要なワクチン接種・書類の作成
- 国際協力機構（JICA）渡航ワクチンのキャッシュレス指定クリニック、健診も可
- 「海外赴任ガイド」を無料で進呈
- 赴任前／一時帰国／帰任時健康診断
- 英文予防接種証明書・母子手帳翻訳・診断書の英訳など、承ります。

ご予約はWEBから https://www.tramedic.com/

東京の中心でアクセス良好

医療法人社団 航仁会 西新橋クリニック
院長：大越裕文
東京都港区西新橋2-4-3, 2F
Tel：03-3519-6677　Fax：03-3519-6678

海外派遣者への健康管理サポートは
株式会社トラメディックへ　問合せ窓口：松本
Tel：03-3519-7575　Fax：03-3519-6678
URL：http://www.medi-s.net/

**海外17カ国60の医療機関と提携**
**海外勤務者の健康管理をサポート**

- 赴任の健康適正評価
  渡航医学・産業医学の専門家が現地の環境や医療事情を考慮し評価します。
- 国別推奨ワクチンの設定
- 現地提携医療機関の紹介
- 医師の面談・健康指導・健康相談
- 赴任前赴任中健診の結果に対する報告書の作成と事後措置アドバイス、クリニック医師と産業医契約を結ぶことも可能です。

**海外駐在経験のある渡航専門家ドクターが対応**

- 大越裕文院長
  東京慈恵会医科大学卒　同大内科勤務後、米ワシントン大リサーチフェロー、日本航空主席産業医を経て、現在西新橋クリニック院長
- 寺井和生副院長
  熊本大学医学部卒　阪大医学部第3内科を経て循環器内科の専門医として勤務　外務省医務官としてカメルーン・スーダンへ赴任　外務省本省の上席専門官を経て、現在西新橋クリニック副院長
- 永井周子医師
  群馬大学医学部卒　京都大学大学院にて公衆衛生学を習得　JICA派遣でマダガスカル・ラオス・アルジェリア・スリランカ・エチオピア等にて専門家として従事　厚労省での検疫業務を経て、現在西新橋クリニック医師

海外赴任時の健康診断と予防接種をサポート
医療法人社団TCJ

# トラベルクリニック新横浜

## 海外赴任者と帯同されるご家族すべての方々をサポート致します

健康で充実した海外生活を安心して送って頂けるよう、必要な健康診断と予防接種を提供する専門的な医療機関です。

**健康診断と予防接種を同日に受診可能なため短時間で効率的な渡航準備が可能です**

◆予防接種の種類によって複数回の接種が必要です。当院では、日本製ワクチンに加え海外製ワクチンの使用により、渡航後も引き続き同じ製品での接種が可能です。お子様の予防接種も承っております。

◆留学・転校の際に必要な書類を英文でご提供致します。学校によっては予防接種や抗体価の証明書の提出を求められます。英文証明書の作成も承っております。

**国際渡航医学会や日本渡航医学会の認定資格を持った海外経験豊富な医師達がご相談にお応えします。英語の話せる医師／スタッフも常勤しております。**

渡航先、滞在期間、現地での生活環境に応じて必要なワクチンをご提案し、急な渡航にも対応できるよう効率的にスケジュール致します。

**診療内容**

●海外赴任前後の健康診断・人間ドック：英文での健診結果作成が可能
●予防接種：世界各国の渡航に対応できる、国内製 / 海外製ワクチンを多数常備
●留学時の健康診断・英文書類の作成
● VISA 取得・ボランティアの健康診断
●抗体検査及び証明書の発行
●ツベルクリン反応検査
●母子手帳（接種歴）の英文翻訳
●処方箋の英文翻訳
●高山病・マラリア予防薬の処方

## トラベルクリニック新横浜

***https://www.travelclinics.jp***

TEL : 045-470-1011　FAX : 045-470-1012
e-mail : secretariat@travelclinics.jp
〒222-0033　横浜市港北区新横浜2-13-6第一K・Sビル3F

**診療時間**　※月・日・祝、第3水曜午後は休診、△土曜午後は13:00～16:00

| | 月 | 火 | 水 | 木 | 金 | 土 | 日・祝 |
|---|---|---|---|---|---|---|---|
| 9:00～12:00 | ／ | ○ | ○ | ○ | ○ | ○ | ／ |
| 14:00～18:00 | ／ | ○ | ○※ | ○ | ○ | △ | ／ |

トラベルクリニック

プレトラベルからポストトラベルまで完備した渡航専門外来

# 関西医科大学総合医療センター
## 海外渡航者医療センター

### 渡航中はメールで健康相談可能
### 渡航前から帰国後の連続した健康支援

平成19年に渡航医学の専門家による外来を開設。渡航前（プレトラベル）から帰国後（ポストトラベル）まで対応した大阪府では初めての医療施設として、日本渡航医学会から認定を受けています。

渡航前健診や、渡航先での健康維持管理に必要な知識の啓発とリスクアセスメントを行い、渡航先で安全で健康的に過ごしていただくお手伝いをさせていただきます。また、渡航中の健康問題についてはメール相談を受けたり、帰国後の体調不良時の診断と治療行うなど、渡航前・中・後で連続した健康サポートを行います。必要に応じて英語または中国語による診療情報提供書や診断書、各種証明書を発行します。

### ワクチンや予防内服薬による予防策を実施
### 渡航先の流行疾患に関する情報も適宜共有

気象や地理条件、食文化や衛生環境が異なる渡航先においては、思わぬ体調不良に見舞われることがあります。当センターでは渡航先に即した流行疾患や現地の医療機関に関する情報を共有し、渡航者の健康を守るアシストをします。渡航者の要望や必要に応じてワクチン接種を行ったり、マラリアや高山病予防内服薬などを処方します。ワクチンは国内承認ワクチンだけではなく、海外のワクチンも接種可能です。

### 海外渡航者医療センターご案内

**診療内容**

- 渡航前健診（留学、駐在など）
- 各種ワクチン接種
- マラリア予防内服薬処方
- 高山病予防内服薬処方
- 渡航関連疾患の診断と治療
- 英語または中国語による診断書や各種証明書作成

**診療日**

| | 月 | 火 | 水 | 木 | 金 | 土 |
|---|---|---|---|---|---|---|
| 午前9時～11時30分 | ○ | ○ | ○ | × | ○ | × |
| 午後1時30分～3時30分 | × | ○ | × | × | ○ | × |

**予約時間**

- 月～金曜日　午前9時～16時
- 土曜日（奇数週のみ）午前9時～12時

**予約電話（外来受診予約・変更窓口）**

0570-022-455（直通）

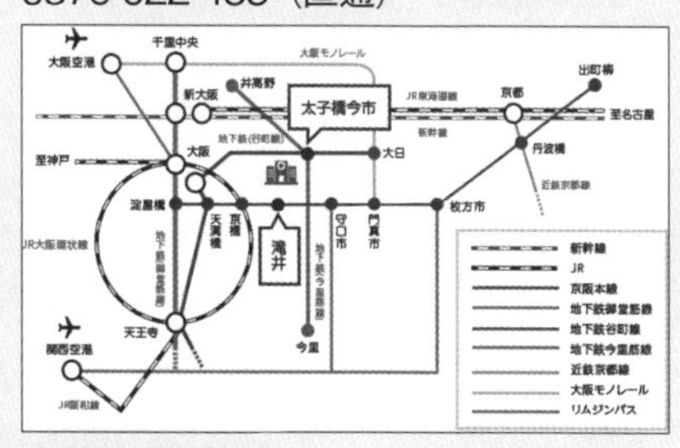


**最寄駅・所在地**

- 京阪電車「滝井駅」徒歩3分
- 地下鉄谷町線、今里筋線「太子橋今市駅」（2番出口）徒歩6分

〒570-8507

大阪府守口市文園町10番15号

## トラベルクリニック

私たちは1960年開院以来の歴史を持つ、海外渡航専門のエキスパートです。

# 日比谷クリニック　Travel Clinic since1960

## 専門分野別の各チームが渡航前準備をサポートします。

私たちは各業務における専門チームが、有機的な連携の元に、専門知識を生かし、これから赴任される方への迅速、丁寧、正確な信頼できるサービスの提供いたします。

### ❶VISA・留学チーム

**～VISA・留学チームから一言～**

私たちは**海外に提出する英文の診断書や書類の作成**を行う為に結成された専門のチームです。

VISA申請時や留学に必要な書類は提出先に応じて目に見えないルールや条件などがあり、またそれらは絶えず変化し続けております。私たちは常に大使館や大学などの提出先とコンタクトをとり、最新の情報に基づいた信頼のおける書類作成をおこなっております。

**また、長年蓄積してきた情報をデータベース化しております。**

**渡航まで時間がない方にも対応できる様、短期間での発行を心がけております。**

### ❷ワクチン担当チーム

**～ワクチン担当チームから一言～**

刻々と変わる世界の感染状況やワクチン状況について、私たちは常に学び、最新の情報に基づいて必要ワクチンの選択を提案しております。

私たちが**渡航までの限られた時間や多忙な予定に応じた効率的な接種スケジュールを提案いたします。**

**海外渡航に要するワクチンは基本的に院内に常備し、速やかにワクチン接種が始められるよう整えております。**

### ❸事務部門

**～事務長から一言～**

当院は企業様への相談窓口を設けております。会社一括請求処理やワクチンスケジュール管理などにつき、今後一層の電子化を進め、スムーズで確実な事務処理をおこない人事様への業務負担が軽減できるよう工夫を重ねてまいります。

**ご意見ご要望、お待ちしております。**

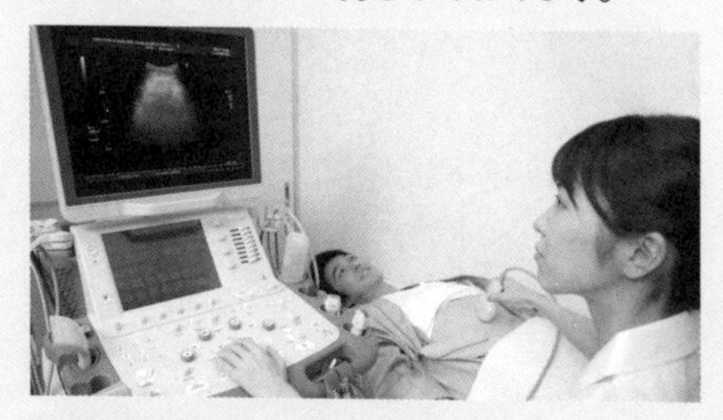

## ❹健診・検査技師チーム

**〜健診・検査技師チームから一言〜**

海外赴任や渡航に関する検査は特殊性があり、提出先や目的により臨機応変さを求められます。

また赴任者健診の内容や項目については、各会社様毎の要望に応じて対応できます。ご赴任前の多忙な状況のなか、短時間で検査が終えられるよう、円滑スムースな検査の流れについて工夫を重ねており、**渡航までに間に合う様、結果レポートを最短でお届けいたします。**

## ●日比谷クリニックより

**〜院長より〜**

院長　奥田丈二

私たちが専門とするトラベルクリニックの分野は、医療技術、医療環境、医療システムのみならず、世界の感染症や世界情勢により絶えず大きな変化の波にさらされております。

渡航される方へ的確なサービスを提供する為には情報をいち早くキャッチアップしてサービスに落とし込む事が大事です。

私たちは、早いうちから専門分野別のセクションを設け、トラベルメディスンに関わる特殊分野としてのプロフェッショナリズムを育み情報の蓄積と収集、サービスの向上に勤め続けております。

他にも数多くのセクションが存在しますが、今回は代表的なセクションからの思いを述べさせていただきました。

**我々日比谷クリニックのスタッフたちは沢山の引き出しと応用する術を有していると自負しております。海外赴任者を送り出す人事担当様、気軽にご相談ください。**

**〜企業人事様へ　渉外担当より〜**

渉外担当　佐久間

社員の方々を海外赴任・出張をさせるにあたり、**予防接種や健康診断、VISA取得にかかる健康診断などについて人事様が抱えている課題・問題事項を、今まで蓄積してきた情報や経験に基づき、解決まで導くお手伝いをいたします。**

まずは私、佐久間までご連絡をください。

小さなクリニックにしかできないホスピタリティー

# アメリカンクリニック東京

### ★概要★

アメリカンクリニック東京は1954年に設立され、アメリカ人により受け継がれているトラベルクリニックです。海外赴任の健康医療をサポートします。

### ★診療概要★

1. 海外赴任に関連した健康相談および感染症情報の提供（海外派遣企業）
2. 海外赴任前（海外旅行, 留学、出張など）の各種ワクチン接種（国産・輸入対応）
3. 予防内服薬の処方（マラリア予防薬, 高山病予防薬,CDC推奨トラベルパック）
4. 健康診断（麻疹,ムンプス,風疹,水痘, HIVなどの抗体検査および証明書の発行）
5. 英文診断書の発行（世界保健機関WHO公認国際予防接種証明の発行）

目的や赴任先により必要なワクチンを米国疾病管理予防センターCDCの資料に基づきご説明します。

### ポイント

完全予約制で待ち時間ゼロを目指しております。診療時間も十分確保しております。プライバシーや時間を重視される方におすすめです。

AmericanClinic Tokyo

院内の様子

すべてはあなたの海外渡航を実りあるものにするために

# 大阪トラベルクリニック

## 海外渡航される皆様の健康を守ります

海外渡航前相談、トラベラーズワクチン、マラリア予防薬など渡航医学を専門とするクリニックです。

海外出張・赴任、海外留学、海外旅行される方々やその帯同家族の皆様の健康を守るため、渡航先でかかりやすい病気の予防手段の説明や予防接種などを行います。

渡航者の皆様が、体調を崩すことなく「パフォーマンス」を最大限に発揮できるようお役に立てれば幸いです。

## 海外経験豊富なスタッフが対応いたします

国際渡航医学会、日本渡航医学会、日本旅行医学会の認定資格を持った医師が診療を行います。また、元キャビンアテンダント、海外留学経験者などのスタッフが海外赴任者様だけでなく、帯同家族様の良き相談相手となり、海外赴任前の不安を解消いたします。

## 利便性が特徴です

●大阪駅前という好立地:当院は大阪駅前第3ビル2階にあり、雨の日も地下道を通れば濡れずに来院が可能です。

●完全予約制で待ち時間ゼロ:忙しいビジネスパーソンの時間を無駄にさせません。

●Web予約可能:24時間365日インターネットで予約が可能です。

●会社請求OK:煩わしい会計処理を省略することが可能です。

●相談のしやすさ:受診者のみならず、人事・総務部の方々にとっても相談しやすい環境づくりに努めています。

●提携医療機関との連携:健康診断を当クリニックから提携医療機関に依頼することで、柔軟な日程調整が可能です。

**診療内容**

海外渡航前健康相談、予防接種、マラリア予防薬、高山病予防薬、下痢止めなどの常備薬の処方、各種感染症検査、各種英文診断書の作成

大阪トラベルクリニック
OSAKA TRAVEL CLINIC

〒530-0001
大阪府大阪市北区梅田1-1-3 大阪駅前第3ビル2階
Tel: 06-4797-8686/Fax: 06-4797-8687
Email: info@osakatravelclinic.com

| 診療時間 | 月 | 火 | 水 | 木 | 金 | 土日・祝 |
|---|---|---|---|---|---|---|
| 午前 10：00 ～ 13：00 | ● | ● | ● | ● | ● | ／ |
| 午後 14：00 ～ 18：00 | ● | ● | ● | ● | ● | ／ |

※ 休診日：土曜・日曜・祝日

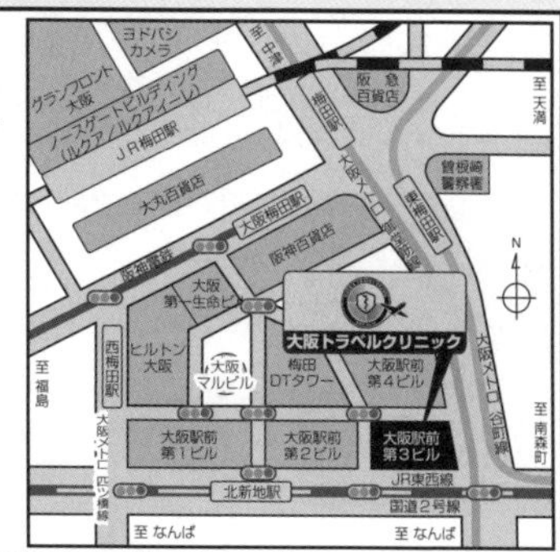

渡航前健診受診時にワクチン接種を！

医療法人社団TIK

# 大手町さくらクリニックin豊洲

## 渡航前健診受診時にワクチン接種を。多様ながん検診やオプション検査も可能です。

当院は予防医療を中心にしており、年間通じて午前中に健診・人間ドックを行っています。「同じ働くなら健康で前向きに」という思いで、仕事を持つ方々の心と体の健康を支えられるように精進してきました。

最近は海外で働く方も多いことから、赴任前健診、多様ながん検診も行っています。またオプション検査も各種ございますので、ご相談下さい。

●乳房用自動超音波画像診断装置（ABUS）での乳がん検査
●尿で膵臓がんなどの早期発見が可能なマイクロRNA検査
●血液中のアミノ酸濃度を測定し、がんであるリスク（可能性）を評価するアミノインデックス検査

健診同日のワクチン接種も可能で、常備しているワクチンで急なご予約にも対応しています。予防医薬（マラリア、高山病など）の処方（自費）もいたしますので、お気軽にご相談下さい。

**ワクチン接種のご案内**

月・水・金の12:30及び内科診療の時間内で、完全予約制にて承っております。

詳しくはお問い合わせ下さい。

**ワクチンのご予約はお電話・WEBから**

東京都江東区豊洲3-2-20
豊洲フロント2F
東京メトロ有楽町線豊洲駅1C出口
TEL:03-6219-5688
FAX:03-6219-5689
http://www.oscl.jp/

**健診のご予約は**

TEL:03-3533-5582

医療法人社団 TIK
大手町さくらクリニック in 豊洲

| | | 月 | 火 | 水 | 木 | 金 | 土 |
|---|---|---|---|---|---|---|---|
| 9:00〜12:30 | 健康診断 | ● | ● | ● | ● | ● | ▲ |
| 14:30〜17:30 | 内科診察 | ● | | ● | | ● | |
| 14:30〜17:30 | 心療内科 | | | | | ● | |
| 14:30〜17:30 | 婦人科 | ● | | ● | ● | | |

※完全予約制　※土曜日は第2・4のみ

東武スカイツリーライン 越谷駅東口から徒歩1分

# 獨協医科大学埼玉医療センター附属越谷クリニック

渡航外来(トラベルクリニック)

## 海外渡航にあたって

海外に渡航する目的は大きく分けて観光、留学と就労になると思われます。観光の場合比較的短期間のことが多く、就労の場合長期にわたることが多い傾向にありますが、短期間の就労やバックパッカーのように渡航が長期にわたる場合もあります。また渡航先も先進国から途上国まで、気候も熱帯から寒帯までと多岐にわたります。海外渡航時の健康を管理するにあたってこれらを考慮し個人個人にオーダーメードの対策を立てることが肝要です。

## 渡航外来部門の紹介

当クリニック渡航外来は2人の感染症専門医で診察を行っています。うち1名は国際旅行医学会認定資格を有しています。

診療は個人個人の渡航目的、場所、時期、気候、ご本人の持病、予算などを考慮し、ワクチンスケジュールを組み、医療情報も個々の状況にかんがみ提供いたします。

## 診療内容

・予防接種
[国産ワクチン:A型肝炎、B型肝炎、破傷風、DPT、日本脳炎、ポリオ、流行性耳下腺炎、麻疹風疹混合、水痘、髄膜炎]
[輸入ワクチン:狂犬病、腸チフス、Tdap、A型肝炎、A・B型肝炎]
・予防薬:マラリア、高山病、旅行者下痢
・緊急マラリア治療薬:リアメット
・健康診断/健康診断書
・英文診断書作成
・母子手帳翻訳
・メディカルサーティフィケートの発行

## 診療時間

・毎週月曜日、水曜日　13:30〜16:30
(完全予約制)

京阪奈エリアのトラベルクリニック

医療法人 拓生会

# 奈良西部病院 トラベルクリニック

## 豊富な経験と幅広い対応

当院の前身である桜井病院は、官公庁に隣接していたこともあり、1964年から約40年間、奈良県で唯一海外渡航時の種痘・コレラの国際予防接種証明書(イエローカード)発行医療機関に指定されていました。その経緯から2005年に当時まだ日本では珍しかったトラベルクリニックを開設いたしました。以後200社以上の企業様をはじめ、観光や留学での渡航の方に御利用いただいております。

取り扱いワクチンは多岐にわたり、ほとんどのワクチンは当院で完結可能です。

## 効率のよい受診

予防接種や健康診断は同じ日に実施できます。渡航前や帰国時の限られた時間の中、できるだけ少ない受診回数で済むように協力いたします。もちろん乳幼児も含め御家族で一緒に受診いただけます。

## 意外と好い立地

奈良県北西部に位置し、実は大阪や京都からもアクセス良好のため、近畿各地から受診いただいております。

近鉄奈良線東生駒駅からバスにて5分
お車なら阪奈道路「富雄」ICすぐ
第二阪奈道路「壱分」ランプから10分

## 充実の診療体制

日曜・祝日を除き毎日診療しています。

予約制ですが、当日の御依頼でも可能な限り対応いたします。国際渡航医学会(ISTM)認定の渡航医学専門家(CTH®)二人が常駐し、様々なニーズに対応いたします。

ワクチン接種+検診+海外58都市からのオンライン保険診療で健康トータルサポート

# 南毛利内科 抗加齢/人間ドックセンター 渡航外来

## 特典：渡航後の健康も オンライン保険診療でサポート

当院の渡航外来は各種ワクチン接種はもちろんの事、受診頂いた海外赴任者、帯同のご家族には海外での健康をサポートするため、オンライン保険診療が受けられます。海外58都市からの受診が可能です。

## ワクチン接種と同時に健康診断、人間ドックが可能。各種診断書、証明書も最速発行。

忙しい渡航前の時間を有効に使えるように、渡航前後の検診、人間ドックもワクチン接種と同時に行えます。健診データをもとに海外からきめ細かいオンライン診療サポートも可能。各種英文診断書、証明書も当日発行（一部除く）。留学時に必要な書類、母子手帳の翻訳等も迅速に行います。

## 海外在住歴の長い渡航医専門家の院長が、きめ細かい海外医療情報を提供。

パンデミックの海外状況はじめ、赴任地域の医療・感染症情報を院長から詳細にご提供いたします。渡航前のご準備にお役立てください。

## 最新機器による検診人間ドッグも海外サポートの資料に。

当院では大学病院と遜色のない最新検査機器による人間ドック・抗加齢ドックや消化器病専門医による苦痛のない胃・大腸内視鏡検査も行っております。また、その情報をもとに生活習慣病の治療・管理を渡航前から渡航中、帰国後と行えます。

## 御相談、予約はお電話で（HPから初診受付、オンライン相談も可）

電話:046-270-6661
月～金 8:30～12:00 15:00～18:00
土　8:30～12:00 木・日　休診

博多駅から徒歩5分。平日は夜7時まで、土日診療も受け付けています。

# 博多ひのきクリニック

## 博多駅筑紫口より徒歩5分 九州各地からアクセス良好

九州の玄関口博多駅近くのトラベルクリニック。九州の玄関口博多駅筑紫口の近くにある一般診療（外科・内科・小児科）・渡航外来・人間ドック・外国人向け診療所を行うクリニックです。企業に対しては、産業医契約も受け付けております。

博多駅付近の企業様に対して嘱託産業医もお受けしております。各種健診・企業健診・人間ドックも受け付けております。
日常のちょっとした不調でもかまいません。皆様お気軽に当院をご利用下さい。

院長は勤務医時代に外科・小児外科を専攻し、その後海外での在留邦人に対するプライマリケアの経験を積んできました。小児から大人まで年齢や臓器にとらわれない種々の疾患に対応可能です。

## 健診・ワクチン接種の同日実施可能 出発1ヶ月前までの来院で渡航準備

渡航外来では、海外に旅行・留学・赴任などで行かれる方を対象とした専門外来です。出発1ヶ月前までのご来院で、しっかりした準備を行えます。出発までに各個人にあったワクチン接種、健康診断、渡航先情報等を提供いたします。さらにワクチン接種と健診を同日に受け、低コスト・短期間・高品質のサービスを提供いたします。

## 平日は夜7時まで診療受け付け 土日診療も行っています。

小児ワクチンも取扱っておりますので、ご家族揃っての診療も可能です。また、土日も13時まで診療を行っております。提携駐車場完備。

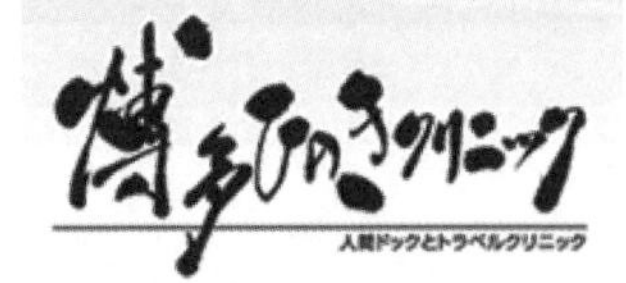


福岡市博多区博多駅南1丁目8-34
博多駅FRビル7階
TEL:092-477-7215(日本語)
092-477-7216(中国語・韓国語)
E-mail：postmaster@hinoki-clinic.com
日曜診療は完全予約制

| | 月 | 火 | 水 | 木 | 金 | 土 | 日 |
|---|---|---|---|---|---|---|---|
| 9:00~13:00 | ○ | ○ | − | ○ | ○ | ○ | ○ |
| 15:00~19:00 | ○ | ○ | − | ○ | ○ | − | − |

移転5周年 湘南・西湘地区のトラベルクリニック

**医療法人社団 孝誠佑覚会**

# 藤沢善行ファミリークリニック

## 地域のトラベルクリニックとして 19年の診療実績

当院は訪問診療を行う内科の診療所として2005年に藤沢市で開院しました。開業当初より、外来の一部門としてトラベルクリニックを設け、各種輸入ワクチンを取り扱う医療機関として、湘南・西湘地域の皆様の海外渡航をサポートしてまいりました。地域に根差した「かかりつけ医」の視点で、来院される皆様一人ひとりに合わせた対応を心がけていますので、帯同するご家族のみの受診やリピート受診等、お気軽にご相談ください。

**診療内容**

■各種予防接種・予防薬処方
■海外赴任時の健康診断
■各種英文書類の発行（予防接種記録・健康診断結果等）
■海外渡航時の健康相談　他

## どなたでも便利に安心して 来院できるクリニックを目指して

電車をご利用の場合、小田急江ノ島線善行駅から徒歩2分と、大変便利です。また、専用駐車場、提携コインパーキングもあり、お車での来院も可能です。建物は天然木を基調とした家庭的な雰囲気で、玄関スロープや、だれでもトイレ（おむつ交換台、オストメイト対応流し台、手すり設置）を備えたバリアフリー構造です。

## 完全予約制 ご予約はお電話で

■トラベルクリニック専用ダイヤル
080－3500－2826

| | 月 | 火 | 水 | 木 | 金 | 土 |
|---|---|---|---|---|---|---|
| 9:10~12:00 | ● | ● | ● | ● | ● | ● |
| 14:00~17:50 | ● | ● | ー | ー | ● | ● |
| 17:50~18:50 | ー | ● | ー | ー | ー | ー |

中国広州にて、家族の健康をトータルサポート

# イーストウエストメディカルセンター・櫻華メディカルセンター

当院は、中国広東省に在住する日本人赴任者とその家族の健康をサポートするプライマリケアのクリニックです。急性期医療を中心に、生活習慣病の継続治療、日本の定期健康診断や母子保健に定める乳幼児健診等を実施しています。

## 充実した医療サポート

日本人医師を医療顧問に持ち、院内には日本人スタッフをはじめ、経験豊富な中国人医療通訳者が勤務しています。内科・小児科には広州の著名な大学附属病院や総合病院で豊富な実績・経験を持つ医師陣が非常勤で在籍しており、日本や米国で研究歴のある高名な循環器・消化器内科医の診察も受診できます。耳鼻咽喉科、眼科、皮膚科等においても高名な専門医のもと関連の専門検査が院内にて行え、中国広東にて充実した信頼のおける医療環境を備えています。

## クリニックの特色

①広州市の主要な大学附属病院や総合病院と強い連携を持ち、専門的な治療・検査等にも対応。
②日本の治療指針「今日の治療指針」、「今日の治療薬」等に基づいて治療及びお薬の処方を行っています。

各種海外旅行保険によるキャッシュレスメディカルサービスも、ご利用頂けます。お問合せには、日本語でご対応していますので、安心してご相談下さい。

## 映像学習・教材／医療サポート

ストレスを緩和し、本来のパフォーマンスを発揮する！

# 映像教材『ビジネスマスターズ®』

**サイコム・ブレインズ株式会社**

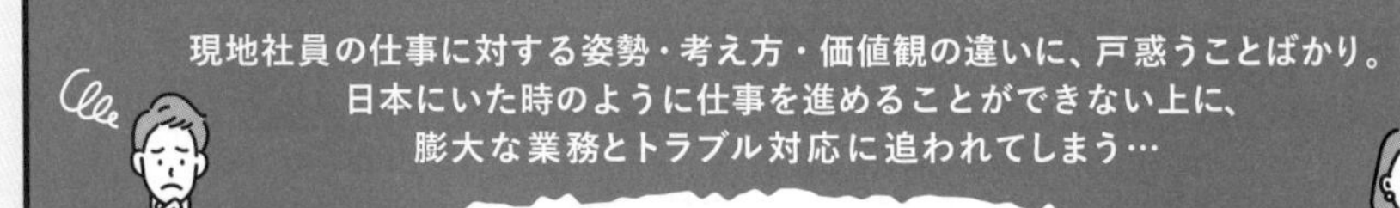

赴任者の心身の健康、現地での経営管理業務にも役立つ
知識・スキルをアップするための 3,400 本以上の動画

Business Masters

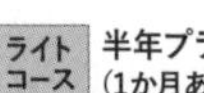

ライトコース　半年プラン：税込 11,880円
（1か月あたり 1,980円）

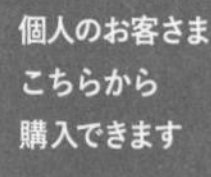

個人のお客さま
こちらから
購入できます

サイコム・ブレインズ株式会社　人材育成・組織開発 30年以上の支援実績（三井物産 100%出資 MBK Wellness Holdingsグループ）

---

100名以下の海外勤務者健康管理、ご支援します。

# 「赴任のまもりて forBiz」

**株式会社 SaveExpats**

## 海外人事ご担当の皆様、

## 手間のかかる 赴任者の健康管理 を支援します！

**全世界 195 カ国に対応**

月額 **2,500** 円 / 世帯　**利用回数無制限**

サービス詳細や資料請求はコチラ→
https://saveexpats.com/promotion.html

① 24 時間 365 日、医療職とのチャット・オンライン相談は回数無制限
② 3 ヶ月毎に赴任者全員に向け、心と体の健康面談を実施してレポート
③ 社員のフォロー状況を、企業担当者や産業医がいつでも Web で確認

## 医療サポート／トラベルクリニック

海外勤務者の赴任から帰任までの健康管理をサポートします！

# 株式会社 トラメディック
## 海外勤務者健康管理サポート

トラメディック　検索

〒105-0003 東京都港区西新橋 2-4-3, 2F
TEL: 03-3519-7575　FAX: 03-3519-6678

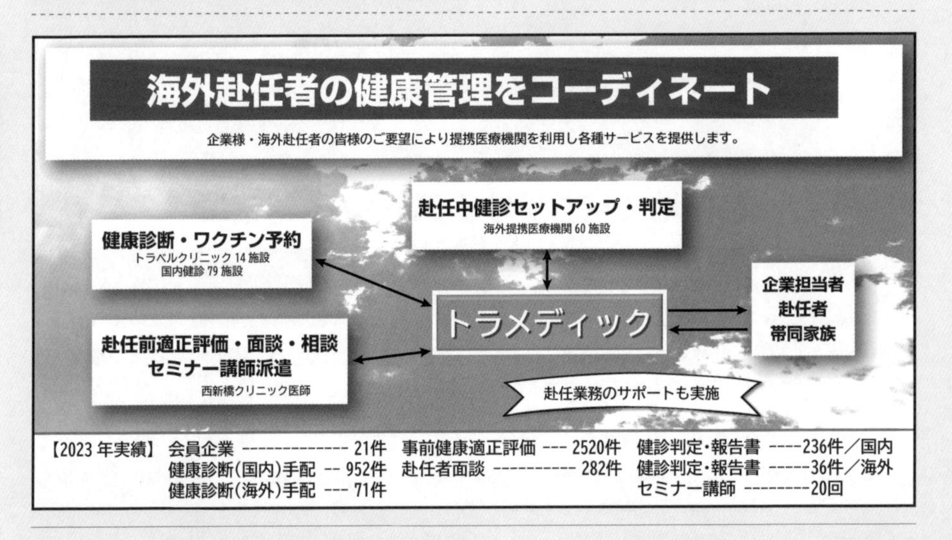


海外渡航前の健診・予防接種はお済みですか

## 医療法人 瑠璃会　AYクリニック

海外渡航前に予防接種はお済みですか？

### 大阪四ツ橋のトラベルクリニック

渡航前健診・健康診断
海外感染症：各種予防接種お取り扱い
マラリア予防薬・高山病お予防薬お取り扱い
英文証明書発行・帯同家族（乳児含む）対応
母子手帳翻訳

■地下鉄御堂筋線　心斎橋駅【7番出口】徒歩5分
■地下鉄四つ橋線　四ツ橋駅【5番出口】出てスグ

医療法人 瑠璃会
AYクリニック

〒550-0014
大阪市西区北堀江 1-2-19
アステリオ北堀江ザ・メトロタワー5F
☎06-6110-7005
金曜・日曜・祝日／休診

静岡県での海外赴任、留学、渡航時のワクチン接種と医療相談

## 渡航外来　富士市　遠藤クリニック

**医療法人社団　敬和会　遠藤クリニック**

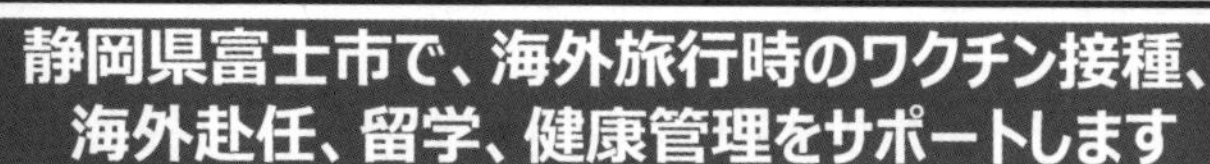

日本渡航医学会認定医療職、日本旅行医学会認定医の院長と専任スタッフが専門的な相談にのります。お気軽にご連絡ください。

- 各種渡航ワクチン
- 狂犬病ワクチン
- 小児渡航ワクチン
- 留学時英文証明書
- 赴任者、帯同家族健康診断・診療
- マラリア予防薬、高山病予防薬常備
- 国際予防接種証明書（標準書式は無料）
- 新型コロナPCR検査、抗原検査

お問合せ　**ENDO CLINIC**

ご相談は、お電話・Fax・E-mail・ホームページからお問い合わせください

TEL：0545-34-0048　FAX：0545-38-0285

E-mail：staff@endo-cl.jp　URL：https://endo-cl.jp

〒417-0821　静岡県富士市神谷５２７－１

富士市　遠藤クリニック

海外赴任・出張・留学、予防接種から各種証明書までトータルサポート

## おだ内科クリニック

渡航前の予防接種・各種証明書は当院へ

渡航ワクチン 各種常備、各種英文証明書・診断書対応
米国ほか英文留学用文書対応（留学安全管理医師）
オンライン診療応需、企業向け無料個別相談会開催中

予約用QRコード

**おだ内科クリニック**

Travel Medicine since 2009

おだ内科　渡航

お問い合わせは先ずはお電話で

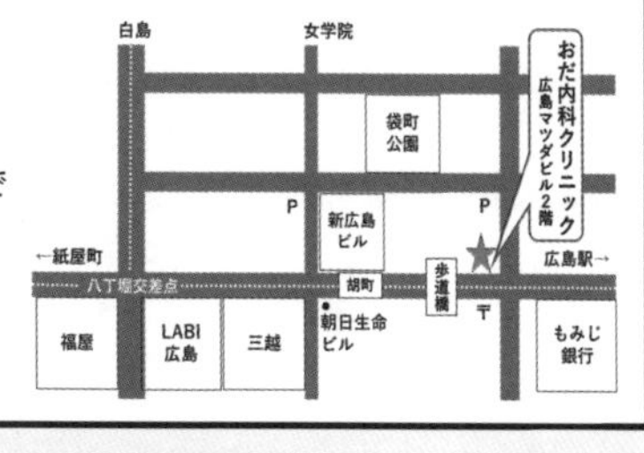


所在地　〒730-0016 広島市中区幟町13 - 4
電話 082(502)1051　Web　https://www.oim-clinic.com
Email　odanaika@onyx.ocn.ne.jp

海外渡航前から帰国後までの健康をサポートします。

医療法人財団 健貢会

## 東京クリニック 渡航者外来

三鷹市野崎でトラベルワクチン接種ならお任せください。

## のざきはちまん前内科

## トラベルクリニック

金山総合駅南口より、徒歩1分のトラベルクリニック
### 金山ファミリークリニック

◆◆◆廉価でクオリティの高いトラベルクリニックです◆◆◆
・渡航に必要なワクチン接種や海外で健康に過ごすためのインフォメーションを随時しています。
・常備しているワクチンは世界各国に対応出来るように取り揃えております。
・海外で必要な予防薬の処方（マラリア薬、高山病薬など）
・渡航者、ご家族の渡航前、渡航中、渡航後の健康診断を行っています。
・法人契約もお受けしています。(接種者がキャッシュレスで健康診断、ワクチン接種可能です)

■〒456-0002　愛知県名古屋市熱田区金山町1丁目5-3トーワ金山ビル6F
■E-mail：info@kanayamafamily.com
■TEL：052-678-7700　FAX:052-678-7733

静岡駅近くのトラベルクリニック
### 医療法人社団芳誠会　静岡駅前トラベルクリニック

海外赴任・海外留学・旅行に必要な各種ワクチン接種を小児から成人まで計画的に行います。
狂犬病、腸チフス、髄膜炎菌、ポリオ、A+B型肝炎（混合ワクチン）、MMR、Tdap（成人型破傷風・ジフテリア・百日咳)、その他各種ワクチン対応。IGRA結核検査、麻疹・風疹・水痘・おたふく等抗体検査施行。
予防接種記録、検査結果等の各種英文書類作成。
マラリア、高山病予防薬の処方。プラセンタ注射（保険・自費）対応。
小児科・内科の保険診療（診療、採血、予防接種等全て完全予約制）

■〒420-0859　静岡市葵区栄町2-5アークビル301
■TEL：054-204-8600　■FAX：054-204-8602　■URL：http://kawanobe.byoinnavi.jp/
■完全予約制　■木・日・祝日および水・土曜の午後休診

### 子どもも大人も迅速にトラベラーズワクチン接種可能！
### だいどうクリニック　予防接種センター

・渡航先毎に、小児を含めたご家族皆様の接種計画を立て、接種。名古屋市外の方も小児期の定期接種可能（要申請)。
・国内ワクチンに加え、輸入ワクチン（Tdap 、A型肝炎、A型B型肝炎混合、ダニ脳炎、狂犬病）も接種可能。
・抗マラリア薬、高山病予防薬も処方可能。
・留学等の英文健康診断書・予防接種証明書を発行。
・母子手帳の英訳、英語紹介状も対応。

■名古屋市南区白水町8番地　E-mail:yobou@daidohp.or.jp
■TEL: 052-611-8650　FAX:052-611-8651（予防接種センター直通）
■URL: http://www.daidohp.or.jp/01kanjyasama/yobousesshu/index.html

渡航医学の経験豊富な専門家をそろえています。
### 医療法人社団TCJ　トラベルクリニック新横浜

横浜市営地下鉄、東急・相鉄新横浜線10番出口より徒歩5分。海外渡航時の予防接種は小児も対応しています。また各種英文書類作成、母子手帳の英訳なども可能です。ホームページよりご予約下さい。
診療内容…●海外赴任前後の健康診断:英文での健診結果作成が可能●予防接種:世界各国の渡航に対応できる、国内製/海外製ワクチンを多数常備●留学時の健康診断・英文書類の作成●VISA取得・ボランティアの健康診断●抗体検査及び証明書の発行●ツベルクリン反応検査●母子手帳（接種歴）の英文翻訳●処方箋の英文翻訳 等

■〒222-0033　横浜市港北区新横浜2-13-6 第一KSビル3F
■TEL：045-470-1011　■FAX：045-470-1012
■E-mail：secretariat@travelclinics.jp　■URL：https://travelclinics.jp/

## トラベルクリニック

### 山梨県で渡航ワクチン接種を行っています
**医療法人　西野内科医院**

海外留学、海外旅行、海外赴任される方に大人から子供まで渡航ワクチン接種を行っています。
○渡航ワクチン：国産、輸入ワクチンを揃えています。出発までの時間が短い方もご相談ください。
○予防薬：高山病、マラリアなどございます。
○証明書：英文診断書、英文ワクチン接種証明書の発行が可能です。
○来院前に必ずお電話ください。

■〒409-3845　山梨県中央市山之神2389-1
■TEL：055-273-6656 西野　■FAX：055-273-9831
■URL：nishino-naika.com　■E-mail：nishino@juntendo.ac.jp

---

善行駅から徒歩2分、湘南地域のトラベルクリニック
### 医療法人社団孝誠佑覚会　藤沢善行ファミリークリニック

海外渡航時に必要な下記の診療を行います。帯同されるご家族様のみでもご相談ください。
●渡航前の予防接種(輸入ワクチン各種取扱あり)
●海外赴任・留学時の健康診断
●渡航に必要な英文書類（健康診断結果、予防接種記録等）の作成
●予防薬（マラリア・高山病）の処方　　　…等

■〒251-0871 神奈川県藤沢市善行7−4−9
■TEL: 080−3500−2826（トラベルクリニック専用）
■URL: https://www.fzfc.jp/

---

予防接種の専門機関です
### 名鉄病院　予防接種センター

●渡航先に応じ、海外赴任、留学、旅行等の海外渡航で必要なワクチンを検査と組み合わせて計画を立て接種いたします。マラリア予防薬、高山病予防薬もあります。●留学等で必要な英文の接種証明書も作成可能です。●国内未認可のＴｄａｐや狂犬病、腸チフス（結合型）等も輸入しています。●接種内容の相談は電話やメール、ＦＡＸで受付けています。●名鉄名古屋駅から急行、準急、普通電車で１駅進んだ栄生駅の名鉄病院改札口に名鉄病院は直結しておりアクセスが便利です。

■〒451-8511　愛知県名古屋市西区栄生2-26-11
■https://www.meitetsu-hospital.jp/■http://vc.kkch.net
■予約電話: 052-551-6126■相談FAX: 052-551-6308
■相談電話: 090-1417-9005（月・火・金）■相談E-Mail: mmiyazu@meitetsu-hpt.jp

---

### 子どもから大人まで対応！　輸入ワクチンも充実
**矢嶋小児科小児循環器クリニック**

●留学、海外赴任での予防接種、書類作成は当院でほぼ完結できます
●多種類の輸入ワクチンを常備し複雑な接種にも対応
●ワクチン接種スケジュールの相談はオンライン相談も可能
●家族単位での相談料の設定があり費用は抑えてあります
●渡航医学会認定医療職が勤務する医療機関です

■ 〒500-8212 岐阜県岐阜市日野南7-10-7
■ TEL：058-240-5666　■ E-mail：yoyaku5666@gmail.com
■ URL：https://www.yajima-syounika.com/

# 全国の病院・クリニック一覧

海外赴任に専門的に対応できる、本誌掲載のクリニックです。

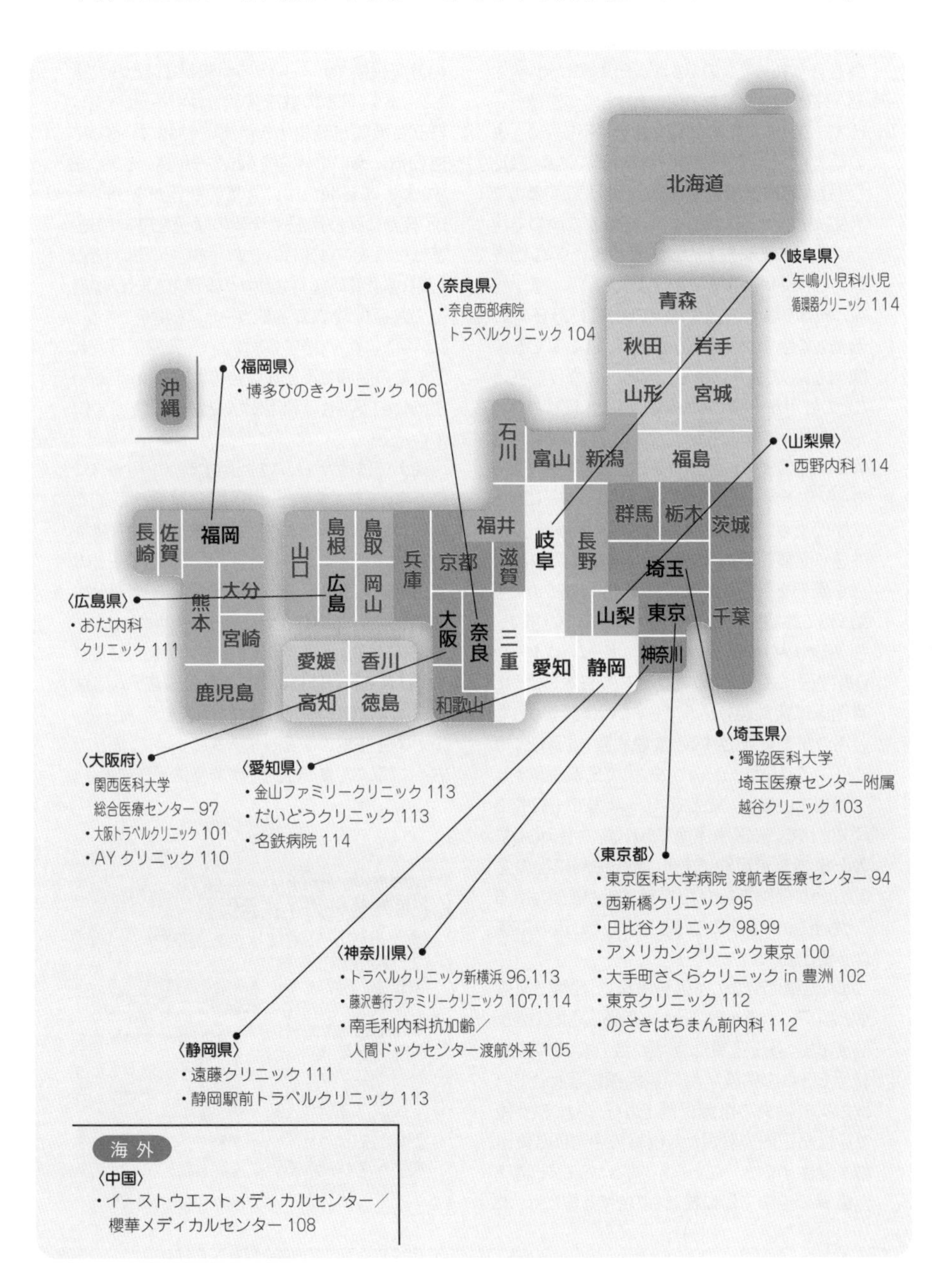


〈岐阜県〉
・矢嶋小児科小児循環器クリニック 114

〈奈良県〉
・奈良西部病院トラベルクリニック 104

〈福岡県〉
・博多ひのきクリニック 106

〈山梨県〉
・西野内科 114

〈広島県〉
・おだ内科クリニック 111

〈埼玉県〉
・獨協医科大学埼玉医療センター附属越谷クリニック 103

〈大阪府〉
・関西医科大学総合医療センター 97
・大阪トラベルクリニック 101
・AY クリニック 110

〈愛知県〉
・金山ファミリークリニック 113
・だいどうクリニック 113
・名鉄病院 114

〈東京都〉
・東京医科大学病院 渡航者医療センター 94
・西新橋クリニック 95
・日比谷クリニック 98,99
・アメリカンクリニック東京 100
・大手町さくらクリニック in 豊洲 102
・東京クリニック 112
・のざきはちまん前内科 112

〈神奈川県〉
・トラベルクリニック新横浜 96,113
・藤沢善行ファミリークリニック 107,114
・南毛利内科抗加齢／人間ドックセンター渡航外来 105

〈静岡県〉
・遠藤クリニック 111
・静岡駅前トラベルクリニック 113

海外

〈中国〉
・イーストウエストメディカルセンター／櫻華メディカルセンター 108

## 海外赴任シニアアドバイザーの 海外赴任経験者よもやま話

海外赴任ガイドのメールマガジン「海外赴任ガイド通信」より

### 《海外赴任お助けコーナー》～海外医療サービスについて～

Q：この度家族で米国への赴任になりました。海外赴任は初めてなのですが、子供がまだ小学生ということもあり、海外で何かあった時の医療サービスについて言葉の問題も含めて不安です。夫の勤めている企業の人事オリエンテーションでは、「当社は海外医療の保険はしっかりしているので大丈夫と」いっていましたが、経験がないので例えば子供が風邪をひいたときはどうしたらよいかを教えてください。

A：米国の場合の通常のプロセスは、赴任地に到着して住居が決まった段階で、近くの医療機関を訪問して先ずはホームドクターになってもらうことの許可が必要になります。特に米国はこのホームドクター制がしっかりしていて、何かあればそのホームドクターを通して、必要な医療措置をとってもらうことが一般的です。ホームドクターになってもらうためには、個人情報や医療保険情報等の届が必要となります。従いましてご質問のお子様が風邪を引いたときは、先ずホームドクターを訪問して診察してもらうというプロセスになります。もし風邪以外の所見があれば、ホームドクターから専門医に紹介というプロセスで、日本のように専門医に突然駆け込んでもすぐには診察されない場合が多く、下手すると救急病院へ行けということにもなりかねません。企業として医療保険がしっかりしているということですが、米国で一般的に認知されている医療保険であれば、立替えなしでの医療精算が可能ですが、旅行保険に毛の生えたような保険であれば、立替えを余儀なくされることも予想されますので、赴任前にその辺の確認は必要と思います。

また結構厄介なのが歯科医療で、保険で何処までカバーされるかをしっかりと把握しておくことが必要です。赴任企業は、殆どが会社負担の医療費用を日本の保険制度の負担額に合わせていますので、海外の医療保険でカバーされても、後で会社が国内の健保との精算の中で自己負担額が発生するということもあり得るからです。特に虫歯等の治療で歯に被せものをする際には、米国は材質がポーセラインが一般的で、逆に日本の健康保険でカバーされる材質がないということもあります。日本の健康保険ではポーセラインは自己負担額が発生する材質になります。従って赴任前に事前の確認をされた方が良いと思います。また、ご質問の中に言葉の問題がありましたが、確かに医療用語や身体の状況を知らせる言葉は日本人には難しいです。「ちくちく痛い」とか「割れるように痛い」など中々表現できません。最近の医療保険では、通訳サービスを指定できることが殆どになってきていますので、病院に行かれて言葉の問題で不安な場合には、「Translation Service」があれば利用したいということを必ず伝えてください。

海外で医療サービスを利用するというケースは色々考えられますが、日本のように総合病院的なものは無いと思ってよいと思います。有っても緊急避難的な利用に限られます。ホームドクターとの意思疎通を日頃より頻度良く行うことで、意外と快適な医療サービスの受け方が分かるかもしれません。逆にどんな病気、症状でも先ずはホームドクターに連れて行けば良いのですから、システムに乗ってしまえば日本より快適かもしれません。従って、先ずは赴任地の医療システムについて、周りの方々に聞いて、良く知ることが非常に大切です。

WEB 海外赴任ガイドのメールマガジン

**「海外赴任ガイド通信」**

「海外赴任ガイド通信」では、各種セミナーのご案内のほか、帰国生向け学習塾、トラベルクリニック等、海外赴任関連サービス情報を配信中です。受信ご希望の方は、WEB「海外赴任ガイド」にて無料会員登録ください。
https://funinguide.jp/c/mail_magazine

CHAPTER

# 子どもの教育

海外で子どもを育てるときにはどんなことに注意したらよいか。学校はどんな選択肢があるか。まずは基本的な情報を踏まえ、赴任地の教育事情を調べよう。

# 01 海外で子どもを育てる

これから海外赴任する方は、家族での海外滞在を楽しむ気持ちと、子どもの将来を左右する重要な役割を担う緊張感とのバランスをもって準備を進めよう。
就学別・地域別の海外長期滞在子女数はChapter3-3表①参照。

## まずは情報をあつめる

海外赴任が決まったら、まずは赴任地の学校について調べよう。日本語の学校があるか、ない場合にはどんな選択肢があるか。就学前の幼児の場合は、受け入れ年齢を基準に、どのような施設が一般的なのかを把握しておくとよい。

調べる際には、自らネットで調べることも可能だが、海外子女の教育を専門とする相談機関をぜひ、利用しよう。(P130「知っておきたいキーワード」参照)住居から近い学校の紹介や、転校手続きのアドバイス、さらに出発前の親子での外国語セミナーや、子育て全般に関わる個別相談なども受け付けている。海外の子育てで特に気をつけるべきことなど、海外子女教育に携わった経験者や海外赴任経験者に直接話を聞くことができるのは心強い。

## 子どもの成長と各種サービス

現地での学校が決まれば一安心だが、子どもが成長するにつれ進学や受験など、また別の選択が必要になる。受験対策では近年海外進出している日系の塾や、その説明会、民間の通信教育を活用すると便利だ。また赴任の期間によっては子どもが単身で帰国して、学生会館やドミトリーで生活するという選択肢もある。帰国後の進路選択では帰国子女の入学枠を特別に設けている学校があり、塾や教育機関、学校などに相談するなどして情報を得よう。

## 母国語の発達

学校と家庭、その他の日常生活の中で様々な文化や言葉に触れる機会がある海外生活は子どもの言語の発達にも大きく影響する。グローバルな社会においては、海外言語を使いこなせる力を期待したいところではあるが、もっとも大切なのは子ども自身が考え、自分を表現する土台となる母語をしっかりと発達させ身につけることだ。

問題の一つに「ダブルリミテッド」または「セミリンガル」と呼ばれる現象がある。これは一般的には2ヶ国語を同時に学習したために、両言語とも年齢相当の発達レベルに達しない状態を言い、自分の考えがまとまらず、言語による表現が難しくなってしまう現象だ。母語の発達過程における子どもの教育は十分に注意しよう。

## 準備をはじめる

学校や教育方針が決まったら、具体的な準備をすすめる。まずは転校、入学に必要な書類の準備、そして学用品や家庭で使う本や教材の購入など。また時間があれば、親子向け赴任セミナーに参加するのも

表①教育関連の準備とスケジュール

**出発前**

3～2ケ月前

**教育方針を話し合う**

教育機関の選択肢は赴任地によって異なる。まずは赴任地の教育事情を調べてみよう。その上で、学校、家庭でのフォロー、通信教育の利用など教育方針を話し合おう。

幼児や小学生の場合は、母国語や習慣をどのように身につけていくかを両親がしっかり決める。中学生以上であれば、外国語で学ぶことも含め本人の希望する進路、帰国受験や海外の大学の受験などを踏まえて方針を決めよう。

**教育相談機関に相談する**

各地の教育機関の情報や帰国後の進路を踏まえた学校選びなど、海外での教育に関する様々な相談を受け付けている相談機関がある。ネットだけでは自分の状況にあったアドバイスは得にくいので、相談してみよう。

学校へ転校の連絡

1ケ月前

**入学準備**

□学用品の購入
□入学書類、英文訳の準備
□教科書の入手

日本の学校の転校手続き

**家庭教育の準備**

□日本語の本、DVDの購入
□通信教育などの検討

**滞在中**

**入学**

入学後も子どもの成長と共に新しい選択が必要に。

学習塾

帰国後に大学受験が……

現地と日本の教育のカリキュラムの違いが大きい……

通信教育

ドミトリー

次男はまだ小学生。高校進学の長男だけ日本に帰国させたい……

**帰国後**

**受験や編入、帰国生枠の利用**

帰国生枠での入学制度をもつ学校、全寮制の学校など、帰国生に対応したしくみをもつ学校が増えてきている。相談機関や塾の説明会などを利用して情報を集めよう。また、国際バカロレアなど国際的な資格を得て、海外の大学へ進学することも考えられる。

よいだろう。

## 渡航前の今、おさえておきたい帰国後の学校選びと受験準備のポイント

帰国後の学校選びの大きなポイントは、子どもが海外で得たものを、どのように生かしていくかだ。そして、不足しているところをどのように補うか、という点を考えよう。

帰国生受入校の情報収集は、学校説明会・見学会等のイベントに行ってみるのもおすすめだ。春～夏にかけて帰国子女教育専門機関、帰国生受入校、学習塾等が学校説明会を開催しており、ここ数年はオンラインでも実施されているので、公式ウェブサイトで確認しよう。

情報収集する際には、学校の特色、アクセス、部活動、帰国生への配慮などをチェック。加えて受験科目も確認する。帰国生枠とは言え、しっかり学科試験を課す学校もあれば、帰国生に配慮して英数のみ、作文・面接のみとする学校もあるので注意しよう。

CHAPTER 3 子どもの教育

# 02 幼児の教育

## 赴任地の幼児教育を知る

多くの国で幼児の教育は義務ではなく、国や地域で制度が大きく異なる。まずは現地の幼児教育事情を調べよう。在留邦人が選ぶ教育施設はアメリカまたはイギリスのシステムに影響を受けていることが比較的多いので、表①に示すアメリカのシステムも参考にしよう。また幼稚園は主に日系、国際系、現地幼稚園に分けられる。それぞれの特徴も踏まえておこう（表②）。

## 現地で情報収集

主な情報源は園のホームページ・SNS、現地在留邦人向け情報誌、日本人会のほか、住宅探しの際に現地不動産に問い合わせるのもよいだろう。いずれも現地到着後の情報収集となる。

情報が集まってきたら、説明会に参加したり、直接訪問して見学したりしてみよう。確認したいポイントは通園のルート、所要時間、園付近の環境や設備や衛生面、保育料。その他、クラスに空きがあるか、言語を理解しない子どもの受け入れはどうか、日本人はどれくらいいるか、体験保育や慣らし保育があるかなどについても問い合わせてみよう。

また入園の際に海外では「出生証明書」を頻繁に求められる。日本では正式なものはないので「パスポートのコピー」を提出しよう。予防接種証明書は母子手帳に記載されている記録を英訳して提出する。その国や園で必要な予防接種が済んでいないと入園許可が下りないこともあるので要注意だ。

## 慣れるまでのケア

入園当初は体調や表情の変化などに注意しよう。もし、子どもが辛そうな時には慣らし保育を利用したり、親が一緒に園に通ったり、安心材料となるぬいぐるみを持たせたりするなど、園の協力も得るようにしよう。疲れがたまっているときには休むことが必要だ。

### 子どもたちの海外体験談

「海外子女文芸作品コンクール」入選作品より　参考URL：https://www.joes.or.jp/kojin/bungei

スーツケースに小さくたたんだ鯉のぼり

小5　前野（まえの）　時玖（はるき）
（海外滞在年数10年6ヶ月/スイス）

せつぶんにヘーゼルナッツじゃいたすぎる

小4　成瀬（なるせ）　歩夢（あゆむ）
（海外滞在年数11ヶ月/トルコ）

トゥクトゥクに乗ったら自然がせん風機

小5　西川（にしかわ）　航太（こうた）
（海外滞在年数8ヶ月/タイ）

まちじゅうにバナナの赤ちゃんそだってる

小3　小林（こばやし）　真緒（まお）
（海外滞在年数1年4ヶ月/インドネシア）

## 表①アメリカでの就学前児童を受け入れる教育施設の概要

| 名称 | | 受け入れ年齢の目安 | 日本の類似した施設の例 | 特徴など |
|---|---|---|---|---|
| プレイグループ | Play Group | 0歳～3歳 | 乳幼児育児サークル | 親と一緒に乳幼児を遊ばせる育児サークルを指し、だいたいプリスクールに上がる3歳児まで。親が主体となってプログラム作りをしており、育児情報の交換や、親同士のつながりの場として参加している人も多い。図書館や公共のコミュニティセンター、教会の一室などの場所で運営しており、参加費はおやつ代と場所代程度。 |
| プリスクール | Preschool | 2歳半～4歳 | 幼稚園 | 就学前の幼児教育一般を指し、日本でいう幼稚園に近い。2歳児からのトドラークラスや、5歳児のキンダークラスを設けているところもある。開園時間は正午までで、延長しても午後3時までが主。預ける日は週3日、週5日などから選ぶ。私立の場合がほとんどで、教育方針はさまざま。 |
| ナーサリー | Nursery School | | | |
| プリキンダーガーテン | Pre-Kindergarten | 3歳～4歳 | 幼稚園 | Pre-KまたはPKとも呼ばれる。キンダーガーテンの前の段階に当たり、多くが3時間のプログラムだが、それ以上のものもある。<br>キンダーガーテンに上がる前にもう少し社会性を伸ばす準備段階として、貧困層の3歳児および4歳児の子どもを中心に設置されている場合が多い。 |
| キンダーガーテン | Kindergarten | 5歳 | 幼稚園 | 一般的には小学校に上がる前の5歳児が対象だが、いつの時点から通うかは学区によって異なる。午前と午後のいづれか半日のところや、全日のところもある。たいていの場合はエレメンタリースクールの建物に併設されているため義務教育だと勘違いされやすいが、必ずしもそうではない。<br>公立の小学校に併設されている園では地域の税金によって運営費の大部分がまかなわれている。学区によっては条件が整えばスクールバスがでるが、一般的には親が送迎する。 |
| デイケア | Day Care Center | 就学前 | 保育園<br>学童保育 | 働いている親が預けている場合がほとんどなので早朝から夕方まで開園し、週末も開いているところがある。キンダーガーテンが終わった後、学童保育をしているところも。チェーン化していたり、大きな病院や会社に付属していたりなど、ほとんどが民間で、貧困層の家庭には補助金が国や州から出される。 |

## 表②主な幼稚園の特徴

| 名称 | 使用言語 | 特徴など |
|---|---|---|
| 日系の幼稚園 | 日本語 | 日本人学校や補習授業校併設の幼稚部、および日系私立の幼稚園。日本人の子どもたちのための日本人保育者の指導による幼稚園だが、アシスタントは現地の人を雇っている場合もある。現地のイベントを祝うと同時に日本の文化、習慣、伝統を通したカリキュラムや行事(七夕、発表会、運動会、節分、ひな祭り、など)に重点がおかれ、在留邦人が多い都市部に集中している。 |
| インターナショナル系の幼稚園 | 特定の言語 | インターナショナルスクールの幼稚部、私立が多い。多くは2歳児から受け入れているが1歳半からなど学校によって対象は異なる。そのため詳細について個別の確認が必要。 |
| 現地の幼稚園 | 現地語<br>(+英語など) | 現地の子どもたちが通う園で公立と私立の選択肢が考えられる。現地語と英語、英語と日本語のバイリンガルな園もある。 |

# 03 学校を選ぶ

## 赴任地の学校情報を集める

学校の主な選択肢は、①日本人学校、②私立在外教育施設、③インターナショナルスクール、④現地校の4つ。そのほか、日本の学習の補習として、⑤補習授業校（補習校）がある（表②）。

使用言語、教育制度などで特徴があるので、希望の学校を選びたいところだが、まずは赴任地にどのような選択肢があるか調べよう。在留邦人が多い地域であれば日本人学校が設置されている傾向にある。ただ、アジアなどの大都市では、日本人学校があってもインターナショナルスクールを選ぶ方もいるようだ。また、在留邦人が少ない地域では、現地校かインターナショナルスクールに入り、補習授業校などで日本語をフォローする、といった選択肢が主流。まずは、海外子女教育の専門機関を利用して、学校情報を入手し、入学手続きの方法などのアドバイスをもらうとよい。情報を集めたら、家族でよく相談をして、選択肢を絞ろう。

## 赴任地での学校を選ぶポイント

言語、教育制度、費用、帰国後の進路などを踏まえて検討する。

特に帰国後の進路は、出発前から情報を収集し、長いスパンで考えておこう。日本の学校の編入は、公立の小中学校は随時可能だが、私立校や高校は欠員募集や受け入れ学年が限られるなど、各校で違いがあり、計画的に帰国した方がスムーズに進学できる。なお、海外子女が対象の帰国生入試は、

表①在外教育施設在籍子女数

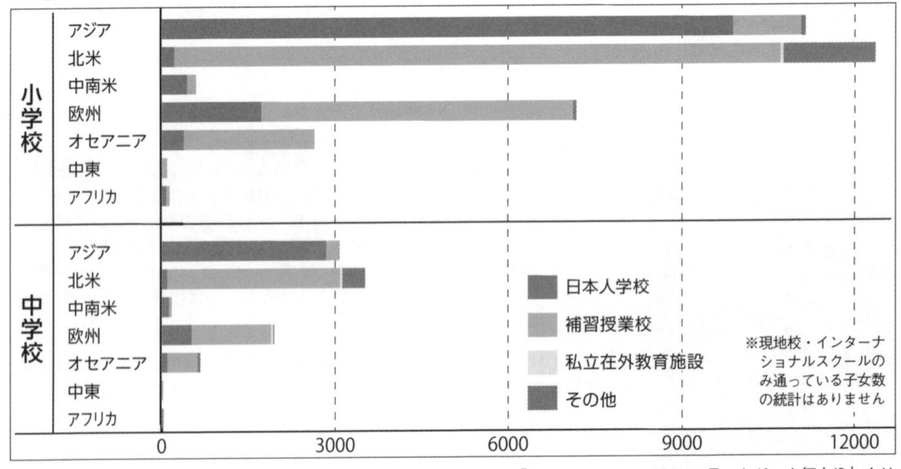


海外子女教育振興財団「JOES Magazine2024.1月～ただいま何人!?」より

渡航期間・帰国後経過年数などが出願条件となっているので、事前に調べておこう。

また日本人学校は中学校まで（上海のみ高等部あり）となっている。高校生の子女を帯同する場合、私立在外教育施設、現地校、インターナショナルスクールからの選択肢となるが、私立在外教育施設は世界に数校しかない（6校:2024年8月現在）。現地校・インターナショナルスクールは、外国語の授業となる点に注意しよう。

費用の面では、インターナショナルスクール、私立在外教育施設は一般的に高め。日本人学校は、現地の日本人会や在留邦人、企業によって運営されているため、費用の他、規模、設備は各校で違いがあるので、直接学校に問い合わせする必要がある。

**表②主な学校の特徴**

| 名称 | | 概要 | 生徒の国籍<br>使用言語 | メリット　デメリット |
|---|---|---|---|---|
| 日本の教育制度 | 日本人学校 | 日本国内の小中学校と同等の教育を確保する目的で設立されている文部科学大臣認定の全日制の学校。日本の検定教科書を使用し指導する。現地の日本人会などが運営しており、在留邦人数などによって、規模は大きく異なる。現地校との交流行事を組み込むなど、独自のプログラムがある学校もある。上海以外の日本人学校は中学校まで。 | 日本国籍<br>日本語 | 学校文化は日本の学校に沿っているので適応しやすい。帰国後の編入、受験、日常生活への適応もスムーズに進みやすい。一方、現地校・インターナショナルスクールに比べると海外の生活習慣の中で過ごす時間は少なくなる。 |
| | 私立在外教育施設 | 日本の学校法人などが、海外で運営する文部科学大臣認定の全日制の学校。小中高一貫教育や、寮がある場合が多い。 | 日本国籍<br>日本語 | 付属の大学への推薦枠があるなど帰国後の進路がサポートされる場合もある。費用が高め。 |
| 外国の教育制度 | インター校（インターナショナルスクール） | 個人や法人が運営し、生徒の国籍を問わず教育する。カリキュラムや使用言語はそれぞれ独自に決めている。使用言語を母国語としない生徒には別途言語習得クラス(ESLなど)を設けている場合が多い。<br>また、アメリカンスクール、ブリティッシュスクールと呼ばれる学校もあり、これらは特定の国の子どもたちの教育を目的に運営されている学校もあれば、特定の国のカリキュラムが実施されているものの、国籍を問わず生徒を受け入れる学校もある。学校名だけでは判断できない要素もあるので、詳細に確認を。 | 多国籍<br>英語、仏語等 | 国際的基準の教育が受けられ、多国籍な文化交流が可能。費用は他の選択肢よりも高額。ウエイティングがあることがある。入試があり、結果によって入れないことがある。教育方針は学校ごとに異なる。 |
| | 現地校 | 現地の公立校または私立校。使用言語はその国の国語。公立校には学区があり、居住場所に従って入学許可が下りることが多い。 | 現地国籍<br>現地語 | 現地独自の文化、教育に触れることができる。学校に慣れるまでに時間がかかることがある。 |
| 補習授業校（補習校）<br>※週末や放課後のみ | | 国語を中心に、土曜日や平日の放課後を利用して学習する。インターナショナルスクールや現地校に通いつつ利用する人が多い。日本に帰国した際の学校へのスムーズな適応を助ける。 | 日本国籍<br>日本語 | 現地校やインター校に通いつつ、日本の教育要綱にそった授業が受けられる。また、文化面でのソフトランディングも期待できる。放課後や週末に開講するため、子どもへの負担が大きくなる。 |

# 04 障害のある子どもの帯同

## 情報収集と判断

障害のある子どもを帯同する場合、教育や医療など現地の状況をよく把握した上で、帯同が適切な環境か否か、判断する必要がある。十分な情報がより良い判断の手助けになる。根気よく情報を収集しよう。

まず学校を選ぶ際は、必ず各地の学校・教育委員会等に直接連絡して、障害のある子どもの受け入れ状況を具体的に確認する。

日本人学校の場合は直接学校に問い合わせる。運営は現地の日本人会や在留邦人であるため、受け入れ体制・ノウハウなどは各校で異なっている。また現地校の場合は、現地の居住地域の教育委員会等に問い合わせる。公式WEBで得られる情報もあるので、まずは検索する。インター校の場合は、直接学校へ問い合わせる。

加えて障害のある子どもの場合、環境の変化が情緒の不安定さに現れることがある点も学校選びの際は念頭に入れておこう。

**問い合わせるポイント**

- 障害のある子どもの受け入れ状況
- どのような教育が行われているか
- 学校の支援体制
- 施設・設備の状況
- 学校に対する家庭の協力
- 入学時の基準・条件
- 支援を受けるための手続き
- 持参した方が良い書類　　　　等

## 現地の医療情報

海外赴任者が多い一部の国や地域では日本語対応可能な医療機関がある。事前に調べておくと良い。また、現地の医療機関を利用する場合に言語に不安があれば、費用はかかるが通訳を利用しよう。薬や検査は日本と異なることが多いので診断書や処方箋の翻訳したものを必ず準備すること。また右記は発達段階別に注意点をまとめたチェックリストである。準備や情報収集の参考にしてほしい。

**お役立ちコラム**

### 主な問い合わせ先

**海外の学校の連絡先等**

- (財)海外子女教育振興財団　https://www.joes.or.jp/

**医療関連**

- 財団法人母子衛生研究会　https://www.mcfh.or.jp/
- JAMSNET　https://jamsnet.org/　海外で日本語での医療を提供するネットワーク。北米やアジアなどで活動。

**ボランティア相談機関**

- Group With　https://www.groupwith.info　受け入れ状況なども紹介。
- フレンズ 帰国生 母の会　http://fkikoku.sun.bindcloud.jp/
- 関西帰国生親の会「かけはし」　https://www.ne.jp/asahi/kakehashi/kikoku/

## 表①子どもの発達段階別チェックポイント

| | |
|---|---|
| 乳幼児期 | 親子のかかわりが重要な時期です。家族が揃って生活することが大切ですが、お子さんが医療的な対応を必要とする場合は、現地の医療機関情報を特に注意して集めることが重要です。病院に定期的に受診している場合や投薬がある場合などは、主治医に相談することも必要です。<br>滞在中は、母親にのみ子育てを任せないような父親の配慮が必要です。また日本人会等に母子の子育てサークルなどがあるかどうかも確認してみましょう。 |
| 幼稚園段階 | 親子のかかわりを基盤に、子ども同士のかかわりを作っていく時期です。また、母語となる言語の基礎もこの時期にできますので、子どもが将来的にどの言語を母語として生活していくのかを考えておくことが必要です。<br>また、幼稚園は集団生活です。お子さんの状態は、集団生活に十分参加できる状態なのか、支援が必要な状態なのかを考えることも必要です。医療的な対応が必要な場合は、乳幼児期と同様の確認が必要です。 |
| 義務教育段階 | 子ども同士のかかわりを深めると共に学習を積み重ねていく時期です。滞在予定年数や、義務教育段階終了後の進路を考えておくことが大切です。居住地域に日本人学校がある場合、お子さんの状態によっては、あるいは学校の状況によっては、日本人学校への転入学も可能です。実際は日本人学校と話し合って行くことが重要になります。医療的な対応が必要な場合は、乳幼児期と同様です。 |
| 義務教育段階終了後 | 自立に向けて、社会と関わることが重要になってくる時期です。日本では、特別支援学校の高等部や専門学科を設置する高校などで職業に関する指導等が行われています。海外では、国によって制度が異なります。言語の問題や生活習慣などの違いを踏まえ、お子さんの状態に応じた判断が必要になります。医療的な対応が必要な場合は、乳幼児期と同様です。 |

## 表②赴任する際の準備・情報収集チェックリスト

| | 乳幼児期 | 幼稚園段階 | 義務教育段階 |
|---|---|---|---|
| 医療 | □ 渡航先の医療に関する情報の収集<br>□ 英文の診断書等の作成<br>□ 日本で受診した医療機関と検査結果の英訳 | | |
| 相談機関 | □ 渡航先の相談機関に関する情報の収集<br>□ 心理・発達検査などの結果の英訳<br>□ 日本で受けた相談の整理 | | |
| 教育機関 | | □ 今まで通っていた幼稚園での支援内容の整理<br>□ 渡航先の幼児教育の現状に関する情報収集<br>□ 渡航先の幼稚園に関する情報の収集 | □ 在籍証明書（英文）の取得<br>□ 個別の支援計画、個別の教育支援計画や個別の指導計画の整理と英訳<br>□ 渡航先の日本人学校に関する情報収集<br>・日本人学校の有無<br>・障害のある子どもへの指導に関する情報<br>□ 渡航先の補習授業校に関する情報収集<br>□ 渡航先のインターナショナルスクールに関する情報収集<br>□ 渡航先の現地校に関する情報収集 |
| その他 | | | □ 帰国の予定時期と卒業資格<br>□ 海外在留証明書の発給申請（海外子女枠の受験で、学校に求められた場合） |

国立特別支援教育総合研究所「障害のあるお子さんを連れて海外で生活をするご家族へ」

# 05 転校手続き



## 退学の連絡と入学書類の準備

まずは日本で通っている学校へ最終登校日を連絡する。現地の学校の入学手続きにおいて事前に日本で用意する書類もある。編入先の学校のWebサイト等で調べ、確認でき次第、日本の学校に作成を依頼しよう。

**現地校（公立）入学の手続き例**

一般的に下記の書類が必要。①と②は日本の学校に作成してもらう。

①日本の学校の在学証明書（英文）
②過去2〜3年間の成績証明書（通知表の英文）
③パスポート等公式書類による国籍、生年月日等の証明書
④その学校区に居住する旨を証明する書類（住居の契約書、公共料金の領収書等）
⑤予防接種の証明書

**日本人学校入学の手続き例**

一般的には下記の書類が必要。いずれも在籍校に作成を依頼する。

①在学証明書（または卒業証明書）
②指導要録の写し
③歯科検査表
④健康診断票

## 教科書は事前に取り寄せを！

日本人学校や補習授業校では原則、世界共通で指定の教科書を使用している。到着後すぐに使用する教科書は現地で用意されていないため、必要な教科書を確認の上、必ず出国前に入手して持参する。

入手の申し込みは海外子女教育振興財団へ（右頁参照）。入手が必要なのは、出国前に使用している教科書と日本人学校等の指定教科書が違う場合と、出国前に後期あるいは新年度の教科書が発行されている場合。例えば、出国が年末であれば、新年度教科書が配付されているので入手してから渡航しよう（表①）。

ただし、新規教科書の入荷時期（6月下旬・11月下旬）と、出国時期が重なる場合、タイミング次第で受け取れない可能性もあるので事前に相談を。なお、出国前に受け取ることができない場合、現地到着後に在外公館での申請が可能。その場合、日本からの発送となり、梱包・郵送費は自己負担となる。

教科書の配付は、日本国籍を有し、1年以上の滞在を予定する学齢期の子どもが対象。日本人学校・補習授業校に通わなくても、受け取ることができる。

## 学用品を用意する

日本人学校や補習授業校に入学する場合、国語辞典など現地で学習するために必要な学用品を持参する（表②）。在留邦人が多い地域では、現地で購入できる場合もあるが、比較的高価なので、できるだけ出発前に揃えておこう。

# 教科書を取り寄せる

海外子女教育振興財団に申し込む。出国2ヶ月前から申し込み可能で、郵送での受取。手続き方法・教科書一覧などは下記Webサイトで確認を。
海外子女教育振興財団「日本の教科書の無償配付」
https://www.joes.or.jp/kojin/kyokasho

**必要書類**
①転学児童・生徒教科用図書給与証明書:在籍の学校に作成してもらう。
②申請書:上記Webサイトより事前申請のうえ出力する。
※①の証明書は、4月から新小学1年生の場合で入学前までに出国する場合は不要。また4月から新中学1年生の場合、3月または4月の入学前までに出国の場合は不要。

## 表①出国時期別・配付対象教科書

### (1)小学校

○→配付可能　×→配付不可

| 出国する時期 | | 4月初旬(始業後)~6月下旬頃(下巻入荷前まで) | 下巻入荷後~9月末日 | 10月1日~11月下旬頃(新年度入荷まで) | 新年度版入荷後~2月末日 | 3月~4月初旬(新学年開始前まで) |
|---|---|---|---|---|---|---|
| 教科書の種類 | 上巻 | ○ | ○ | × | × | × |
| | 通年 | ○ | ○ | ○ | ○ | ×※ |
| | 下巻 | × | ○ | ○ | ○ | ×※ |
| | 新年度 | × | × | × | ○ | ○ |

※複数年度使用する教科書は配付対象となる

### (2)中学校

| 出国する時期 | | 4月初旬(始業後)~6月下旬頃(下巻入荷前まで) | 下巻入荷後~9月末日 | 10月1日~11月下旬頃(新年度入荷まで) | 新年度版入荷後~2月末日 | 3月~4月初旬(新学年開始前まで) |
|---|---|---|---|---|---|---|
| 教科書の種類 | 通年 | ○ | ○ | ○ | ○ | ×※ |
| | 新年度 | × | × | × | ○ | ○ |

## 表②持っていきたい主な学用品類

| 項目別 | 学用品類 |
|---|---|
| 通学用品 | 運動靴、弁当箱、水筒、箸、通学カバン、リュックサック、ランドセル(低学年)。 |
| 筆記用具 | 下敷、筆箱、色鉛筆、ボールペン、フェルトペン、鉛筆、消しゴム。 |
| 参考書 | 現在使用中のものを基準にプラスする。(現地での入手は比較的困難で時間も要する、使用済みの教科書などすべて持ち込んでおいたほうがよい。) |
| 辞典 | 国語辞典、漢和辞典、漢字辞典、古語辞典、英和辞典、和英辞典、英英辞典、現地語辞典など現在籍校の担任とよく打ち合わせて購入する。(滞在年限も考慮して計画を立てる。電子辞書も有効である。) |
| 図書 | 学習百科辞典、学習図鑑(理科用のみ)、地図帳、日本地図(世界地図)など。子どもの発達段階に応じた図書を現地で購入するのはかなり困難である。 |
| 通学服 | 一部の日本人学校を除いて制服は決められていない。 |

# 06 家庭学習と帰国後の進路



## 家庭で必要な学習

現地の学校選びと並行して、家庭学習についても用意しておく。特に日本語の継続的な学習については、各家庭で工夫が必要だ。例えば、子どもが現地校に通い、日本語以上に外国語を使う環境に置かれる場合、日本語の学習計画は各家庭でしっかり決めておこう。補習校に通うほか、通信教育やオンライン家庭教師、塾の利用が挙げられる。また「家庭内では日本語のみで会話する」とルールを決めることも工夫の一つだ。

とはいえ、子どもは海外生活の中で現地の文化や言葉をどんどん吸収していく。それと並行して日本語を身につけるのは、子ども自身にとってなかなか大変なことだ。

また現地校に入学すれば、日本語の学習より、学校で使用する言語の習得の方が、重要になってくる。赴任先の言語、学習環境によって、工夫の仕方は変わってくる。そのため、出発前には必ず専門の教育機関に相談し、家庭での教育や学習についても専門家のアドバイスを受けるようにしよう。

## 通信教育/オンライン家庭教師

通信教育には、幼児から小学生、中学生、高校生までそれぞれの学齢に対応した内容のコースがあり、国語だけに特化したものから、日本の学習要項にそって多数の科目を組み合わせたものなどがある。さらに受験対策や小論文対策など特別な目的に合わせたサービスもあるので、帰国後に受験を控えている場合などはこちらも検討しよう。教材は国際郵便で送られてくるものや、インターネットでデジタル教材が提供されるものなど様々だ。最近では自宅にいながら不足している学習をフォローしてもらえるオンライン家庭教師も人気だ。

## 学習塾

一部の学習塾では海外でも教室を開いており、主に受験対策講座などが利用されている。また進学先や受験の仕組みなどの情報も豊富で、帰国生向けの進学説明会なども開催している。子どもが受験を控えている場合には利用するとよい。主に在留邦人が多い地域にのみ教室が設けられており、それ以外の地域では通信教育サービスを提供している塾もある。

## 情報収集も、悩みの相談も、帰国子女教育の専門家に相談！

帰国子女の教育は保護者だけでは見えないポイントがたくさんある。ぜひ、帰国子女教育の専門機関に相談してみよう。海外赴任中なら、メール・オンライン等で相談できる。学校選びや帰国スケジュールなど具体的な相談のほか、進路に迷っている場合は子ども自身が相談員と話をすることも可能だ。

加えて渡航前であればなおさら、現地の学校選びや現地滞在中の学習のフォローなども専門機関にアドバイスしてもらい、帰国のタイミングもこの段階で相談しておくと計画が立てやすい。

### 一時帰国を有効利用！

一時帰国は帰国後の情報収集の重要なチャンス。進学先についての情報収集はもちろんだが、日本を体験できる貴重な機会。歴史的な建造物の見学や、お祭りの参加など、日本の文化に触れる機会をできるだけ設けよう。将来、帰国する時に、少しでも日本に慣れておくと子どもの負担も軽くなるに違いない。

### 英語？苦手な科目？<br>何を大切にするかを考える

帰国後も「英語力を伸ばしていきたい」となればネイティブの先生による授業がある学校、英語でのディベート大会がある学校、留学制度がある学校などを探してみよう。一方、社会や国語などの「現地校で履修していない教科を伸ばしたい」という場合には、帰国生向けの補習など、学校のフォロー体制をチェックする。

そのほか、さまざまな部活が選べる、理系科目も英語で学べる、国際バカロレア資格が得られる、あるいは帰国生が多く在籍し、海外経験を共有できる仲間がいる、といった特徴も学校選びのポイントとして挙げられる。

入試は年明けに多いが、海外での現地入試が秋に実施されるなどのケースもあるので、事前に各校のスケジュールをよく確認しよう。

### 大学受験を見据えると

現在、日本国内の大学でも英語で学位をとることができる学部が増えてきている。国際関係の学部が多いが、理系学部でも行われているところがあり、世界各国の留学生とも交流できる。

こう言った学部の入試では、TOEFLなどの英語資格のスコアが必要（P132知っておきたいキーワード「検定/資格試験」参照）。よって小中学生の段階で帰国した場合は日本での英語保持が鍵となる。小中学生から大学受験までの長いスパンでの英語保持は、大学受験と切り離して考えることも大切だ。子ども自身の海外経験を踏まえて、英語で会話する機会が豊富な環境で自然に英語力を保持・伸長した先で資格試験のスコアを上げていけるとよいだろう。

また、多くの大学で実施している総合型選抜入試でも英語資格のスコアが審査対象となる。加えて総合型では小論文や面接のウエイトも大きく、これまでの経験や活動、将来の展望など、自分自身をアピールする必要がある。

海外での経験の積み重ねが大切だ。現地校に通う間、エッセイなどの課題にしっかり取り組む、海外滞在中の出来事や考えたことなどを新鮮なうちに記録しておこう。

### 海外の大学への進学

帰国生受入校の情報を集めていると、海外の大学への進学実績も目にとまるだろう。

もし、海外の大学への進学を検討する場合は、まず条件を整理しよう。入学方法もそうだが、ビザ・滞在方法、そして費用などを考えると、日本の大学よりもハードルは高い。渡航する国・地域によっても違いはあるので、そういった具体的なことを早めに整理して、実現できるかどうかをまず考えよう。

加えて志望理由も整理してみる。「英語で学位を取りたい」のであれば、先に述べたように国内の大学でも学位を取れる大学もある。

また、卒業後の就職や大学院進学についても、海外を希望しているのかどうか。就職となると当然ながら、専門性を持ったネイティブに囲まれて働くことになるので、英語力はもちろんに異文化に適応する力、孤独な環境に耐える力などが必要だ。日本とは環境が一変するので、その点、厳しい視点でも考えておく必要がある。何より日本で進路を考える以上に、長いスパンでビジョンを描いておこう。

## 知っておきたいキーワード｜主な帰国子女教育機関、相談窓口

**①海外子女教育振興財団（JOES） https://www.joes.or.jp**

JOESでは毎年、海外からの一時帰国中または本帰国した小・中・高校生段階児童糸とその保護者を対象に、帰国後の進学に関する帰国子女受入校の情報や相談の場として「帰国生のための学校説明会・相談会」の開催している。

また、毎年10月下旬に「帰国子女のための学校便覧」を発刊。各学校の入学、編入学資格、条件、入試日程、選考方法、受入後の指導内容の概要も詳しく紹介されている。

JOES　WEBサイト「帰国子女受入検索」とも連動！条件を指定し、全国の帰国子女受入校を簡単に検索できる。

＊帰国子女受入校　海外子女教育振興財団コーポレートサイト:https://www.joes.or.jp/g-kokunai

**出発準備ほか、現地の教育や帰国後の学校選びなど、あらゆる不安事の相談にのってくれる海外赴任経験者によるボランティア団体**

**②フレンズ帰国生　母の会　http://fkikoku.sun.bindcloud.jp**

毎年秋に発行している「帰国生のための学校案内」では、スタッフが直接学校に赴いて、帰国生担当の先生や在籍帰国生からの入試、学校生活等をインタビューした訪問記とレポートが好評！

**③関西帰国生親の会　かけはし　http://www.ne.jp/asahi/kakehashi/kikoku/index.html**

保護者の目線で情報を集め、帰国する子どもたちとご家族へのサポートを、関西圏を中心に活動する団体。ホームページやインスタグラムの会報内で「学校訪問記」など、情報を発信！

**その他、学校情報等を配信している海外在住経験者によるボランティア団体**

**・アロエ・海外生活体験のある女性の会　https://www.aloenagoyavol.com**

**学習塾**

各学習塾では海外帰国生向けコースを開講しているほか、学校説明会・出願方法の「ガイダンスなどもおこなっている。「学習塾_帰国生」などで検索してみよう。

例：トフルゼミナール海外帰国生教育センター、早稲田アカデミー

## 受験に合わせて帰国する場合、帰国のタイミングは早めに検討を

最初におさえておきたいのが、帰国のタイミングだ。公立の小・中学校であればいつ帰国しても編入可能だが、帰国生のフォローを特徴とする帰国生受入校の場合、その多くは私立校なので入学もしくは編入試験を受ける必要がある。

小学校の場合は母数が少なく選択肢が限られる。中学校の場合は小学校に比べ母数が多く編入も可能だが、入試に比べ編入は受け入れ人数や学年が限定され、実施しない学校もある。選択肢を多く持つためには、入試に合わせて帰国することを検討しておくとよい。

ここで帰国のタイミングに大きく影響するのが出願条件。帰国生受験では「海外滞在○年以上、帰国後○年以内」といった海外滞在年数の条件があり、近年、条件が緩くなる傾向にあると言われているが各校で異なるので、志望校の条件だけでも早めにチェックを。また、高校段階で帰国生受験をする場合は上記のような滞在条件に加え、日本の中学校もしくはそれに相当する教育課程を修了または入学までに修了見込みであり、また、入学時には満15歳以上であるなど確認する項目が多い。

何より、各校で条件が異なるので気になる学校があれば早め早めに情報収集することが肝要だ。学校ほか、各種相談機関に相談しておこう（P130知っておきたいキーワード「主な帰国子女教育機関、相談窓口」参照）。

## 高校生の帯同は、現地校卒業を

小・中学生段階での帯同が主流ではあるが、高校生を帯同する方もいるだろう。その場合は帰国後の進路について一層計画的に考えておく。

まず基本的には現地校もしくはインターナショナルスクールを卒業できることが望ましい。高校の場合、小中学校に比べて帰国後の途中編入のハードルが高いからだ。編入時期を各学期はじめとしているケースが多く、随時編入は少ない。さらに高校3年生の編入となると選択肢が大きく限定される。

次に大学受験の準備も渡航時に計画しておこう。というのも、国内大学の帰国生入試では現地の高校の成績が審査材料となる。つまり現地校の3年間でしっかり学ぶことが大学受験準備となるので、現地の学校の授業についていけるようなフォローが必要だ。例えば英語の授業に慣れていないならチューターをつける、あるいは渡航時は高2でも学年を落として3年間しっかり学ぶなど、入学時の学力を踏まえてスタートできるようにしたい。同時に英語資格等のスコアも受験で求められるので現地で準備しよう（P132知っておきたいキーワード「検定／資格試験」参照）。

出願条件についても現地での就学期間、卒業要件などが学部ごとに定められているので前もって確認しておこう。

なお高校途中で帰国辞令が出た場合、「子どもだけ卒業まで滞在する」という選択肢もあるが（単身残留）、ビザの条件、費用、加えて大学入試における帰国枠の条件として認められるかどうか慎重に確認を。

# 知っておきたいキーワード｜検定／資格試験

## 帰国生入試の出願書類に利用される英語資格関連

英語資格のスコアは帰国生入試の出願時に要求されることが多い。以下、よく利用される資格。

1.**実用英語技能検定（英検）**:日本国内の大学や会社のみで英語力の証明として使用される。

2.**TOEFL iBT**:アメリカのETSが運営する英語試験。世界に通用する資格試験。自宅受験版「TOEFL iBT Home Edition」は出願書類として認めない大学があるので注意。

3.**IELTS academic**:イギリスのブリティッシュカウンシル等が運営している世界に通用する英語試験。「IELTS General Training」は日常的な英語力を測るもので受験では利用されないので注意。

4.**TEAP**:上智大学と日本英語検定協会が共同開発した英語検定。英検準2級から1級程度の問題が出題。年3回まで受験可能のスコア制。スコアは2年間有効。パソコンの画面上で解答を選択方式で受験の出来る「TEAP CBT」は、出願書類として認めない大学があるので注意。

5.**ケンブリッジ英語検定**:イギリスだけでなく、オーストラリア、カナダなどの多くの国の大学や教育機関で認められている英語検定。世界約150ヶ国以上で実施されている最も有名な英語検定。

## 海外の大学入試統一試験

1.**SAT (R)**:アメリカで高校生が受ける大学進学のための標準テスト。2023年3月より、アメリカ以外の国でのSATはデジタル化されている。

2.**ACT (American College Testing)**:アメリカで高校生が受ける大学進学のための標準テスト。

3.**GCE (General Certificate of Education)**:イギリスと元植民地などで行われる大学入試用の試験。

上記のテストは現地校での高校の授業に基づいた試験内容となるため、留学生には相当難易度が高い。また、留学生を受け入れる大学側は、全体の成績（成績の良い生徒は語学を習得も早く、また、他のサブジェクトで活躍できると考えている）に重点をおいている。よって、英語ばかりにとらわれず、全科目の成績を上げるよう努力する必要があることを覚えておこう！

## 大学入学資格

●**国際バカロレア (International Baccalaureate)**:国際バカロレア機構が認定した教育プログラム。このうち16歳から19歳を対象としてDP (Diploma Programme) は、所定のカリキュラムを2年間履修し、最終試験を経て所定の成績を収めると国際的に認められる大学入学資格が取得可能。日本国内で取得するには、IB認定校に入学しカリキュラムを履修しなければならない。国内では、インターナショナル・スクールの他、一条校（学校教育法第一条に規定されている学校）でもIBの認定校があり、後者の場合、日本の卒業資格も得ることができる。

●**GCE Aレベル**:英国において大学入学資格として認められている

●**バカロレア資格**:フランスにおいて大学入学資格として認められている

●**アビトゥア資格**:ドイツの各州にて大学入学資格として認められている。

主要国の大学入学資格が国内大学の帰国生入試で利用できる場合もあるので、各大学に確認しよう！

## 中学受験における英語（選択）入試について

中学受験において帰国生入試以外でも英語を受験科目に加えたり、選択させたりすることが増えてきている。その中には「英語1教科入試」も見受けられる。帰国生入試は「海外滞在○年以上、帰国後○年以内」の条件が課されるので、条件に合致しない場合は本入試も選択肢に入る。ただ、現時点で採用している学校は多いとは言えないのでよく調べることが重要だ。

## まず大切なのは、海外滞在中のこと

以上、渡航前からおさえておきたいこととして、主に制度や仕組みについて紹介してきた。ただし、実際に帰国に向けて学校選びを始めるときには、子ども自身が海外生活を通して何を学んだか、何を得たか、これから何をしてみたいか…がもっとも大切だ。制度上のことは基礎知識としておさえておいて、海外赴任中には現地でのお子さんの活動に注目してほしい。その上で、いざというときにチャンスを逃さないよう、イベントの参加、情報収集、受験対策など、計画的な準備も進められるようにしたい。♣

## 子どもたちの海外体験記

『地球に学ぶ　第44回海外子女文芸作品コンクール作品集』より
参考URL：https://www.joes.or.jp/kojin/bungei

### 『雨男』

前の学校に「雨男」がいた。
どういうことかって？そのままの意味だ。
その子は突然やってきた。ほんとに急だった。
普段は何のへんてつもない子だ。
でもその子がなみだを流せば話は変わる。
その時、雨がふった、小雨だった。
でもびっくりした。だっていっしょにふったんだもん。最初はぐうぜんだと思った。
だけどちがった。その次もまたその次もふるもんだからみんなびっくり。その子を雨男、そうよんだ。
　その子はかえることになった。
かなりショックだった。だって友達だったから。
ある日クラスメイトが「雨男のお別れ会をしよう。」そういった。
そうして僕らはどんどん準備をすすめた。
そしてお別れ会当日。大成功だった。
でも僕はふしぎだった。
その日その子はなくのを全力でこらえていた。
僕が「なんでなくのをこらえたの？」ときいた。
そしたら彼は「せっかく君らが用意してくれたのにないて雨をふらせたら台無しじゃないか」だって。その時僕は思った。
　そのこは世界一やさしい雨男だと。
そして彼はいってしまった。
でも今でも忘れてない。だって一番の友だから。

中学1年生　碇（いかり）　琥博（こはく）
（海外滞在年数12年1ヶ月/中国）

# 07 母たちの海外体験談

初めての海外赴任となると、教育をはじめ、渡航後の生活については、なかなか予想ができないもの。ぜひ渡航前に、赴任経験者の体験談やアドバイスを聞ける機会を持ちたい。一般的には、海外赴任セミナーに参加する、先輩社員を紹介してもらう、各種ボランティア団体に相談する、と言った方法で機会が得られるだろう。ここでも、一部の先輩赴任者の体験談を紹介。一般的な情報とは違うヒントになるだろう。

## 子どもを信じて飛び込むこと。そこから繋がる絆は一生の財産に。

A.T　オーストラリア・シドニー　2017年～2019年

### 現地校はmulticulturalが広がる素晴らしい世界

夫の赴任が決まると、駐在員が多い会社ではなかったため、現地の情報収集が難しく、初めての海外生活に気持ちばかりが焦っていました。そんな矢先、シドニー駐在を終えたばかりの夫の先輩ご夫妻とお会いする機会に恵まれました。奥様から居住エリアや最新の学校情報を色々と教えていただいたおかげで、息子たちの学校や幼稚園の転入の流れを掴むことができました。渡航前は、赴任期間が4年以上の予定だったので、日本人学校を考えていましたが、先輩奥様から「現地校を体験しないなんてもったいない!」とアドバイスされたこともあり、息子の可能性を信じて、急遽現地のパブリックスクールへ路線変更したのです。オーストラリアは、居住エリアによって学区が厳しく決められています。そのため、治安が良く、子どもが通いやすい学校のある場所に住居を構えました。息子が通った小学校は新設校のため、近代的なデザインやiPadを使った最新の学習システムにも目を奪われましたが、それ以上に校長先生や担任の先生方が素晴らしくて……。異国の地でやっていけるのかと不安でいっぱいだった私は、学校見学の帰り道、気持ちが軽くなったのを覚えています。言葉の壁があった息子も、親切で頼もしい友人たちに恵まれ、毎日楽しく通学できました。さまざまなバックグラウンドを持つクラスメイトがいるせいか、“英語が話せない”のは珍しいことではないと、子どもたちも理解している様でした。これこそがダイバーシティで、その様な環境で子育てができたことは大変幸せなことだと感じています。特に思い出深いのが、転入してすぐの頃、ESLの先生が調理実習の企画でどら焼きをつくってくださったこと。クラスみんなが日本の文化や料理に関心を持てるようにという先生の配慮がありがたくて、調理実習当日は学校へお手伝いに行ったほどです（笑）。帰宅後、「友達が日本のことをもっと教えてと言ってきたんだよ！」と嬉しそうに話す息子の顔は、今でも忘れられません。

**子どもがいたからこそ広がった**
**素敵なコミュニティ**

わが家は現地の生活に慣れること、英語を楽しく学ぶことを優先していたので、補習校に通うことは考えておらず、代わりに日本で続けていた水泳と剣道に通うことにしました。日本の武道でもある剣道を、オーストラリア人の先生から英語で習うという不思議さもありましたが（笑）日本人の子どもも多く、先生の日本人の奥様が日本語と英語の両方で話してくださることで、英語漬けの環境にいた息子たちも程よい息抜きになったようです。私自身も、子どもたちの習い事を通して現地で暮らす日本人のご家族と知り合うことができました。中には長年シドニーに住んでいる方もいらっしゃって。色々な情報を教わったり、小さなことでも相談に乗ってくれたりと大変助かりました。もちろん、長男の小学校や次男のdaycareで知り合ったオーストラリア人の友人たちもとても親切で、まるで長年の親友のようにいつも私たち家族を支えてくれました。オーストラリアでの友人たちとの素晴らしい絆は、子どもたちがいたからこそできた一生の財産なので、子どもたちに感謝ですね。

**私自身も語学学校に通い**
**英語をブラッシュアップ**

子どもたちに負けないよう、私自身も語学学校に通い英語をブラッシュアップ。毎日9時～15時まで、10代、20代の留学生たちと一緒に勉強しました。この歳で語学にチャレンジするのは大変でしたが、さまざまなバックグラウンドを持つ若い生徒さんからは大きな刺激を受けましたし、英語のブラッシュアップにより現地生活がスムーズになったことは、私自身の大きな自信にも繋がりました。帰国から4年以上たちますが、その友人たちとは今でも交流が続いています。この駐在で実感したことは、受け身ではなく積極的に、そして新しいことに挑戦することで楽しさが倍増するということ。ぜひ現地でしか体験できないことを味わうことをお勧めします。

**コラム①**
**予防接種の接種証明について**

子どもが８歳と４歳での渡航だったため、心配性というＴさんは、かかりつけの小児科の先生に相談し、その地域で必要な予防接種を渡航前にすべて日本で接種したそう。オーストラリアの小学校や幼稚園では、英語の接種記録がないと入学や入園ができないこともあるので、渡航前にかかりつけ医に英語の予防接種証明書を作成してもらい、渡航後に現地のGP（ホームドクター）に相談するのがお勧め。（Chapter 2「医療と健康」参照）

# 貰えた優しさを次の誰かへ
# —Pay it forward—

I.Y　　アメリカ・ピッツバーグ　2013年～2015年
ボストン　2015年～2022年

## 自然の中での学びを大切に

我が家の渡航は、生後半年の息子を連れてのピッツバーグから始まりました。2年半後にはボストンへ移り、現地で次男を出産。自然豊かな環境で子育てを楽しんだ海外生活ですが、出産やコロナ禍を経て、10年のアメリカ生活はいつもコミュニティの温かさに支えられ、周りの人々から貰えた沢山の優しさを、これから先もpay it forwardしていきたいと、心から思っています。

特に思い出深いのが、7年過ごしたボストンでの子育てです。自然の中で親同士が主体となって行う日本の「自主保育」に興味があったため、親が一緒に学校づくりに参加する現地のコープのプリスクールを選択しました。週3-4日の登園だったので、残りは自然の中での遊びを主体としたnature preschool、farmer preschoolにも通いました。アメリカには身近な自然を活用したプリスクールやサマーキャンプ、放課後プログラムなどが用意されているので、興味のある方は是非参加されてみてはいかがでしょうか。

## ボランティアとしての関わり

子どもが小さいうちは、一緒にできる活動が良いなと、ピッツバーグでは図書館で行われた日本語のストーリータイムを、ボストンでは、Japanese Playgroupを主催。日本から新しく来られた方々の出会いの場づくりや、子どもたちへの日本語、日本文化の継承を楽しみました。ボストンには、日本語で無料の電話相談を受け付けてくれる「JB Line」というサポート体制があるのですが、こちらのボランティアにも加わりました。スタッフには弁護士や心理士など専門知識を持った方々も多く、急な困りごとにも無償で相談にのってくれるので、異国の地で暮らす日本人にはとても頼りになるものだと思います。コロナ禍には、医療者や老人、貧困地域へのローカルサポートも経験しました。コープのヘルパーや、学校ボランティアでも感じたことですが、アメリカは、ワーキングペアレンツでも皆がこうしたボランティアに関わり、子どもたちとの時間も大切にしながら、自分の時間も大切にする”出来る人が出来るときに出来るだけ”の本来の意味でのボランティアが生かされていて、本当に素晴らしいなと思いました。

## コロナ禍をボストンで過ごせたことが一番のギフト

両親のサポート体制がない中、2017年にボストンで第2子を出産。まだ引っ越して1年あまりでしたが、毎日、誰かが玄関先にご飯を届けてくださったりと、皆の温かさに支えられました。そして2020年3月からのコロナ禍。突然の休校に続き、playdateの禁止、食料や紙資源の入手が困難になり、外出禁止令が出されるなど、厳しい規制が続きました。しかし地域では、サポートボランティアが1日で100人以上集結。コロナになった方々に食料を届けたり、コロナ禍で衣食住に困った人を助けたり、多大なコミュニティのサポーターとして、コロナ禍が終わった今も彼らは活動を続けています。アーティストたちは、学校に行けない子どもたちのために、アートや音楽の時間を配信するなど、自分たちが出来ることをそれぞれが考え、次々と行動に移していきました。各家庭では、エッセンシャルワーカーへの感謝を玄関に貼り出し、学校の先生方からは毎日のようにレターが届くなど、お互いに助け合うことで街全体にとても優しい時間が流れました。2カ月のロックダウン後、サプライズで、先生やお友達のお家の前を車でbirthday paradeしたり、先生方へのthank you bannerを飾り、学校の入り口を車でパレードしたのも良い思い出です。オンライン授業で新年度がスタートしましたが、担任の先生とクラスメイトを変えないという精神的配慮だけでなく、50を超える国々の生徒が集まる学校では、ダイバーシティがとても大切にされ、コロナ禍で顕著になった人種差別についても真摯に取り組まれるなど、そのサポート体制はとても素晴らしいものでした。アカデミックでサポーティブな環境、身近な大自然に恵まれて、それぞれが自分自身を見失わず、のびのびとアメリカでコロナ禍を過ごせたことは、我が家にとって最高のギフトになりました。

### コラム②
### アメリカの民間医療保険について

民間医療保険には、HMO（Health Maintenance Organization）、PPO（Preferred Provider Organization）、POS（Point-of-service）の３タイプがあり、その中から選んで加入します。HMOはかかりつけ医を登録して受診。かかりつけ医の診療のみ保険適用で保険料は比較的安い。PPOは、かかりつけ医を登録せず、自由に利用可能。ネットワーク以外の医療機関を利用した場合でも多少の自己負担額で受信できるが保険料は高め。POSは、保険料、内容ともにHMOとPPOの中間的な位置づけ。かかりつけ医を登録するが、ネットワーク外の医療機関も利用できる。

## コミュニティの中で学ぶことの大切さ

A.T

アメリカ・ニューヨーク　2001年～2004年
2011年～2015年

不安と愉悦が交差した海外生活。帰国して振り返ると、体験から得たものが、その後の自分の生き方や考え方に少なからず影響を与えていると感じるものです。異文化のもと自分が体験した悔しいこと、恥ずかしいことなどから教訓的に学ぶことはもちろんのこと、アメリカ人の行いや考え方から真摯な生き方を学ぶこともたくさんあったと思います。日本では味わえない経験を咀嚼し自分が成長できることこそが、海外生活を経験する醍醐味だと実感しています。

ニューヨークに着いたのは2001年5月。アメリカ同時多発テロが起こったのはその

4か月後、引っ越し荷物も片付き、子どもは近くの保育園へ、私はそこに隣接するESLに通い始めたときでした。その日、朝のクラスが終わり外に出たときの、静まり返った異様な町の雰囲気を今でも忘れることはできません。帰宅するとアパートに響く泣き叫ぶ人の声。何が起こったのか理解できないまま主人の帰宅を待ち、その後、次第に事の真相を知るのでした。主人は、オフィスビルにテロ予告（すべて誤報でしたが）が入ったとして、何度も避難を余儀なくされました。また、更なるテロが計画されているといったうわさも流れ始め、会社から防毒マスクが支給されました。そのように、ニューヨーク全体が悲しみと混乱に包まれていったのです。そんな中、初めて人々の強さに触れたのが、子どもへの心のケアに積極的に取り組む姿を見たときでした。保育園には他州のボランティア団体から子どもたちにテディベアのぬいぐるみが届き、保護者向けに心の専門家とのミーティングが催されました。直後に転校した幼稚園でも、専門家を迎え、この大きな事件が子どもに与える影響を皆で考える機会がありました。ただ感情で動くのではなく科学的な知見を用い、またコミュニケーションを図りながら子どもたちを守ろうと挑む力強さに共感したものです。

二度目の赴任の際は、ニューヨークを直撃した大型ハリケーン「サンディ」の被害を受けました。私の住む地域では2週間ほどの停電が続き、料理や洗濯ができない、シャワーも使えない、携帯が充電できない、ガソリンスタンドが閉鎖となりガソリンが手に入らない、など不便な日々を送りました。しかし混乱から数日後には、自家発電などのバックアップシステムを持つスポーツジムや図書館などの公共施設が、シャワーや充電ができるよう施設を開放してくれました。また友人同士でも、子どもを預かったり、食事を提供したりするなどのボランティア精神あふれる行動が始まりました。驚くのは、そのようなことが迅速に行われるということでした。そして友人たちは遅れる復旧作業に対し、「彼ら自身も被災しながら一所懸命作業をしているのだから」と文句を言わず、忍耐強く、自分のエリアに電気が通るのを待っていたのです。

人々の生活のベースに、自分がコミュニティの一員だという自覚と責任感のような潔さがあることに気がつくことがあります。それはコミュニティにとどまらず、社会全体に対する個の責任につながっているようで、そこにアメリカの強さを感じるものです。

一時的な滞在と遠慮することなく、自分もコミュニティの一員との思いで活動してみると、現地ならではのおもしろい発見があり、より充実した滞在になることでしょう。そしてそこで得たことを社会で生かしていけば、明るい未来につながるように思います。

お役立ちコラム

## フレンズ 帰国生 母の会

1983年、海外在住体験のある母親たちが発足したボランティア団体。赴任地での生活や教育関係で知りたいこと、帰国後の学校選びや困りごとなどさまざまな相談を受け付けている。相談は電話、メール、フレンズオフィスとオンラインでの面談が可能。

毎年発行している「母親が歩いて見た帰国生のための学校案内」は首都圏の中学校と高等学校の帰国生入試要項のほか、帰国担当の先生と在籍帰国生から入試や学校生活の様子をインタビューした訪問記などを掲載している。

**問い合わせ先　電話:03-6633-4096　HP:http://fkikoku.sun.bindcloud.jp/**

海外在住体験のある母親たちのボランティア団体

# フレンズ 帰国生 母の会

1983年10月設立。海外赴任のアドバイス、帰国生入試・編入など海外生活教育相談を中心に活動しています。

## 活動内容

### ●相談受付

赴任地での生活や教育関係で知りたいこと、帰国後の学校選びやお困りのことなどさまざまなご相談を承ります。

受付時間　平日10:30～16:00
面談料　5,000円
面談時間は1時間です。海外赴任関連の資料をお渡しします。
予めご予約ください。
電話相談（30分）・メール相談は無料です。

### ●赴任前セミナー

体験者の立場から海外赴任に関する心得や準備等、お話しします。首都圏の賛助企業またはフレンズオフィスにて、各国／各都市での暮らしについて赴任者のご質問にもお答えしながら、個別あるいはグループ別にお話しします。

料金　面談は1時間4,000円～
面談時間はご相談に応じます。企業等へ出向く場合は別途、交通費を申し受けます。

### ●機関誌「フレンズだより」

帰国生を取り巻く教育や海外での学校体験などをテーマとした特集などをお届けします。毎年6月・12月発行

### ●「母親が歩いて見た帰国生のための学校案内　中学・高校編　首都圏版」発行

帰国入試要項と共に入試結果など必要な情報を網羅した1冊。スタッフが学校に赴いて、帰国担当の先生と在籍帰国生から入試や学校生活の様子をインタビューした訪問記、説明会時等のレポートはご好評をいただいています。
書籍のほかにPDF版があります。
毎年9月発行　定価3,740円
（本体3,400円＋税）

### ●シンポジウム・講演会

海外赴任や帰国生に関する問題を取り上げ、シンポジウムと講演会を開催しています。
第15回「海外の安全を考えるセミナー」
第16回「外国語!どう向き合う?どう学ぶ?」

## ■お問合せ先■

電話　03－6633－4096
受付時間　平日10:30～16:00
E-mail　ホームページの問合せ・申込・相談フォームよりご連絡ください。
HP　http://fkikoku.sun.bindcloud.jp/

**活動参加のお誘い**
新スタッフ募集中です。
ぜひお問合せください。

公益財団法人
# 海外子女教育振興財団(JOES)

## 海外子女教育振興財団(JOES)

1971年、外務省と文部省(現文部科学省)の許可を受け、設立された財団法人。2011年に公益財団法人となった。

教育相談、海外・帰国子女対象の各種事業をはじめ、海外赴任者とその家族に役立つ様々なサービス、日本人学校・補習授業校に対する援助などを行っている。

JOESの事業は、会員である企業・団体、帰国子女受入校による会費でおもに成り立っている。

## マイポータルサイト開設

「JOESマイポータル」ではサービスのご利用のほか、説明会やセミナー等のイベントや各種情報も得られる。登録は無料。赴任するご家族だけでなく海外・帰国子女教育に関わる全ての方に登録をお願いしている。

## 教育相談と教育情報提供

出国前、滞在中、帰国後の学校情報・受験情報や、家庭教育、母語育成などについて、専門のアドバイザーが対応。相談は予約制。オンラインで対応(面談・メール相談も可)

## 日本の教科書の配付

海外で使用する日本の教科書を、新たに出国する児童・生徒に配付している。

## 帰国生のための学校説明会・相談会

帰国後の学校情報提供のために、小学生〜高校生段階のお子さんと保護者を対象に、国内外の各地で毎年開催。

## 各種講座・教室

**◆渡航前配偶者講座**

駐在員家族の不安を解消し、充実した海外生活を送っていただくための研修。セルフケアと安全の知識を身につけられるメンタルヘルスセミナーや、赴任予定の国・都市で生活している(いた)方から現地の情報や生活のヒント等を聞くことができる赴任地別懇談会を実施。

**◆アメリカ現地校入学オリエンテーション/インターナショナルスクール入学オリエンテーション/日本人学校入学オリエンテーション**

小・中学生段階のお子さんの学校選択の検討にも役立つ保護者向けの研修。アメリカ現地校入学オリエンテーションについては、子ども向けの学校生活の準備をするコースも併設。

**◆渡航前子ども英語教室**

英語で教育が行われる学校に通う予定の年長〜小学生を対象とした英語の研修。

**◆通信教育**

**①理科・社会コース(文部科学省補助)**

日本のカリキュラムで小学3年〜中学3年生が学ぶ理科と社会の学習内容を家庭で継続的にマイペースで取り組めるインタ

ーネット教材を提供。「学習ノート」をプリントアウトして記述しながらポイントを確認することも可能（教材の内容等、詳しくはJOESウェブサイトをご覧ください）。

**②児童書コース（文部科学省補助）**

小学1・2年生段階を対象に、厳選した日本の児童書と絵本をお届けする配本サービス。"読み聞かせ"から"読書"への橋渡しの時期に、家族と読み合い、語り合う機会をつくる。家庭で本に親しむ読書習慣をサポート。

**③幼児コース**

発達段階に合わせて厳選した日本の絵本をお届けする配本サービス。付録教材とともに6カ月ごとに海外へ送付。対象は0才〜6才。

乳幼児期にこそ、家庭で日本語の土台をしっかりと築くことが大切。豊かな日本語の環境づくりをサポート。

**◆外国語保持教室**

海外で身につけた語学力や文化的・社会的な思考力を保持するための教室。首都圏に3カ所、中部地区に2カ所、関西地区に1カ所のほか、オンラインでの開講があり、約1,500名の年中〜高校生が学んでいる。海外での学習背景（現地校・インターナショナルスクール・日本人学校、幼児期に帰国等）に合わせた複数のコースのほか、サマースクールを毎年開催。英語以外にフランス語の教室も開講。

## 刊行物

**◆『新・海外子女教育マニュアル』**

渡航準備から滞在中の教育、帰国後の受け入れについてまでを基本的な考え方とともに、具体的な事例を交えて解説している手引書。

**◆『地球に学ぶ―海外子女文芸作品コンクール作品集』**

JOESが毎年開催する「海外子女文芸作品コンクール」の入選作品を掲載。海外で得た貴重な体験や感動を詩・短歌・俳句・作文に子どもの目線で綴られた作品集。

**◆『サバイバルイングリッシュ』**

学校生活の中で「これだけは知っていて」「こんな表現はよく使う」というフレーズ、単語を場面ごとに集めた日英対訳集。

**◆『ぬりえ　さばいばるいんぐりっしゅ―はじめて英語の幼稚園や小学校に通うお子さんへ』**

ことばのわからないお子さんでも絵を示すことで、最低限の言いたいことを英語で伝えられるようになっている「ぬりえ」。

**◆『英語ナビ―算数・数学／理科用語集』**

現地校やインターナショナルスクールで勉強する小・中学生のために、教科書によく出てくる学習用語の日英対訳集。

**◆『言葉と教育』（中島和子著）**

異文化の中で言語形成期の子どもを育てている方に必読の書。ことばの習得、海外子女の英語力、バイリンガルと年齢、ことばの保持などについて解説。

**◆『海外子女教育手帳』**

出国から帰国までの学習や学校生活に関する記録をひとまとめにすることができる。英文の在学・成績証明書のブランクフォーマットや日英両言語による自己紹介フォームも付属。小学生用と中学生用の2種類を用意。

**海外子女教育振興財団**　https://www.joes.or.jp/
〒105-0002東京都港区愛宕1-3-4　愛宕東洋ビル6F
TEL 03-4330-1341 FAX 03-4330-1355
E-mail: service@joes.or.jp

首都圏難関中学・高校を海外で目指すお子様をサポートいたします

# (株)早稲田アカデミー

## 本気でやる子を育てる。

早稲田アカデミーでは、学習することを通して、本気で物事に取り組み、他に頼ることなく自分でやり通すことのできる子を育てることを目標としています。学習サービスを通じ、中学受験・高校受験に臨む帰国生のサポートを行っています。

**≪海外在住生向けサービス≫**

■オンライン校（小６・中３対象）
首都圏難関校を目指す志望校別対策講座をご自宅で受講いただけます（ご受講にあたり、選抜試験による資格が必要です）
小6対象クラス／4～7月･9～12月開講
開成･麻布･武蔵･桜蔭･女子学院･雙葉･駒場東邦･早実･早稲田･慶應義塾普通部･早大学院･渋谷幕張（一般受験）
中3対象クラス／4～7月･9～1月開講
5科コース（筑駒･開成･国立クラス）
3科コース（早慶･難関クラス）

■オープン模試の自宅受験サービス
海外ご自宅で模試が受験できます。
小6志望校別そっくり模試
中1～3難関チャレンジ公開模試

■海外校･海外提携塾でのサポート
海外の校舎では、他都市の生徒もオンラインで受講いただくことも可能です。提携塾では早稲アカの模試や教材を通じ、海外生指導について協力体制をとっています。

<海外校>

| | |
|---|---|
| イギリス | ロンドン校 |
| アメリカ | ニューヨーク校･ロサンゼルス校 |
| シンガポール | シンガポール(シンガポール校･インター校) |
| 台湾 | 台北校 |
| ベトナム | ホーチミン(7区校･ビンタン区校) |
| マレーシア | クアラルンプール校 |

<海外提携塾>

| | |
|---|---|
| ドイツ | 京進(デュッセルドルフ) |
| | epis(フランクフルト) |
| タイ | 泰夢(バンコク) |
| | 学習塾 Pi:k(シラチャ) |
| インドネシア | パンセ塾(ジャカルタ･チカラン) |
| 中国 | 北京アカデミー(北京) |
| | 京進(広州) |
| | epis(香港･紅磡･深圳･蘇州) |
| インド | epis(グルガオン) |
| オーストラリア | epis(シドニー･ブリスベン) |

## 海外在住生の志望校合格をサポートします！

小6・中3対象
首都圏難関校を海外で目指すなら!
**早稲田アカデミーオンライン校**

小6・中1～3対象
国内で頑張る生徒たちとの競争の機会!
**オープン模試の自宅受験サービス**

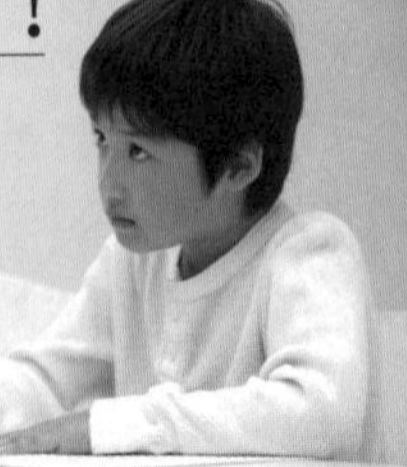

早稲田アカデミー　お電話で 国際部 03-5954-1161　スマホ・パソコンで 早稲田アカデミー 検索

## 帰国後も早稲田アカデミーにお任せください。

首都圏に集団・個別指導校舎合わせて200校以上を展開しています。ご帰国後はお近くの校舎にて学習指導をいたします。

≪帰国生向けサービス≫

早稲田アカデミー国際部では、無料講座・イベントを開催しています。

■無料講座・イベント

・帰国生入試報告会（3月）

・帰国生入試出願ガイダンス（9月）

・帰国生集まれ講座（7・9・10月）

・学校説明会・個別相談会（7月）

・慶應義塾湘南藤沢高等部対策説明会（6・11月）

・聖光学院中・海城中帰国生入試対策説明会（10月）など

■有料講座

・プレ夏期講習会（小6・中3対象／7月）

・プレ冬期講習会（小6対象／12月）

・入試直前対策講座（1月）

小6:難関校志望者対象（3科・4科）

中3:早慶高志望者対象（3科）

開成国立高志望者対象（5科）

■LOGOS AKADEMEIA（御茶ノ水）

対象学年:小4～6

帰国生入試に精通しているスタッフが、学科試験対策はもちろん、面接や願書作成など入試までのサポートを行います。

■帰国生対象模試（海外の方も自宅受験が可能です）

・小4～6対象　LOGOS Test

・小6対象　学校別模試

（渋谷幕張・渋谷渋谷・慶應義塾湘南藤沢・洗足頌栄）

**2024年　中学入試合格実績（帰国生）**

| 学校 | 人数 | 学校 | 人数 | 学校 | 人数 | 学校 | 人数 |
|---|---|---|---|---|---|---|---|
| 開成 | 3 | 麻布 | 9 | 武蔵 | 4 | 桜蔭 | 4 |
| 女子学院 | 2 | 雙葉 | 1 | 早稲田 | 4 | 早稲田実業 | 2 |
| 早大学院 | 2 | 慶應普通部 | 2 | 慶應中等部 | 3 | 慶應湘南藤沢 | 35 |
| 灘 | 1 | 筑波大附属駒場 | 1 | 駒場東邦 | 3 | 聖光学院 | 13 |
| 渋谷幕張 | 11 | 渋谷渋谷 | 18 | 海城 | 30 | 攻玉社 | 29 |
| 頌栄女子 | 27 | 洗足学園 | 29 | 立教女学院 | 11 | 白百合学園 | 13 |

その他多数合格

**2024年　高校入試合格実績（帰国生）**

| 学校 | 人数 | 学校 | 人数 | 学校 | 人数 | 学校 | 人数 |
|---|---|---|---|---|---|---|---|
| 開成 | 12 | 慶應女子 | 16 | 慶應義塾 | 38 | 慶應志木 | 35 |
| 慶應湘南藤沢 | 20 | 早大学院 | 35 | 早大本庄 | 78 | 早稲田実業 | 14 |
| ICU | 53 | 青山学院 | 30 | 中大杉並 | 30 | 渋谷幕張 | 15 |
| 筑波大附属駒場 | 4 | 筑波大附属 | 6 | 学芸大附属 | 12 | 日比谷 | 8 |

その他多数合格

【合格者数の集計について】

合格者数は、早稲田アカデミーグループ（早稲田アカデミー・SPICA・LOGOS AKADEMEIA・早稲田アカデミー個別進学館・水戸アカデミー・QUARD、及び早稲田アカデミー海外校）に、塾生として正規の入塾手続きを行い、受験直前期まで継続的に在籍し、授業に参加した生徒のみを対象に集計しています。テストのみを受験した生徒、夏期集中特訓・正月特訓・その他選択講座のみを受講した生徒は、一切含んでおりません。

帰国生入試なら、Axisのオンライン家庭教師におまかせください！

# Axisのオンライン家庭教師

**株式会社ワオ・コーポレーション**

## 帰国生入試に強い！ 海外子女の学習指導はAxisのオンライン家庭教師におまかせください！

「Axisのオンライン家庭教師」は、45年の指導実績によるノウハウの蓄積により、様々な受験対策を行うことができます。中学、高校、大学それぞれの受験（帰国生入試）で合格者を輩出していることが、Axisのオンライン家庭教師の強みです。

## Axisのオンライン家庭教師の3つのポイント！

### ①教育アドバイザーによる的確なアドバイス

帰国生入試やその他入試で合格に導く存在が教育アドバイザーです。
生徒ひとりひとりの目標はそれぞれ違います。しっかりとどうなりたいかをヒアリングした上で、その生徒の学習に何が足りないのか、どうすれば目標までたどり着くのか、その答えをお伝えいたします。志望校のご相談も受け付けておりますので、お気軽にご相談ください。

### ②採用率約10％の難関を越えてきた、精鋭講師陣によるマンツーマン指導

Axisのオンライン家庭教師では、誰もが講師になれるわけではなく、難関採用テストに合格しなければなりません。その合格率は約10％の狭き門です。プロ・学生講師問わず、質の高い授業をご提供いたします。帰国生入試を知り尽くした講師の授業をご希望の方や、帰国後を見据えて日本のカリキュラムに沿った学習をしたい方、日本語を忘れないように国語の文法や漢字を勉強しておきたい方など、様々なご希望にお応えいたします。

### ③豊富な学校情報と、教育に携わった年月に裏打ちされた合格実績

Axisのオンライン家庭教師は、日本全国に展開している能開センター・個別指導Axisを運営するワオ・コーポレーションが母体なので、47都道府県の学校情報が蓄積されています。
帰国した場所がどこであっても、受験情報のご提供はもちろん、合格後の中学校・高校のテスト対策もおまかせください！
Axisのオンライン家庭教師を受講して、志望校に合格した先輩方に続きましょう！

**合格者の声**

- 先生がていねいに記述問題の添削をしてくれたので、自信がつき合格できました。

- 受講生専用のオンラインサイトに授業の履歴や使った教材などが載っており、その教材を解きなおして受験に備えました。

**Axisのオンライン家庭教師なら授業外も安心です。**

▲授業履歴に残った板書で復習

▲教育アドバイザーとチャット

**授業後の復習も、授業振替の連絡も簡単!**

授業履歴の板書を確認しての復習や、教育アドバイザーとのチャットなど、授業外のサポートも充実しています。

## 受講コース例

**小学生:13,200円～/月**

■中学受験教科対策コース
算国英の頻出受験教科対策
■作文･面接対策コース
日本語･英語の作文･面接対策

**中学生:13,464円～/月**

■高校受験教科対策コース
3～5教科受験（編入試験）の総合的な対策
■高校受験作文･面接対策コース
日本語･英語の作文、小論文･面接対策

**高校生:14,344円～/月**

■大学受験小論文･面接対策コース
日本語･英語の小論文･面接の対策
■検定対策コース
TOEFL･IELTSや英検など

※各コース･システム関連費
2,640円/月
※入会金　22,000円（税込）

海外帰国生に対して日本国内および海外大学進学サポートの実績あり。

# トフルゼミナール海外帰国生教育センター

**テイエス企画株式会社**

## ●海外帰国生の大学入試の多様化

昨今の海外帰国生の大学入試は多様化して、とても複雑になっています。例えば国内大学の入学時期も従来の4月入学に加えて9月入学の大学・学部も増えています。また入試方式も今までの帰国枠入試が廃止になっている大学・学部も出ています。その代わりに総合型選抜入試や英語1科目または英語+国語科目の2科目での一般入試や、更には海外大学受験との併願のパターンも選択肢になりつつあるようです。

その為帰国生にとって最新の受験情報があるなしによって将来の受験の選択肢に大きく差が出てしまうのです。

## ●昨今求められる帰国生の入試対策とは

今までの帰国生の入試は帰国後に対策コースを受講して本試験の対応が可能でしたが、昨今では9月入学の大学も増えつつあるので早期受験対策の必然性が高まってきています。具体的には

①最新の受験情報を入手して自分に必要な対策の方向性を確認しておくこと。

②夏休みや冬休み等の長期の休みの期間を利用して集中講座の受講し、弱点の克服を早めにしておくこと。

③オンライン学習を利用して、学校の勉強とバランスを取りながら帰国前に少しずつ受験対策を始めておくこと。

が挙げられます。

## ●中途帰国の帰国生の入試対策

中途帰国生の受験は更に複雑になります。高校卒業前に帰国してしまうと、いくつかの大学では帰国枠入試の出願資格を失ってしまうことがあり、志望校に向けてどのような対策をしておくべきかとても迷ってしまいます。自分にとって総合型選抜入試で受験をするのが有利なのか?それとも一般入試の方か有利なのか?是非トフルゼミナールの専門カウンセラーにご相談ください。

ABC ⇒ 小2レベルの英文読書力 が1年間で身に付く

# 環優舎の「はじめての英語よみかた教室」

アイドーム有限会社

"英語が出来る"には様々なレベルがあります。**「ネイティブと同等の言語力獲得」**は幼少期から英語で学ぶ子供たちだけにある特別なチャンスです。"英語の読み方"を幼児期に習得すると将来の英語力を飛躍的に伸ばすことが出来ます。

## 親はなくとも子は育つ

親が英語の読み書きを教えられなくても、子供には自ら学ぶ能力が備わっています。小２レベルの読解力は英語の児童書を一人で読めるようになる目安です。自分で本をどんどん読めれば語彙力が増え、親を超えて、ネイティブの子供たちにも勝る英語力が身に付きます。

## 幼児期に読み始めるメリット

① 時間の制約がなく子供の理解度に合わせて楽しく学べる。
② 幼児が本を読むと周囲が感心してくれるので英語に自信がついて、得意になる。
③ 先生から期待されると成績が向上する。（ピグマリオン効果）

英語を母国語としない子供にこそ早めにしっかりと時間をとって読み方を習得する価値があります。小学校は英語を母国語とする子のペースで進むので、遅れると挽回が難しく苦手意識を持ってしまいます。識字は言葉の記憶や定着にも役立つので、低学年で日本に帰国する場合でも、読み書きが出来ると英会話のみの場合よりも英語力を保持しやすくなります。

オンラインで毎日20分。宿題なし。英語経験不要。ABCの書き方から始め、chapter bookとよばれる英語の本を一人で読めるindependent readerになるまで同じ先生が約一年間、専属で指導します。現地の幼稚園で英語が話せるようになる頃に、英文も読めるようになります。

通信指導実績34年/累計指導会員数50万人　帰国に向けた学力の向上をサポート

# オンライン家庭教師ハイタッチ

CKCネットワーク株式会社

## ●「日本語力」と「学習進度の遅れ」

海外子女の保護者の多くが、不安に感じているのは「日本語力の低下」と「授業の遅れ」です。

①日本語力の低下
日本語に触れる機会が少ないため、言葉の読み書きや文章読解力をつける機会をつくることが大切です。

②学習進度の遅れ
赴任先で選択する学校によって異なりますが、学習内容が日本の小学校より簡素化されていることがあります。渡航時には帰国に向けた基礎学力も備えられる学習方法を決めておく必要があります。

## ●基礎学力は個別学習プランで対策

『オンライン家庭教師ハイタッチ』では、お子さまに合わせたカリキュラムを提供しています。日本人学校のテストに向けた対策や、帰国予定の学校に合わせた対策など、専任コーチからお子さまに最適な授業と家庭学習の学習プランをご提案します。

## ●「一生モノの学ぶ力」を育てる

『オンライン家庭教師ハイタッチ』は、「ティーチング」「トレーニング」「コーチング」の3本柱で、「自ら気づき、考え、行動できる力」を育てます。学力だけでなく、お子さまの学ぶ意欲を引き出しながら学力向上のサポートをするので、海外滞在時だけでなく、帰国後にもつながる「一生モノの学ぶ力」が身につきます。

《受講者の声》
・前向きに頑張ろうという意思が芽生えた
・毎日机に向う習慣がついた

## ●まずは体験授業

タブレットがあれば、ハイタッチの授業を無料で体験できます。

ぜひお気軽にお問い合わせください。

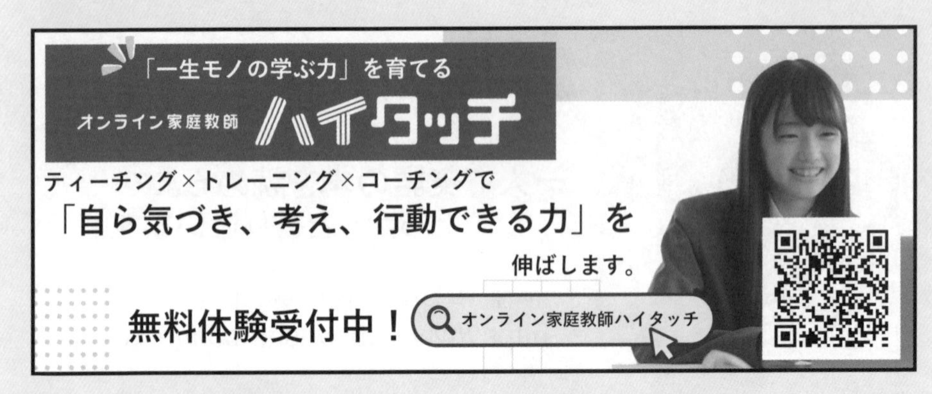

オンライン家庭教師なら、世界中どこでも、いつでも受講可能！

# 海外子女向けオンライン家庭教師 EDUBAL

**株式会社トモノカイ**

## 指導実績3000人以上のオンライン家庭教師

EDUBALは、海外にお住まいの日本人のご家庭を対象に、2014年よりサービスを開始しました。

ご紹介する教師は、皆さまと同じ海外滞在経験を持つ、現役の難関大学生です。生徒様と同じ経験をしている、年齢の近い教師だからこそ、ポイントを押さえた寄り添った指導が可能です。

## IB・帰国受験など様々なニーズに対応

EDUBALでは、帰国受験（中・高・大）はもちろん、海外インターナショナルスクールの補習、日本に合わせた日常学習のサポートなど、様々なニーズにお応えできます。

海外のインターナショナルスクールで採用されるIB（国際バカロレア）のサポートも、実際にＩＢを学習した家庭教師が行っています。

**よくある指導例**

- 海外赴任に伴い、インターナショナルスクールへの編入対策がしたい
- IBDP（ディプロマ）の最終試験に向けて、英語で指導を受けたい
- 帰国中学受験に向けて、算数の指導をしてほしい
- 帰国大学受験に向けて、TOEFLのスコアアップをしたい

## WEBサイト・メルマガで教育情報を発信中

EDUBALでは、WEBサイトや無料メルマガ、オンラインセミナーによる情報発信を行っております。海外での子育て、帰国受験について、気になることがございましたら、ぜひご覧ください。

今すぐ家庭教師が必要ない場合でも、お問い合わせいただければ、ご質問やご相談にお応えできますので、ぜひお気軽にお問い合わせください。

**EDUBAL（エデュバル）なら世界どこでも、帰国子女の先輩の指導が受けられる！**

EDUBALは海外生・帰国生専門のオンライン家庭教師サービスです。
約3,000名の在籍教師は全員【帰国生】かつ【難関大学生】
その中から、生徒様一人ひとりにピッタリの教師をお探しします。

IB・SAT 対策 / 帰国受験対策（中学・高校・大学） / TOEFL 対策 / インターナショナルスクールフォロー

☎03-6756-8620 ✉ask@edubal.net

世界30カ国に拡大中！ とびきりの先生を、海外のリビングに。

# オンライン家庭教師「まなぶてらす」

**株式会社ドリームエデュケーション**

## 海外赴任者に選ばれる理由がある

まなぶてらすは、小・中・高校生のための総合型オンライン家庭教師。

「勉強系」と「習い事系」のレッスンを、24時間365日、いつでも好きなときに自宅で受講することができます。

**●都心並みの教育レベルを海外でも**

勉強系のレッスンでは、小・中・高の5教科と受験対策。中学受験にも強く、難関私立受験、帰国子女受験にも対応。家庭学習の習慣化や勉強のやり方、国語力強化もサポートしているので安心です。

**●リベラルアーツも楽しく学べる**

まなぶてらすは、習い事系のレッスンも充実。日本語、英会話、そろばん、絵画、プログラミング、将棋、書道、ピアノ等を用意。世界中どこでも、その道のプロから1対1で学ぶことができます。

**●在籍200名超 講師陣がスゴイ**

まなぶてらすの講師は、東大・京大・早慶出身、現役塾長・元大手進学塾講師、海外在住の日本人留学生、医学部生など、指導実績が豊富な確かな先生ばかり。

厳しい採用面接を突破した200名を超える講師陣のプロフィールは、いつでもWebページから見ることができます。

**●受けたいだけ受講する都度予約制！**

1レッスンは50分2000円から。レッスンに必要なのは、パソコン（タブレットも可）とインターネット環境だけ。入会金・教材費は無し。レッスンを受けたいだけ予約する都度予約制だから一時帰国時やバケーション中もお休みしやすい。

**◆　無料体験レッスン受付中**

まなぶてらすのレッスンを体験しよう。Webページから会員登録後（無料）、体験レッスンを受講してみてください。

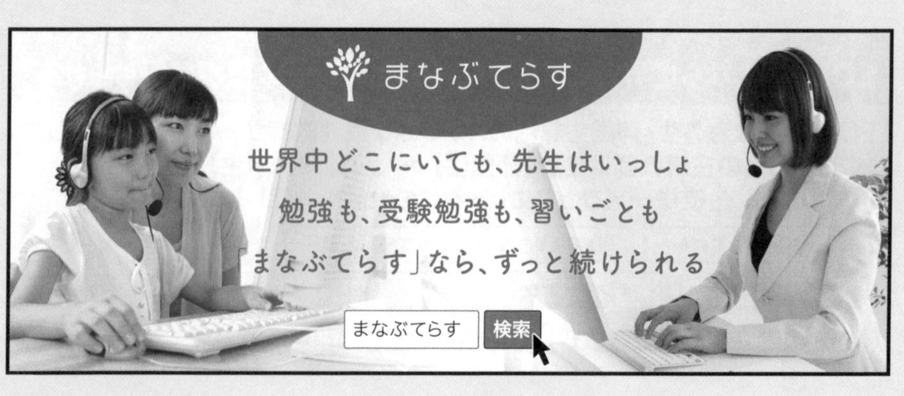

まなぶてらす
世界中どこにいても、先生はいっしょ
勉強も、受験勉強も、習いごとも
「まなぶてらす」なら、ずっと続けられる
まなぶてらす
検索

自宅が「好きを究める」研究所になる小中学生のオンライン研究スクール

# 才能発掘研究所NEST LAB.

**株式会社NEST EdLAB**

## 日本発のSTEAM教育の先を学ぶ

不確実性の高まる世の中でも強く生きるために世界でSTEAM教育が話題になっています。NEST LAB.では研究者の育成を22年前から行ってきたリバネスグループのノウハウを詰め込んだ。NEST教育を提唱し、カリキュラムの開発を行ってまいりました。NESTはNature、Engineering、Science、Technologyの頭文字です。地球を愛し、世界に貢献できるような人に育っていくために必要な資質や能力を小学生のうちから学ぶことができるカリキュラムです。

## 日本の最先端教育をオンラインで

海外赴任をすると課題になるのが、習い事。スポーツなどは言語の壁もそこまでなく挑戦できると思いますが、科学好き、ものづくり好きな子に挑戦できる場はなかなかありません。そこで、NEST LAB.では、「好きを究めて知を生み出す」ことをモットーに、子どもの好きを徹底的に修士博士の専門の講師がリアルタイムに講師となって伝えるプログラムです。毎月教材が手元に届き、オンラインで授業をすると同時に、お休みや復習のためのアーカイブ動画も共有して、いつでも学び直しがかのうです。またチャットシステムにより会員のみ平日でも講師によるサポートを受けられ、授業に限らず、身近なふしぎや、自由研究のやり方など相談できます。

## 4つの専攻と幅広い特別講座

NEST教育の哲学を軸に、本人の興味に従って、小学１年生から中学３年生まで学ぶことができます。①五感をフルに使って地球を知ることができる『ワンアースネイチャー専攻』、②ものづくりの原理原則をマスターする『ナレッジエンジニアリング専攻』、③身近なふしぎを研究できる『サステナブルサイエンス専攻』、④ロボットやAIを作りだせる『ロボットAIテクノロジー専攻』の４専攻が月2回の5月—12月の8ヶ月講座になっています。また、新進気鋭の若手ベンチャー企業の社長等が講師のアントレプレナーシップ講座、サイエンスキャンプなど特別企画も盛りだくさん。好きを大学レベルまで一気に駆け上がる本格講座です。同じ興味を持った都市、地方、通信制、不登校、海外様々な環境の同世代が集まる次世代の研究所なのです。

## オンライン通信制高校／オンライン教育／ドミトリー／教育相談

### オンライン授業を導入した日本初の『ネット高校』
**京都美山高等学校（インターネット通信制）**

2003年、日本で初めて本格的にオンライン教育システムを導入した、普通科の通信制高校です。オンライン学習が中心で、リアルタイムで行う「ライブ授業」、いつでも自分の好きな時間に学習できる「ビデオ学習」、ネット上で提出する「レポート」を行い、学校で「年5日程度のスクーリング」と年2回の「定期考査」を受験することによって単位が認定されます。

『通わない、でもこころの通う学校』をめざし、メッセージ交換やオンライン面談、電話連絡や家庭訪問により、卒業率92％以上の実績があります。

■〒602-0926　京都市上京区元新如堂町358番地　■フリーダイヤル：0120-561-380
■TEL：075-441-3401　■FAX：075-441-3402
■URL：http://www.miyama.ed.jp/　■e-mail：nyushi@miyama.ed.jp

### 60分4,900円のオンラインIB家庭教師
**国際バカロレア家庭教師協会**

IB教育に特化した、オンライン家庭教師サービスです！
■講師陣は全員、同じIB経験を持つ、トップレベルの大学生。
■生徒一人ひとりに合わせたマンツーマン指導で、IB生の志望校合格をサポートいたします。
■海外にお住まいの講師も多数在籍しておりますので、世界中どこからでもレッスンが可能です。
■無料体験レッスン受付中！ぜひお気軽にお問い合わせください。

■URL: https://www.ibeducation.net/
■E-mail: ibtutorassociation@gmail.com
■LINE ID: +81　8063888110

### 食事付・家具付・常駐管理の学生寮・学生会館で安心のひとり暮らし
**学生寮・学生会館ドーミー（株式会社共立メンテナンス）**

ホテル「ドーミーイン」「共立リゾート」の共立メンテナンスが運営する「学生会館ドーミー」は、
食事つき・家具つき・寮長寮母が常駐管理の学生寮。全国の大学・専門学校とも提携しています。
寮といっても居室はプライベート重視の個室で、門限などの面倒なルールもありません。
大学生ばかりでなく、高校生・中学生の入居受け入れ実績も多数。年度途中でも随時入居可能。
お子様が進学のためひとり国内に残る、あるいは戻られる際も安心してお預け頂けます。

■株式会社共立メンテナンス　学生会館ドーミー事務局 TEL:0120-88-1030
■学生会館ドーミー公式サイト　https://dormy-ac.com/「ドーミー　学生」で検索

### 《海外へ赴任する方やその家族への生活情報提供、帰国時の相談》
**ALOE（Association of Ladies with Overseas Experiences）アロエ・海外生活体験のある女性の会**

海外滞在中に、現地の人々との交流から学んだボランティア精神を日本の社会でも活かしたいという思いで1985年より活動を始める。

1. 日本語を第一言語としない人々の為のALOE日本語教室「あかさたな」「おしゃべりカフエ」を開催
2. 会員の海外生活や帰国時の体験などを活かして、
   - 海外へ赴任する方やその家族への学校・教育・医療・生活情報提供
   - 帰国生のための学校情報提供
   - 帰国直後の子供達の心のケアや母親の悩み等を話す交流の場を提供

■問い合わせ先：aloenagoyavol@gmail.com　■URL：https://www.aloenagoyavol.com

## 海外赴任前から帰国後まで、教育･生活情報を提供
### 関西帰国生親の会かけはし

1984年結成の海外生活経験者によるボランティア団体です。
関西の教育情報や海外の生活情報の提供を通じて、赴任前･滞在中･帰国後の方々をサポートいたします。
・ホームページ、インスタグラムによる情報発信
・月例会、おしゃべり会などの開催
・メールによるお悩み相談　・会報の発行

■E-mail：2020kakehashi@gmail.com
■URL：https://www.ne.jp/asahi/kakehashi/kikoku/
■Instagram: @kakehashi_kansai

## 子どもたちの海外体験記

『地球に学ぶ　第44回海外子女文芸作品コンクール作品集』より
参考URL：https://www.joes.or.jp/kojin/bungei

### 『ぼくのチャレンジ』

この六月でアメリカの小学校に通いはじめてから、七か月になります。

えい語はまだまだむずかしいけど、今では友だちがたくさんでき、じゅ業では手をあげてはっぴょうすることもあります。まい日がとても楽しいです。

でも、ここまでくるにはチャレンジのくりかえしだったなと思います。

はじめて学校に行った日は、とてもきんちょうしましたが、ちょっとクラスメートのまねをするだけで、先生が頭をなでてとてもほめてくれました。

ぼくは一日でアメリカの学校が大すきになりました。

でも、二日、三日とたつうちに、ぼくは少しずつさみしくなってきました。

すきなあそびのこと、きのう食べたばんごはんのこと、こわいゆめを見たこと、おもしろかったテレビの話、ほうか後何をしてあそぶかのそうだん、日本にいた時は友だちとあたり前にできていた会話なのに、アメリカではぼくは一人ぼっちでした。

ぼくは友だちがほしいと思いました。
だけどえい語が分かりません。

だからぼくはへん顔をしたり、大きな声で日本語の歌を歌ったり、ふざけてクラスメートをわらわせたりしました。

友だちはわらってくれたけど、さいしょあんなにほめてくれた先生からはすごくすごくおこられました。

ママは何回も先生からよび出され、「今まで何人も日本人の子どもを見てきましたが、日本人はどの子もとても大人しく、こんなに言うことを聞かない生とははじめてです!!」
と言われたそうです。

日本では、ほ育園でも小学校でも、ぼくは先生からおこられたことがあまりありませんでした。

ママとパパと何回も何回も話し合いをしました。

ぼくは自分の気もちを日本語でも上手につたえられなくて、くやしくてたくさんなきました。

「ぼくがずうっとだまって一言も話さなくても、ちゃんと学校はおわるんだよ。でもそれじゃいやなんだ。それじゃぼくがクラスにいないのと同じことでしょ。」

ママもパパも「よくわかった。がんばってたんだね。」と言ってだきしめてくれました。

ぼくはまたなきました。ママもないていました。

今思い出しても、先生の言うことを聞かなかったことはだめだったと思います。

でもぼくは、後かいはしていません。

きっと今、七か月前にもどっても同じことをすると思います。

今、ぼくにはなかよしの友だちが何人もいます。

まい週プレイデートをして、水てっぽうやトランポリン、レゴであそんでいます。

えい語にも少しずなれてきて、もう先生からおこられることもほとんどありません。

ぼくはアメリカに来て半年で、すごくレベルアップしたと思います。日本ではできなかったレベルアップです。

きっと、これから起こるチャレンジものりこえて行こうと思います。

小二　田附（たづき）　行正（ゆきまさ）
（海外滞在年数八ヶ月/アメリカ）

COLUMN

# コミュニティを探せ！

R.Aさん：帯同家族
渡航地（1カ国）中国・上海（2007年2月～2012年7月）
ご家族4人　長女:2歳（着任時）次女（2007年10月出生）／長女:小学2年生　次女:年中（帰国時）

主人の赴任が決まった当初、長女は2歳になる直前、私は二人目を妊娠（三か月）中の身でした。学生時代にアメリカ留学経験のあった私にとって、日本の地を離れることに対しての抵抗はありませんでしたが、今回は一人ではなく幼い子どもを連れて、しかも妊娠中という状態には相当の不安がありました。

家に着いてすぐに、食材や生活雑貨を買えるスーパー探しから始まった上海生活。主人と一緒に過ごせたのは最初の2日だけ。週明けから主人は国内出張で週末まで留守。2歳の長女と二人だけの生活がスタートしました。

あまりの不安で藁をもつかむ思いで、友人から紹介してもらった上海に住む先輩ママに連絡。メールでしか話したことがなかったにもかかわらず、その方は土地勘のない私の住まいまですぐに訪ねてきてくださいました。リトミック教室も紹介して頂き、そこで知り合ったお母さま方から日本語の通じる小児科、日本食や日本の文具が手に入るスーパー、安心なデリバリーサービス、清潔な遊び場などあらゆる情報を頂きました。リトミックで子供との時間を過ごしたあとは、みんなでランチ。その後も誰かの家でまた子どもたちを遊ばせ、ママたちはおしゃべりに花を咲かせ、お陰で孤独を感じず過ごせました。

子供たちが幼稚園に行っている時間は、多才なママさんから手芸や料理を習ったりもしました。みんなで作った料理をランチで食べたり、それぞれ夕飯用に持ち帰ったりしていました。子育て中の人はもちろん、就労ビザがないため働きたくても働けずに専業主婦している人、ご主人は多忙で夜も遅いなど、同じ境遇だからこそ分かりあえる仲間を見つけることができました。ご主人が仕事中なのに遊んでばかりじゃないかと思われる方も多いと思いますが、日中、誰とも交流せずに幼い子供の面倒を異国の地で、たった一人で育てることはとても大変なことです。「日本人コミュニティは狭い世界で大変そう」と思われている方、自分のためにも、お子さんのためにも、まずは、現地の日本人コミュニティを探して、積極的に参加してみてください。きっとかけがえのない人たちと巡り合えるはずです。

これから駐在生活を予定させている方々、現地に知人のいらっしゃらない方は出発前に是非、SNSなどで現地の日本人コミュニティを探すこともお勧めします。

現地入りした際は、日本食スーパーや日本食レストランで手に入るフリーペーパーが強い味方です。そちらでもコミュニティやイベントが紹介されていますのでチェックしてみてください。参考までに、以下は私が駐在中に欠かさず見ていたフリーペーパー（ジャピオン）のウェブサイトです。

上海お勧めウェブサイト
食べる、遊ぶ、知る! 中国上海情報満載
上海ジャピオンウェブサイト（https://shvoice.com/）

CHAPTER

# 引越し

最も時間のかかる作業が引越し。何を持っていくか、どうやって現地に送るか、日本に残しておくものはどのように保管するか。焦らず順番に作業を進めよう。

# 01 引越しの計画

海外赴任の準備の中でも、大部分を占める引越し。まずは大まかな流れを把握して、計画を立てておこう（表①も参照）。

## 下見・見積もり

まずは引越し業者に自宅へ下見・見積もりに来てもらう。荷物の送り方・金額・輸送方法など、下見で得る情報・確認事項は多い。その後の準備がスムーズになるよう、詳細に打ち合わせを。海外引越し専門の業者であれば、通関手続きなどノウハウがあり心強い。リモート対応の有無も問い合わせよう。下見日時が決まったら、それまでに持っていく荷物・持っていかない荷物の目処をつけておく。赴任地の住居が家具付きか否か把握しておくと、大きな家具について判断しやすい。なお、年度末などは引越しピークで混み合うので、早めに連絡を。

下見当日は、荷物を確認し、見積もりしてもらう。企業が費用を負担する場合、規定内で全ての荷物を送ることができるか確認を。その際、船便と航空便をそれぞれどれぐらい利用できるか、打ち合わせよう。航空便は船便より高いので、たくさん利用すれば費用は超過し、自己負担になってしまう。また、荷物には貨物保険をかける。下見時に業者に相談を。輸送中の荷物の破損・損傷について補償される。

荷物の引き取り・受け取りスケジュールも決める。輸送の目安日数は、船便でヨーロッパなどの遠方は60日、アジアは30日〜40日程度。

## 引越し準備を始める

下見が終わったら準備に入ろう。荷物の引き取り日までに必要な作業を整理して、どんどん進める。梱包は、ほとんど業者が行うが、衣服や下着などを自分で梱包したい場合は、梱包材とパッキングリスト（通関のための荷物の詳細リスト）をもらっておく。また通関に必要な書類も確認し、期日までに用意する。パスポート、査証のほか、在職証明書など企業からより寄せるものもあり、多い場合は10種類程度必要。

## こつこつ進める仕分け

引越し準備の大半を占めるのが荷物の仕分け。赴任地に持っていく荷物を、船便・航空便・携行手荷物に分ける。家具や日用品は基本的には船便。到着直後に使いたいものは航空便。貴金属・貴重品は引越し荷物として受託してくれないので、携行手荷物として出発当日まで保管しておく。

また、現地で手に入りにくいものなど、後から情報が加わると思わぬ荷物が増えることも。予算を超過しないよう注意しよう。加えて、国の法律などで引越し荷物にできない取り扱い禁止品についても、荷物に含まれていないか確認を。

## 荷物の引き取り当日

期日までに、荷物を仕分けし、業者がわかるよう準備しておく。梱包してもらう荷物は別室に集める、付箋を貼っておくなど工夫しよう。出荷の際は必ず立ち会って、梱包やパッキングリストの記載などを確認し、通関書類も渡しておく。

### 残置荷物の処分

並行して国内に残す荷物（残置荷物）の保管方法を考える。トランクルームを利用するか、親戚・知人に預けるのが一般的。処分の場合は粗大ごみにするか、知人に譲る、あるいはリサイクルショップに売却する。

### 荷物搬送から出発まで

船便を荷出しした後もしばらくは日本での生活が続く。家具、家電などをほとんど送る場合は、実家に引越しして、出発まで滞在するなど、計画しておこう。

### 到着後、荷物の受け取り

到着後、自宅で荷物を受け取る。通関手続きは引越し業者が代行してくれるが、到着後に現地で用意する通関書類がある場合は、忘れずに用意すること。荷物を受け取ったら、荷物が破損していないか確認を。破損などがあれば、貨物保険の手続きを行う。損害申告には期限があるので注意して、取り扱い業者に確認しておこう。

**表①　引越し作業チャート**

| 時期 | 作業 | 内容 |
|---|---|---|
| 3〜2ヶ月前 | 引越し業者を決める | ・見積もり　・下見　・梱包材の受け取り<br>・取扱禁止品の確認　・通関書類の確認 |
| | 荷物の仕分けをする：赴任地へ持って行く | 輸送方法は…<br>・船便　・航空便<br>・郵便　・携行手荷物 |
| | 荷物の仕分けをする：国内に残す | ・トランクルーム<br>・実家に預ける |
| | 荷物の仕分けをする：処分する | ・業者による処分<br>・買取サービス |
| | | ・通関書類の準備　・ペットを連れて行く場合の条件の確認と手続き<br>・荷物の梱包とパッキングリストの作成 |
| 2ヶ月前 | 船便発送 | ・通関書類を渡す<br>・業者による梱包<br>・支払い、受取り方法確認 |
| | 不用品の処分 | ・市区町村による回収の予約<br>・リサイクルショップなどの買取サービス<br>・ピアノなど専門業者による買取<br>・知人に譲る |
| 2週間前 | 航空便発送 | ・荷物の梱包 |
| | | ・国内引越し　・トランクルームへの発送<br>・携行手荷物の梱包 |
| 赴任地へ移動 | | |
| 到着後 | 荷物の受け取り | ・破損の有無の確認、保険手続き |

# 02 荷物の送り方

## 一般的な考え方

引越し荷物の送り方は船便、航空便、携行手荷物の3つ。輸送にかかる時間と料金のバランスをポイントに、どの手段で何を持っていくか考えよう。

基本的には、荷物の大部分を船便で送り、出発前後で必要なものを厳選して航空便にする。貴重品、入国に必要な書類、到着直後に使うものは携行手荷物としよう。予算オーバーを防ぐため、料金の計算方法も把握しておこう（右頁コラム）。

**①船便**

引越し荷物の大半を占める。料金基準は容積なので、大きな荷物も安く送ることができる。一方、輸送に時間がかかるので、到着直後に必要なものは入れない事。壊れ物はこちらに入れると良い。

**②航空便**

航空別送荷物（アナカン）ともいう。1～2週間と、船便より早く届けられるが、輸送費は高め。また、企業からの赴任では会社負担で持っていける量が限られているので現地到着から船便到着までの間、何が必要かを考えて荷物を選ぶ。また輸送手続き上、壊れ物は避けたほうが良い。

**③携行手荷物**

貴重品のほか、入国や入学のために直ぐ必要な書類、到着後の衣類などは直接自分で持っていく。受託手荷物と機内持ち込み手荷物に分けられるが、許容量などが細かく制限され、航空会社や経路によっても異なる。また、マイレージ会員であれば無料受託許容枠が増えるサービスもある。超過荷物の追加料金は高額な場合が多い。最後の最後で送り忘れた荷物が残ると大変な負担になるので注意。

## ペットを連れていく

「日本からの輸出条件」と「相手国の輸入条件」の両方を確認して手続きする。条件にもよるが、手続きに半年から数ヶ月か

表①引越し荷物の配分例

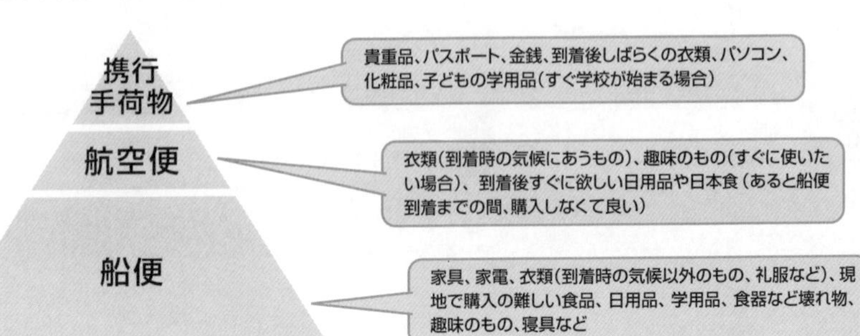
携行手荷物
貴重品、パスポート、金銭、到着後しばらくの衣類、パソコン、化粧品、子どもの学用品（すぐ学校が始まる場合）
航空便
衣類（到着時の気候にあうもの）、趣味のもの（すぐに使いたい場合）、到着後すぐに欲しい日用品や日本食（あると船便到着までの間、購入しなくて良い）
船便
家具、家電、衣類（到着時の気候以外のもの、礼服など）、現地で購入の難しい食品、日用品、学用品、食器など壊れ物、趣味のもの、寝具など

かることも多々あるので、赴任が決まったらすぐに情報を集めよう。

日本から輸出する際は、狂犬病の検査と輸出検疫証明書の交付が主な手続き。手順については出発予定空港の検疫所に問い合わせる。赴任地の輸入条件は在日大使館、またはメールや国際電話等で現地の動物検疫機関などに確認する。また、コロナの影響等、条件が都度、変更されていることもある。必ず最新の情報を確認しよう。一方、日本語で情報を得ることはなかなか難しいので、外国語での情報収集が不安な場合は、引越し業者や、海外ペット輸送の専門業者を利用することも検討を。

将来、日本に帰国するための手続きも同時に確認を。日本に帰国する＝輸入するときは、マイクロチップの装着、狂犬病ワクチン接種と抗体検査などの準備が必要だが、ペットの年齢や出発国によって条件が細かく定められている。検疫所に前もって問い合わせておこう。

主な費用としては、①ワクチンなどの医療費、②カーゴ運賃（航空便）、特別ケージの購入など輸送の費用。さらに③出発当日の体調の変化による出発便の変更や、到着後の検査によって係留が必要となった場合などの緊急の対応費用などが挙げられる。場合によっては、比較的高額になることもあるので、予算を組んで取り組もう。

参考URL:農林水産省「ペットの輸出入」
https://www.maff.go.jp/aqs/animal/
取材協力:Continental Pet Services, Inc.

## 荷物料金の算出基準

海外引越しにおける荷物の輸送費は、輸送方法ごとに基準が異なる。航空便か船便か迷ったら、一度、スピードだけでなく、ボリュームを基礎とした料金の面でも検討しよう。料金設定の仕組みを理解することで、予算を抑えることもできる。

### 船便＝容積

荷物の「容積」で決定される。容積は荷物を詰めたダンボールや梱包された家財の総容積。ただし梱包された荷物は改めて、船便用海上コンテナに載せるための外装梱包を施す。そのため、一般的に料金基準となる容積は、個々の荷物の容積の和ではなく、この外装梱包の容積になることが多い。単位は「㎥」。ただし、船便料金算出のミニマム容積は「1㎥」であることに注意が必要。総容積が「1㎥」未満の場合は全て「1㎥」として計算される。

### 航空便＝実重量か容積重量のいずれか重い方

「実重量」と「容積重量」のいずれか重い方を基準として決定される。実重量は実際の重さを指す。一方、容積重量は、荷物の容積から算出される重さのこと。羽毛布団など、実重量は軽いものの、容積が大きくて輸送スペースを多くとる荷物に対し、適切に料金設定できるように算出される。一般的に6000㎤を1kgとして計算する。

例:ビーズクッションの場合（実重量4.2kg、寸法70cm*70cm*34cm）

容積　70×70×34＝166,600㎤

容積重量　166,600÷6,000＝27.76・・・＝28kg

よって容積重量が実重量を上回るので、28kgを基準に料金が決定される。軽くても容積が大きいために料金が高くなる荷物は、梱包して容積を小さくするか、船便を検討しよう。

# 03 荷物の仕分け

## 何を持って行く?

山ほどある引越し荷物。まずは、持っていくものを決めよう。その後、船便、航空便、手荷物、と輸送方法で仕分けする。一方、持っていかないもの（残置荷物）についても順次、処分するか保管するかを決めていく（Chapter4-5「残置荷物と不用品」参照）。

何を持っていくかは判断に迷うところ。全部持っていけば仕分けの手間はかからないが、輸送費は高くなり、場合によっては関税で思わぬ出費を強いられる。一方、最低限必要なものだけ送り、日用品は現地で購入する場合、到着後に探す手間がかかり、それなりの出費を覚悟しなければならない。

一応の目安としては、現在使っている衣類、食器などの日用品を優先的に送る。それ以外の荷物については優先順位を決め、会社が規定する金額、引越し容量を考慮して、どれを送るか決めよう。

また早い段階で赴任先の住居が家具付きかどうかがわかると、家具や家電の仕分けをするのが楽になる。食料品や日用品は、現地の情報を集めるうちにどんどん持って行きたいものが増えてしまうので、買い物リストを作って早めに準備し、船便に間に合うようにするとコストを抑えることができる。

## 取扱禁止品目に注意

取扱禁止品目とは、日本の法律により国外への持ち出しを禁止されている、あるいは赴任国の法律により持ち込みが禁止されているものだ。表①は各国共通の取扱禁止品目の例。ソーセージなどの加工肉や植物も検疫上の理由で持ち出しはできない。

最新情報は必ず引越し業者に問い合わせを。海外引越しの経験が豊富な業者であれば、各国の詳細な条件を把握している。下見の際に聞いてみよう。渡航後、禁止品が見つかった場合には、罰則の対象とな

**表① 取扱禁止品目の例**

※下記はあくまでも例。最新情報については必ず各自で確認を。

| 区分 | 例 |
|---|---|
| 爆発性又は発火性の物質、放射性物質及び危険物 | 花火、クラッカー、ヘリウムガス、キャンプ用ガスコンロ、弾薬、銃器・火器・刀剣類（モデルガン・模造刀も不可）、ガス、マッチ、ライター、水銀、放射性物質、毒物、劇物等 |
| 麻薬類 | 麻薬および向精神薬 |
| 動植物 | 生きている動物、植物と種子 |
| 食品 | アルコール類、肉類、野菜、種子。乳製品、肉および魚の加工品等 |
| わいせつな物品 | わいせつまたは不道徳な品物 |
| 貴重品 | 現金、有価証券、株券、手形、貴金属、古美術品、価格価値が困難なものなど |
| その他 | 偽造または海賊版の物品、ワシントン条約の規制対象となるものなど |

り、大きな問題にもなりかねない。念入りに確認を。なお、輸出入禁止事項は各国際空港や税関Webサイトでも紹介されている。

また禁止ではないものの、医薬品など容量によって持ち込みが規制されているものや、リチウムイオン電池付きの電子機器は航空便にできない、など輸送方法により制限されるものもあるので、合わせて確認を。

### 表② 持って行く？持っていかない？ 仕分けアドバイス

| 荷物 | アドバイス | 荷物の例 |
|---|---|---|
| 家電製品 | まず現地で使えるかどうか、電圧など仕様を確認すること。その上で持っていくものと置いていくものを分けよう。詳細はChapter4-6「家電製品の持ち込み」参照。 | 変圧器、炊飯器、トースター、ミキサー、掃除機、ドライヤー、ホットカーラー、電気コタツ、扇風機 |
| 台所用品 | 使い慣れたものは持って行くとよい。包丁、おろしがねなどは現地と日本で形が違って使いにくいこともある。乾燥した地域では漆器がひび割れることがあるので、高価なものは避けたほうが良い。 | 包丁、まな板、鍋類、蒸し器、しゃもじ、箸、日用食器、急須、酒器など |
| 食料品 | 最近でこそ世界中で日本食材が手に入るようになりつつあるが、それでも高価な場合が多い。粒状のだしの素や乾物など軽くて、日持ちするものを持っていくと良い。船便の容量が許せば、米、醤油、ごま油なども。現地の食生活を事前に調べ、何が手に入りにくいか、また現地の食材を使ってできる料理もあるので、そのために必要な調味料を持って行こう。 | だしの素、わかめや昆布などの乾物、インスタントラーメン、佃煮など日持ちのするもの、米、醤油、乾麺など |
| 日用品 | ほぼ現地でも手に入る。しかし、習慣の違いから全く手に入らないものも多い。また文房具の質が悪いことがある。 | 文房具、耳かき、洗濯ネット、スリッパなど |
| 医薬品 | 使用中の薬品は必ず持って行く。投薬中の薬は医師の英文処方箋と一緒に持って行く。常備薬は多めに持って行きたいが、あまり大量な場合（とくに粉薬）は税関でのトラブルを避けるため、説明書を持参しよう。 | 風邪薬、胃腸薬、便秘薬、熱冷まし、目薬、軟膏、消毒薬、コンタクトレンズと洗浄液、歯ブラシなど |
| 化粧品 | 普段使い慣れているものを持って行き、順次現地で購入する。敏感肌、アトピーなどの場合は多めに持っていく。 | 敏感肌用クリームなど |
| 書籍 | 重くなるのでたくさんは持っていけないが、長い海外生活では日本語が恋しくなるので、気に入ったものを持っていくとよい。子どもと一緒に読む絵本などは、家庭での日本語会話の幅を広げてくれるのでおすすめ。 | 現地言語の辞典、参考書、ガイドブック、日本を紹介する本、絵本、折り紙や和食料理の本など |
| 学用品 | 教科書のほか、日本人学校の場合は算数セットなど特別なものが必要。海外子女教育振興財団などで教えてくれる。 | 教科書、ランドセル、体育館シューズなど |
| 衣類 | 肌着は日本と同様の品質のものが手に入りにくく、また大人の場合、シャツなどはサイズが合わない場合があるので、いずれも多めに持っていく。パーティーやレセプションのために、礼服、ドレス、着物、浴衣を持っていくと良い。 | 肌着、シャツやスーツなどの仕事着、気候に合わせた普段着、パーティードレス、着物、浴衣など |
| 靴 | 現在履いているものは持っていく。女性用は22.5cm、男性用は24cm以下のものは国によっては手に入りにくいことがある。小さな子どもには外遊び用の短い長靴がおすすめ。 | 履きなれた靴、子どもの外遊び用の運動靴など |
| 趣味のもの | 現地で続けることができると、新しい友人ができるなど、国際交流にもなる。ぜひ持って行こう。 | ゴルフ、スキー用品、柔道着など武道用品、将棋、楽器など |
| 大きな家具 | 国によっては賃貸住宅でも家具付きであることが一般的な場合がある。その場合はもちろん、すべて持っていく必要はない。まず現地の住宅事情を鑑みてから決める。 | テーブル、つくえ、本棚、壁掛け時計、ブティックハンガー、椅子、ソファーなど |

# 04 荷造りをする

## 海外引越しのポイント

まずは海外引越しする場合に注意すべき点をおさえておこう。

**①パッキングリストの作成**

必ず通関手続を経るので、どの箱に何が、いくつぐらい入っているかを示す内容明細「パッキングリスト」を作成する。業者が規定のリストを用意してくれる。自分で梱包する分は自分で記入する。

**②長期間輸送に備えた梱包**

港や空港での積み下ろしや、長期間の輸送に耐えられる梱包にする。航空便の場合、飛行機への積み下ろしの衝撃があるため、壊れ物はできるだけ避けよう。船便の場合、数ヶ月間海の上にいることになるので、衣類などに防虫剤を入れておくと安心だ。

**③船便は容積・航空便は「計算重量」**

船便は容積が料金基準なので、コンパクトな梱包を心がける。また、航空便は実重量と容積重量のいずれか重い方が「計算重量」として基準になる（Chapter4-2「荷物の送り方」参照）。軽い荷物でも容積が大きいと返って高額になるので、梱包で小さくするなど工夫を。

## 荷造りの順序

**①ダンボールの用意**

なるべく同じサイズのものをそろえる。船便の場合、ダンボール箱は業者がまとめて

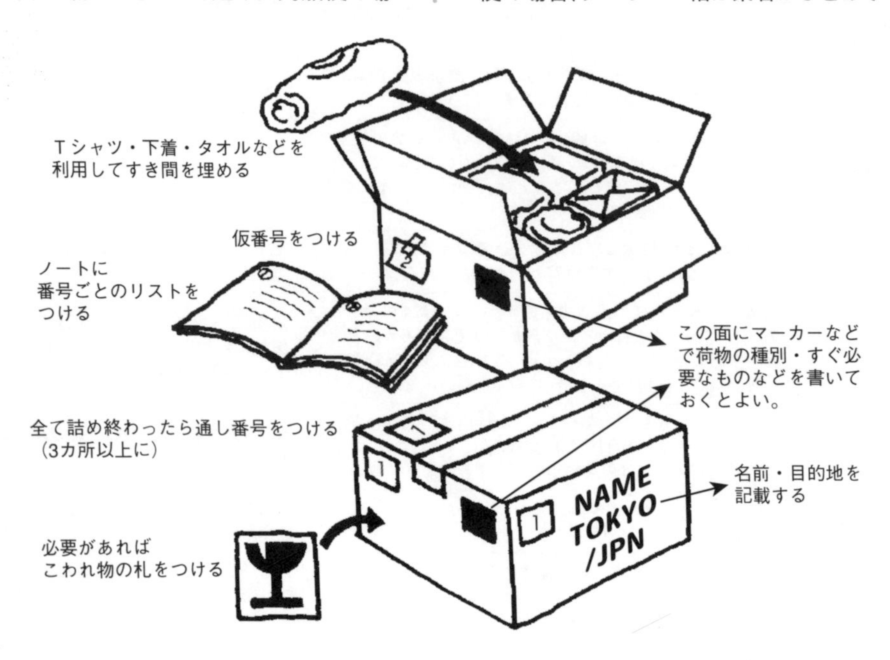
Tシャツ・下着・タオルなどを
利用してすき間を埋める
仮番号をつける
ノートに
番号ごとのリストを
つける
この面にマーカーなど
で荷物の種別・すぐ必
要なものなどを書いて
おくとよい。
全て詰め終わったら通し番号をつける
（3カ所以上に）
名前・目的地を
記載する
NAME
TOKYO
/JPN
必要があれば
こわれ物の札をつける

輸送用外装梱包を組む。このとき、ダンボール箱のサイズが違うと外装梱包内にムダな空間ができてしまう。引越し業者にダンボール箱を届けてもらおう。一緒にエアークッション（丸いプチプチが一面についたビニール）も頼んでおこう。

**②ダンボール箱に通し番号を書く**

ダンボールに1・2・3…と通し番号をつける。パッキングリストを作成するために必要だ。ノートなどにダンボールの番号と、梱包したもの、それぞれの数量をメモしておき、リストの作成準備をする。

**③荷物を分類する**

衣類、食料品、食器、調理器具、台所用品、電気製品、書籍、子ども用品、寝具、その他など、大まかに分類する。なるべく同じ種類のものは同じ箱に詰めるとパッキングリストを作成しやすい。

**③こわれ物をパッキングする**

陶器、ガラス器などこわれ物はエアークッションでしっかり包む。購入時の専用ケースがあれば利用する。ただし、引越先の国によっては、ケースが真新しいと新品とみなされ、課税されることがあるので注意する。こわれ物以外でパッキングの必要があるものは、新聞紙などで包んでおこう。

**④ダンボールに詰める**

衣類、寝具以外を詰める時は、底にクッション材を敷き、すき間を作らないようにする。クッション材、パッキング材以外に下着やタオル、衣服などを利用するとムダを出さずにすむ。クッション材としてはセーターやスウェットシャツ、タオル。すき間を埋めるにはTシャツや下着が役立つ。ビニール袋に入れて使えば、汚れる心配もない。

衣料品を詰める際には、防虫剤を入れておくとよいだろう。ただし、異なる種類の防虫剤を一緒にしておくと化学反応を起こすので注意。なお新品を別送する場合は包装、値札、タッグなどは取り外しておき、新品ばかりまとめて入れないようにする。

## 引越荷物保険へ加入しよう

輸送中の万一の損傷や紛失に備えて、引越荷物には必ず保険をかけておく。引越し業者のほとんどは損害保険会社と代理店契約を結んでいるので、相談するとよい。

引越荷物保険では、引越荷物を輸送業者に渡した時点から、到着後の指定した場所に配達されるまでの間に生じた損害が補償される。一定金額以上の荷物は、保険申請用紙に各品目の金額を記入する。保険金額は、万一事故が発生した場合代替品を購入する場合の価格を目安にする。貨紙幣・有価証券、生動物は対象とはならないので注意。また、宝石類・貴金属類についても引越荷物としての受託が禁止されていて保険対象にならないので別途携行することが望ましい。

引越荷物が配送された後、損傷等の異状が見つかった場合は、すぐに引越し業者に連絡し事実を確認してもらい、保険会社への連絡など、必要な手続をとってもらう。保険による補償を確保する為には、引越し輸送業者への通知期間が決まっているので事前に確認しておこう。損傷があった場合は、念の為自分でも写真を撮っておくようにする。なお、携行手荷物は、海外旅行保険によって補償される。対象はあくまで荷物に限定され、現金や有価証券等は対象とならない。

支払われる保険金は、家具や電気製品など修理可能なものは修理実費を、修理不可能あるいは紛失の場合は、当該荷物の保険金額を基準に保険金が支払われる。

# 05 残置荷物と不用品

現地に送らない荷物は、残置荷物（国内においていく荷物）と不用品として処分するものに分ける。

残置荷物は親戚や知人に預ける、あるいはトランクルーム等を利用して保管する。ただし、あまりたくさんの荷物を置いていくことになると、預ける方への負担になる、あるいはトランクルームの使用料が高くなってしまう。安易に残置荷物としないよう、保管するメリット・デメリットを考えて、荷物を厳選しよう。

不用品は、親戚や知人に譲るか、民間の買取りサービスなどを利用しよう。また、引き取り手が見つからない場合に備え、適切に処分できるよう粗大ごみの破棄、分別方法等について事前に調べておく。

なお、引越し業者では不用品の処分は受け付けない場合が多い。出発間際になって、処分しきれない不用品が発生してしまわないように注意しよう。

## トランクルーム

残置荷物の保管はトランクルームが便利。長期間、荷物を保管することになるので、温度・湿度の管理や、耐火耐震などの設備が整っていると安心だ。また、海外引越しの業者であれば、トランクルームの手配も行っている場合が多く、引越しの荷出しと同時にトランクルームへの輸送も手配してくれるので楽だろう。

荷物を預ける前には、荷物のケアを忘れずに。衣類はクリーニングして防虫剤を入れておく、布団は十分乾燥させておく、家電などは電池を外し、汚れを取っておく、など長期保管に備えた準備は自分で行う。

なお、家電製品などは長期間未使用で保管すると性能が落ちる場合がある。こういった品質の変化はトランクルームの保証外の場合が多い。また、ガス・石油類などの危険物や、貴金属・有価証券などは一般には預けられない。

加えて、本帰国前の荷物の出し入れについても確認を。国内の家族が代理で出し入れできるか、一時帰国の際に荷物の入れ替えができるか、などが考えられる。

## 家電はリサイクルへ

赴任地に持っていかない家電は、保管するか処分する。処分する場合には、できるだけリサイクルする。

エアコン、テレビ、冷蔵庫・冷凍庫、洗濯機・洗濯乾燥機の4品目は、販売元が有料で引き取ってリサイクルしている。オーディオ機器、ミシン、電子レンジといった小型家電も、小型家電リサイクル法に則って、市区町村が回収している。右頁も参照の上、できるだけリサイクルへ。

## 買取サービスを利用する

本やDVD、衣類などはリサイクルショップで引き取ってもらうこともできる。出発準備で時間がない場合は出張サービスなどを利用して、自宅まで引き取りにきてもらうと良い。

# 不用品の処分方法

## リサイクルする

**家電4品目（エアコン、テレビ、冷蔵庫・冷凍庫、洗濯機・洗濯乾燥機の4品目）**

販売者が回収の上、メーカーでリサイクルしている。購入した家電量販店に回収してもらおう。回収は有料。購入した店舗がすでに遠方である場合、市区町村に相談を。

**パソコン**

メーカーの自主回収が義務付けられている。2003年10月以降に販売されたパソコンには「PCリサイクルマーク（右図）」が添付され、これらのパソコンは無償で回収してもらえる。マークがない場合は有償回収。回収方法はメーカーWebサイトを確認する。なお、メーカーが不明の場合、「一般社団法人パソコン3R推進協会」が対応しているので問い合わせてみよう。

パソコンを破棄する際は、データの消去を忘れずに。ゴミ箱に捨てただけでは、見かけ上はデータが消えているものの、ハードディスク内には、まだデータが残っている状態だ。破棄したパソコンに残っていたデータが悪用されるをの防ぐためにも正しい方法でデータを消去しておく。消去専用のソフトを用いる、磁気による消去サービスを利用する、物理的に機器を破壊する、などの方法がある。以下のWebサイトも参考にしよう。

一般社団法人パソコン3R推進協会　https://www.pc3r.jp

**その他の家電・小型家電**

小型家電リサイクル法により、市区町村で小型家電のリサイクルを行っている。電子レンジ、オーディオ機器、ゲーム機、ドライヤーなど、多くの品目が対象。粗大ごみや不燃ゴミにすることもできるが、できるだけリサイクルしよう。回収方法は、ステーション回収、イベント回収、宅配便回収などがあるので、市区町村の指示に従う。

## 専門業者に買い取ってもらう

**書籍、DVD、日用品全般**

リサイクルショップで引き取ってくれる。書籍や CD・DVD等の小物からタンス・ベッドなどの大型家具、テレビ・冷蔵庫などの大型家電、自転車など、幅広く対応してくれる。量が多い場合の出張買取サービスや、引取先が販売した場合にキャッシュバックがあるサービスなど、それぞれの特徴も確認しながら選ぼう。

エコランド　https://www.eco-land.jp/
セカンドストリート　www.2ndstreet.jp
ハードオフ　www.hardoff.co.jp
トレジャーファクトリー　www.treasure-f.com
リサイクルマート　www.recyclemart.jp　　他

**ピアノ**

メーカー、品番、製造番号、ペダルの数などを業者に伝え価格の査定を受ける。買取額だけでなく、運搬費や修理代といった諸経費も業者を比較する際に大事なポイントだ。最近は一括査定サイトも多く、先に一括査定を利用し、業者をいくつかに絞ってから話を進めるのもよい。

タケモトピアノ　TEL:0120-370-009　www.takemotopiano.com
ヤマハピアノサービス　TEL:0120-192-808　www.yamahapianoservice.co.jp

# 06 家電製品の持ち込み

## 電圧を確認する

まず持って行きたい家電製品の対応電圧を確認しよう（図①）。日本の電圧は100Vで、主な諸外国より基本的に低く、多くの日本向け電化製品は100V対応で作られており、海外でそのまま使うと、高電圧で壊れてしまう恐れがある。持ち込みたい家電製品が100Vのみ対応の場合は、電圧を下げる変圧器（ダウントランス）が必要となる。

一方、変圧器がなくても海外で使用できる家電がある。マルチボルテージといい、100Vから最大240Vまで対応しているため、世界中で使うことができる。パソコンやスマートフォンの充電器に多い。この場合、変圧器は必要ない（図①右）。

なお、乾電池のサイズは世界共通なので現地でも購入は可能だ。呼び名が国によって異なるので注意しよう。

## プラグの確認

変換プラグは赴任地の条件を確認して用意する。旅行や出張で他国に行くこともあるのでマルチタイプがおすすめだ。同じ国でも古い建物や観光客向けの建物などでは一部違うプラグの場合もある。

また、1つのマルチタイプの変換プラグからタコ足配線をすることは避けよう。マルチタイプの変換プラグは許容電流値が比較的小さいからだ。電源タップを使用する場合は、許容電流値10アンペア（A）以上の変換プラグを使用し、海外向け高電圧対応の電源タップを選ぼう。

## テレビ・DVDは規格に注意

テレビやDVD、DVDプレーヤーは各国で規格が異なるので、赴任国の規格を確認しておこう。日本の規格はテレビの場合、地上デジタル放送はISDB-T方式。DVDはリージョン2で映像はNTSC。例えば、日本で購入したDVDを赴任地でも見たい場合、現地で購入したDVDプレーヤーでは、規格の違いから再生できない場合がある。

## 新品の家電に注意

新品の家電については、国によっても異なるが課税対象になる可能性や、免税で通関できない可能性もある。事前に引越しを依頼する業者に確認をしておこう。

### 図①対応電圧と定格消費電力の表示

家電製品の裏側などに表示がある。左は100Vのみ対応なので、海外で使用するには電圧を下げる変圧器が必要。右は表示範囲内の電圧に対応したマルチボルテージなので変圧器は不要。

資料提供：株式会社カシムラ

赴任地によっては、日本と同等なものが手に入る場合もあるので、海外で入手し難い家電製品を除いて、現地購入を検討することも必要である。

## 変圧器を買う

### 変圧器の種類

1.ダウントランス　電圧を下げる変圧器。日本の家電を海外で使用するときに使う
2.アップトランス　電圧を上げる変圧器。海外の家電を日本で使用するときに使う
3.アップダウントランス　電圧を上げるまたは下げることが両方出来る変圧器。

### 変圧器の選び方と注意

変圧器の容量は小型のもので20VA、大型だと3000VAなどの商品がある。基本的には、使用予定の電化製品の定格消費電力を目安にして選ぶ（表①）。同時に以下の点に注意しよう。

①電熱機器、照明器具、モーター内蔵の電化製品は、スイッチを入れたときに定格消費電力の2～3倍の電流が流れる場合があるので、変圧器も定格消費電力の2～3倍の容量を選ぶ（表②）。
②モーターや蛍光灯、マイクロコンピュータを使用しているもの、音響機器は、波形がゆがんでおり変圧器にかかる負担が大きいので、こちらも定格消費電力の2～3倍のものを選ぶ（表②）。
③30分以上継続して使用する場合、定格容量が定格消費電力より20%以上大きい変圧器を選ぶ。
④データ等を保存している製品を使用する場合は必ずバックアップしてから使用する。
⑤医療機器には使用しない。
⑥大型の3000VA変圧器で重さは11.5kg程度。小型の300VAでも1.3～1.4kg程度とかなり重いので船便に間に合うように購入を。
⑦変圧器はリチウム電池を使用していないことが多いようだが、航空便で送る際は、リチウム電池内蔵の有無を申告する必要があるので確認しておこう。

**表①主な電化製品の定格消費電力の目安**

| 製品 | 消費電力 | 製品 | 消費電力 | 製品 | 消費電力 |
|---|---|---|---|---|---|
| スマホ充電器 | 10W | ACアダプター（各種） | 30～150W | ジューサーミキサー | 150～600W |
| シェーバー | 10～30W | ノートパソコン | 50～150W | ヘアードライヤー | 1200W |
| デジタルカメラ | 20～50W | デスクトップパソコン | 200W | 炊飯器 | 1300W |
| ビデオカメラ（カメラのみ） | 20～50W | デジタルオーディオプレーヤー | 20～100W | 電子レンジ | 1400W |

**表②一時的に消費電力が高くなる可能性がある製品**

| 種類 | 製品 |
|---|---|
| モーター内蔵器具 | ドライヤー、冷蔵庫、空気清浄機、掃除機、扇風機、ミシン、フードプロセッサー、ジューサー、ミキサー、加湿器など |
| 電熱器具 | 炊飯器、電子レンジ、アイロン、ホットプレート、電気ポット、コーヒーメーカー、オーブントースター、 IH調理器、ホームベーカリー、ヘアーアイロン、電気毛布、など |

情報提供:株式会社カシムラ

## 表②各国の電圧・プラグ一覧

| 国名 | | 周波数／電圧 | | プラグタイプ | | | | | | | |
|---|---|---|---|---|---|---|---|---|---|---|---|
| アジア | インド | 50 | 115V,230V,240V | | | B | C | BF | B3 | | SE |
| | インドネシア共和国 | 50 | 127V,220V,230V | | A | B | C | BF | B3 | | SE |
| | シンガポール共和国 | 50 | 115V,230V | | | B | C | BF | B3 | | |
| | タイ王国 | 50 | 220V | | A | B | C | BF | B3 | | |
| | 大韓民国（韓国） | 60 | 110V,220V | | A | | C | | | | SE |
| | 中華人民共和国 | 50 | 110V,220V | O2 | A | B | C | BF | B3 | O | SE |
| | 中華民国（台湾） | 60 | 110V,220V | | A | | C | | | O | |
| | パキスタン・イスラム共和国 | 50 | 230V | | A | B | C | | B3 | | |
| | フィリピン共和国 | 60 | 120V,230V,240V | | A | B | C | | B3 | O | |
| | ベトナム社会主義共和国 | 50 | 110V,220V | | A | | C | BF | | | SE |
| | 香港 | 50 | 200V,220V | | | B | C | BF | B3 | | |
| | マレーシア | 50 | 240V | | | B | C | BF | B3 | | SE |
| | ミャンマー連邦共和国 | 50 | 230V | | | B | C | BF | B3 | | SE |
| | ラオス人民民主主義共和国 | 50 | 220V | | A | | C | | | | SE |
| オセアニア | オーストラリア連邦 | 50 | 240V,250V | O2 | | | | | | O | |
| | ニュージーランド | 50 | 230V,240V | O2 | | | | | | O | |
| 北アメリカ | アメリカ | 60 | 120V | | A | | | | | | |
| | カナダ | 60 | 120V,240V | | A | | | BF | | | |
| 中近東 | アラブ首長国連邦 | 50 | 220V,240V | | | B | C | BF | B3 | | |
| | イラン・イスラム共和国 | 50 | 230V | | | | C | BF | | | SE |
| | サウジアラビア王国 | 50 | 127V,220V | | A | B | C | BF | B3 | | SE |
| | トルコ共和国 | 50 | 220V | | | B | C | | B3 | | SE |
| 中南米 | コロンビア共和国 | 50 | 120V | | A | | | | | | |
| | チリ共和国 | 50 | 220V | | | | C | BF | B3 | | SE |
| | ブラジル連邦共和国 | 60 | 110V,127V,220V | CB | A | | C | | | | SE |
| | メキシコ合衆国 | 60 | 120V,127V,230V | | A | | C | | | | SE |
| ヨーロッパ | イギリス | 50 | 230V,240V | | | B | C | BF | B3 | | |
| | イタリア共和国 | 50 | 125V,220V | | A | | C | | | | SE |
| | オランダ王国 | 50 | 230V | | | B | C | | | | SE |
| | スイス連邦 | 50 | 230V | | A | B | C | | | | SE |
| | スペイン | 50 | 127V,220V | | A | | C | | | | SE |
| | ドイツ連邦共和国 | 50 | 127V,230V | | A | | C | | | | SE |
| | フランス共和国 | 50 | 127V,230V | | A | | C | | | O | SE |
| | ベルギー王国 | 50 | 110V,220V | | A | B | C | | | | SE |
| | ロシア連邦 | 50 | 127V,220V | | A | B | C | | | | SE |
| アフリカ | エジプト・アラブ共和国 | 50 | 220V | | | | C | BF | B3 | | SE |
| | ケニア共和国 | 50 | 240V | | | B | C | BF | B3 | | |
| | 南アフリカ共和国 | 50 | 220V,230V,250V | | | B | C | BF | B3 | | |

## 表③各種プラグの形状

Aタイプ　Bタイプ　Cタイプ　BFタイプ　B3タイプ　Oタイプ　SEタイプ　O2タイプ

情報提供:株式会社カシムラ

お引越しに伴うご不用品回収・買取サービス

# エコランドのエコ回収

**株式会社エコランド**

## あなたの「いらない」が誰かの「ほしい」に。

エコランドではお客様からエコ回収（有料引取）させて頂いた商品に対し一番最適な方法を選んでリユース販売。その循環でモノを大切にする社会の実現します。リユースが成功した場合、販売額の10％をお客様にキャッシュバック、もしくは環境／社会貢献団体へ寄付頂くかご選びいただけます。

## ご利用方法

### ご料金の計算方法

お品物1点1点にご料金が発生いたします。収納家具やテーブル等お品物毎にサイズが違うモノに関しては幅・奥行・高さの和で料金ランクが決まります。ベッドや家電製品等一般的なサイズや容量で予め料金が決まっているものお品物もございます。

また、製造8年以内の家電製品、使用状態良いブランド家具はお買取りの対象になる可能性がございます。

### 対象エリア

関東は東京23区及び多摩地域、千葉・埼玉・神奈川の一部地域。関西は大阪、京都、兵庫、滋賀、奈良にて対応してます。詳しくはお問い合わせ時にご確認ください。

## ご利用者様特典

エコ回収基本料金3,300円（税込）割引！
お問合せ時に必ず「海外赴任ガイドを見て」とご申告ください。

**エコランドのエコ回収**
**TEL:0120-530-539**
MAIL:530-539@eco-land.jp
（受付時間：9:00~18:00）
お問合せ時に「海外赴任ガイドを見て」とご申告ください。
https://www.eco-kaishu.jp/
運営会社：株式会社エコランド〒167-0042東京都杉並区上荻2-35-13

# 帰国時の引越しで注意すべきこと

帰国時にスムーズな引越しをするためには、いつどの場面で使う荷物なのかをイメージしながら的確に荷物の仕分けをすることが重要です。また、免税範囲の適用、輸入規制など気をつける点も確認しておきましょう。

## 日本への持ち込みが規制されているもの、禁止されているもの

植物や動物は、検疫上の理由から日本への持ち込みに際し、細かな規定があります。持ち帰る場合に事前の手続きが必要なケースもありますので、よく確認して持ち帰るかどうか判断しましょう。また、持ち込み自体が禁止されているものもありますので要注意です。

## 日本への持込みが禁止・規制されているもの

海外引越しだからこそ注意したいのが、輸入禁止品と輸入規制品です。日本の法律等によって厳しく審査され、引越し荷物といえど、該当の品物が入っていた場合には罰せられます。食品など身近な品物も含まれるので、楽観的にならずに、綿密に確認しておきましょう。

**●輸入規制品の例**

1.ワシントン条約により規制されているもの

毛皮、ベルト等の加工品、生きている動物の一部が規制の対象。持ち込む際は輸出許可書や輸入許可書が必要。

2.銃砲刀剣類所持等取締法により規制されているもの

猟銃、空気銃などは都道府県公安委員会の所得許可がなければ通関できません。

3.動物・植物

動物・畜産物および植物を輸入する場合は、通関の前に動植物検疫所の検査が必要。お土産にしたい加工肉なども対象となるので、詳細に確認を。なお、ペットを連れて帰国する場合も同様に手続きが必要です。(CHAPTER4 02荷物の送り方参照)

4.医薬品など

個人使用を目的とする場合に限り、定められた数量内で持ち込みができます。コンタクトレンズや、サプリメントなどが対象です。

★医薬品及び医薬部外品

1)外用剤(毒薬、劇薬及び処方せん薬を除く)

・標準サイズで一品目につき24個以内

2)毒薬、劇薬及び処方せん薬

・用法用量からみて1か月分以内

3)上記以外の医薬品

・用法用量からみて2か月分以内

★化粧品

標準サイズで一品目につき24個以内

★医療機器

1)家庭用医療機器等(例:家庭用マッサージ器、家庭用低周波治療器)に限り最小単位(1セット)。なお、医家向け医療機器は、一般の個人による輸入は認められません。

2)使い捨てコンタクトレンズ:2か月分以内

人体を洗浄するための石けんや、シャンプー、歯磨き類、染毛剤、浴用剤等も医薬部外品や化粧品に該当します。また動物用医薬品等も医薬品医療機器等法の規制の対象になります。

## 輸入免税について

帰国の最後の最後で、購入したい記念品やお土産もあるでしょう。とはいえ、引越し荷物も免税範囲を超える新品は課税対象となります。日本到着時に関税を支払わないと輸入できません。思いもよらない出費にならないよう、免税範囲は確認しておきましょう。

また、引越し荷物に免税範囲を適用させるには、帰国時に「別送品」の申告手続きが必要です。「別送品」とは入国時には携帯していない荷物で、帰国後6か月以内に輸入されるもの。

帰国時に「携帯品・別送品申告書」を税関に提出し、引越し荷物を「別送品」として申告すると、入国時に持ち込んだ荷物の免税枠の残りを、後日到着する引越し荷物に適用できます。この手続きを忘れると、引越し荷物は一般の輸入荷物として手続きが必要となるので要注意です。

WEB「海外赴任ガイド」 https://funinguide.jp/c/

CHAPTER

# 5 住宅

日本の住宅をどうするか。赴任地の住居はどのように探すか。留守宅管理、リロケーションサービス、海外不動産など各種業者を利用して情報を集め、方針を立てよう。

# 01 日本の留守宅管理

## 留守宅をどうするか

持ち家の場合、基本的な選択肢は①処分する、②空き家にして管理する、③赴任期間中に限定して賃貸する、の3つ。いずれの方法においても、メリットとデメリットがある（表①）。一部の企業では海外赴任者に対しての借り上げ制度もあるので、勤務先にも確認を。

一方、日本の住まいが賃貸契約の場合は、国内で引越しをする場合と同様。一般的には1～2カ月前に解約を通知し、退去日は確定後に通知する。貸主により対応も異なるため、海外赴任が決まったらできるだけ早く知らせておこう。

## 専門業者を利用する

持ち家の場合、いずれの選択にしても個人で対処するのは手間や時間がかかる上、賃貸などではトラブルも発生しやすい。専門の仲介業者を利用すると、時間も節約できて安心だ。転勤に伴う留守宅の管理、賃貸借の仲介を専門とするリロケーションサービス（留守宅管理）業者を探してみよう。賃貸借の仲介斡旋のほか、空き家の場合の管理・維持も行ってくれる。また空き家にする場合や、家族が自宅に残る場合には、セキュリティ業者のサービスも便利。空き巣や放火などの防犯対策や、家族の見守りサービスなどが海外赴任者向けのプランで提供されているものもある。

## 空き家のメンテナンス

留守宅を空き家のままにしておくと家は傷む。締め切った状態では湿気が抜けず、木材の痛みやカビの発生へとつながり、給・配水管は長期間使用しないと錆びたり、地域によっては破裂の恐れもある。

**表① 3つの選択肢とメリット・デメリット**

| | メリット | デメリット |
|---|---|---|
| ①処分する | •売却で多額の収入を得る。<br>•赴任生活中、自宅を管理する必要がない。（心配も手間も不要）<br>•固定資産税の支払いがない。<br>•帰国後に“新たな住まい”でスタートできる。 | •売却に際し時間、労力、手間がかかる。<br>•相場変動による売却損の可能性<br>•帰国後の住まい探しの必要性 |
| ②空き家にして管理する | •一時帰国時、帰国時の住宅が確保できる。<br>•売却、賃貸時に発生するトラブルがない。（売却先や賃貸先探し、相手先とのトラブルなど） | •家が傷みやすい。（通風、通水、清掃の必要性）<br>•敷地内へのゴミの放置や空き巣、放火などの犯罪被害<br>•庭木の手入れなど |
| ③賃貸契約する | •家賃収入を得る。<br>•居住者がいるため家が傷みにくい。（通風、通水ができる） | •事前の修繕コストが必要となる。<br>•賃貸期間中のトラブル対応（各種クレーム対応や賃料の遅延など） |

空き家にする場合は、月に一度程度、通風（1〜2時間）、通水、室内外の清掃、水回り確認、雨漏り確認、郵便物の確認、電化製品や自動車の試運転などのメンテナンスが必要だ。親族に管理を依頼する場合、思っている以上に多くのケアが必要なので、詳細に打ち合わせをしておこう。かなりの負担になってしまう恐れがある場合には、リロケーションサービスなどの業者に管理を依頼するとよい。

## リロケーションサービスを利用する

### リロケーション業者の主なサービス例

①留守宅の借受け:借主を法人に限定することもできる　②賃貸借の仲介斡旋
③賃貸中の管理業務代行（賃貸料の徴収、借主からのクレーム等の応対、処理等）
借主の事情によって家賃の支払い遅延等があっても、家賃保証制度により決められた額をスムーズに受領できる。
④留守宅（空家）の維持・管理　⑤引越サービス
⑥家財保管　⑦増改築・修理等:庭の手入、家の補修・営繕などの管理サービス

### 注意するポイント

**家賃収入と確定申告**

非居住者でも日本国内で得られる所得（国内源泉所得）には所得税が課され、家賃収入もこれに含まれる。リロケーション会社を利用する場合、家賃収入の20.42%をリロケーション会社が源泉徴収するので、自分自身でやるべき手続きは、きちんと確定申告をすることだ。部分的に還付される場合もあるので、よく調べて計画しておこう。なお、非居住者が確定申告をするには納税管理人の選定が必要（Chapter1-5「海外赴任中の納税」参照）。
参考:国税庁タックスアンサー https://www.nta.go.jp/taxes/shiraberu/taxanswer/index2.htm
No.2880　非居住者等に不動産の賃借料を支払ったとき
No.2884　非居住者に対する源泉徴収・源泉徴収の税率

**賃貸の明け渡し・解約のタイミング**

いざ帰任が決まったものの、自宅は賃貸中のためすぐには入居できない、というパターンは多い。明け渡しのタイミングや手続きをはじめ、賃貸契約条件については事前によく確認しよう。契約期間中の途中解約については、借地借家法上、基本的には難しいケースが多いので要注意。これらの点も踏まえ、信用と実績のある業者を選定するのがポイントだ。

**維持管理と修理費の負担**

退去時の原状回復についてはトラブルが多いので、賃貸契約の前によく調べておく。基本はリロケーションサービスを依頼する業者と条件を事前に確認しておくことが、将来、トラブルを避ける意味でも必要だ。更に詳しい情報が必要な場合には、国土交通省が発表している「原状回復をめぐるトラブルとガイドライン」に基本的な考え方、Q&Aなどがまとめられているので参考にしよう。なお、このガイドラインにおいて原状回復は「賃借人の居住、使用により発生した建物価値の減少のうち、賃借人の故意・過失、善管注意義務違反、その他通常の使用を超えるような使用による損耗・毀損を復旧すること」と定義し、その費用負担は賃借人とされている。一方、経年劣化や通常の使用による損耗などの修繕費用は賃料に含まれる、とされている。
参考:国土交通省「原状回復をめぐるトラブルとガイドライン」について。
https://www.mlit.go.jp/jutakukentiku/house/jutakukentiku_house_tk3_000021.html

# 02 海外の住宅探し

## 家探しの流れ

まずは家探しをどのような流れで進めるか、家族で話し合う。住居が決まるまでの一般的なパターンを知っておこう。

**赴任者が先に渡航している場合**

①赴任者が先に住居を決定し、帯同家族は赴任地到着と同時に住居へ。

②赴任者がある程度、物件を絞り込み、帯同家族到着後、一緒に下見をして契約。

**赴任者と帯同家族が同時に渡航する場合**

①出発前に情報収集。現地の日系不動産などに相談し物件資料を取り寄せる。現地到着後に下見をして契約。

②到着後、しばらくの期間サービスアパートメントなどに滞在。土地勘を養いながら物件探しを進める。

## 情報を収集する

まず先任者など実際に現地に住んでいる人に安全情報や家賃相場を教えてもらおう。もちろん個人からの情報はその人が見聞きしたことに限られるので、それぞれを比較したうえ、参考にしよう。

また、海外の主要都市には日本語の通じる日系不動産会社があるので、赴任地について調べる。日系不動産会社であれば多くの日本人顧客とのやり取りがあり、日本人が暮らしやすい物件を紹介してくれる。難解な契約書や、契約手続きも安心して任せることが出来る。

なお、赴任先によっては極度の物件不足があるので、早めに確認する。その場合、渡航前からビデオ内見などで、住まいの目処をつけておくことも検討しよう。

## 賃貸契約する

希望の物件が決まったら契約する。不動産会社に連絡し、契約の日時・必要書類を確認しよう。一般的に契約書、パスポートなどの身分証明書に加え、前家賃、賃貸仲介手数料、メンテナンス費用、コモンチャージ（アパートメント内施設利用登録料）などの支払いが必要な場合が多い。

なお、日本人は契約書をよく読まずにサインしてしまう傾向があるが、契約書には契約期間中の解約条件（違約金など）、補修責任、ペットや楽器に関する禁止・制限事項などが細かく記載されているので、必ず確認を。また入居前には、家主や不動産会社立ち会いのもと、建物や家具を点検して、キズの有無を記録する。入居中の破損の対処や、退去時の原状復帰に関わる事項なので、疑問に思ったことは、必ずその場で確認し、大切なことは文書にしておこう。契約の当事者は、あくまでも入居者（または法人）と家主。いざ問題が発生した場合、不動産会社に相談はできるが、最終的な結論は、家主と自分自身とで決定することを念頭に、契約に臨むようにしよう。

## 物件探しのポイント

妥協できる点とできない点、自分の条件に優先順位をつけて不動産会社に明確に伝えよう。迷っている間に、どんどん空き物件は契約されてしまう。あまり日本と同じ環境を求めてしまうと、なかなか決められない恐れもある。現地の一般的な住宅の造りを把握して、選択肢の中からうまく選ぶようにしよう。

**①安全と治安**

第一優先事項として認識しよう。安全が確保されるかどうかは必ず検証を。事前に地図などを入手して、警察や病院の位置、それぞれのエリアの特色を把握しておこう。不動産や先任者など現地に詳しい人のアドバイスも聞くようにしよう。

居住エリアを選ぶ際には、住居周辺の治安状況の他、通勤や通学の経路の安全に関しても確認を。また建物に関しては一軒家であれば施錠の仕組み、外壁の確認に加え、場合によっては門番の雇用も含めて検討する。集合住宅の場合には、入り口のセキュリティーなどに注意しよう。家賃が高くなるかもしれないが、安全を買うという認識で選ぶようにしよう。

**②物件タイプ**

アメリカや欧州では戸建とマンションなどの集合住宅と両方の選択肢がある場合が多い。アジアではコンドミニアム、サービスアパートメントと呼ばれる集合住宅を選ぶ場合が多く、建物内にプールやキッズルーム、医務室がある物件もある。その他スタジオ、テラスハウス、など各国の呼称があるので不動産会社に確認する。車を所有する場合も早めに相談しておこう。

**③エリア**

日本人がどれくらい住んでいるか、通勤・通学・買い物のアクセス、外国人として暮らすうえでの治安、子どもがいる場合にはスクールバスのルートや学区も考慮する。また東南アジアでは雨季に洪水となるエリアがあるので注意。各地でこういった特色があるので不動産会社や先任者に聞いてみよう。安易な気持ちで選んでしまうと後で引越しするはめになりかねないので要注意。

**④家賃**

事前に物件の質と相場を調査して、上限家賃を決めておこう。世界中から人口が集中する地域では家賃が高騰している。また日本と同じ水準の物件は基本的に高めになる傾向がある。あまり予算が低いと、納得できる物件が見つからないという事態もあるので、物件の質と相場のセットで情報を把握しておこう。

**⑤築年数**

特に欧米では築年数が古い物件が多い。しかし、古いからと言って新しい物件より家賃が安いとは限らない。特に水回りや給湯の設備はよく確認しよう。また、英米では地震がほとんど起きない為、耐震性を重視した作りになっていないことが多い。

**⑥家具の有無**

国によっては基本的に家具や生活必需品が備え付けになっているところも多い。備え付け家具の有無によって日本からもってくる引越荷物の量は大きく変わるので、早めに赴任地の事情を調べておこう。また海外物件は総じて日本より広く、天井も高い場合が多い。日本で使用している家具や家電のサイズが合わない場合には現地で購入かレンタルも検討する。

**⑦滞在期間・人数**

年間契約を基本とする場合が多く、あまりに短期間の滞在だと物件の数が絞られてくる。家族、子どもの人数など滞在人数によって条件がつく場合もあるので、明確に不動産会社に伝えておこう。

**⑧学校選び**

海外の主要都市には日本人学校があるが、多くの場合は現地校に通わせることになる。現地校は公立とはいえ学区によってそれぞれ特色が違う。教育レベル、ESL（英語をフォローしてくれるクラス）の有無、日本人生徒の数、日本人会の有無など、事前に情報収集をして理想の学校を選ぶといい。教育レベルが高い学区ほどお家の家賃も高くなるので、不動産屋に相談してアドバイスをもらうといい。

# 03 海外の不動産事情

ここでは、アジア、北米、ヨーロッパの主な赴任地の不動産情報の例を紹介する。

近年、渡航前からの物件探しが増えている。主な住宅のタイプ、相場、契約方法の特徴などの基本情報は、事前にある程度、把握しておくのがおすすめ。また、家具の有無などは、引越し荷物の選定にも役立つし、日本人に人気のエリア名がわかると、学校情報、治安情報などを探す手助けになる。

具体的な物件探しの際には海外の日系不動産企業が便利。相談等はメールで問い合わせでき、Webサイトでは、住宅のほか、地域の生活情報などが得られることも。

※情報提供:株式会社エイブル

※2024年8月の情報を掲載。

## ■東アジア

| | 住宅タイプ・相場・契約時やその他の特徴 | 日本人に人気のエリア | 家具の有無 |
|---|---|---|---|
| 香港 | 【物件タイプ】<br>サービスアパートメント、コンドミニアム<br>戸建てもあるが別荘となる為、通常賃貸には向かない<br>【家賃】(香港ドル)<br>香港島(中西区):1LDK 23,000～29,000、2LDK 27,000～32,000<br>香港島(湾仔):1LDK 22,000～25,000、2LDK 26,000～32,000<br>香港島(東区):1LDK 18,000～23,000、2LDK 23,000～32,000<br>九龍(九龍城区):1LDK 20,000～25,000、2LDK 24,000～29,000<br>【特徴】<br>香港の物件のほとんどは鉄筋造りの大型住宅、日本でいう高層マンションとなっている。エレベーターを中心に放射状にお部屋が配置された造りで、入口ロビーには管理人が24時間体制で常駐しており、プールやジムなどファシリティー付のマンションが多い。 | 【単身/カップル】<br>銅鑼湾(コーズウェイベイ)<br>紅磡(ホンハム)<br>【ご家族連れ】<br>太古(タイクー)西湾河(サイワンホー)北角(ノースポイント)九龍(カオルーン)<br>紅磡(ホンハム)<br>上記エリアには日本人学校への通学バスが停車する為、家族連れにも人気エリアとなっている。 | サービスアパートメントの場合、家具家電付き、ルームクリーニングのサービスも行われる。<br>一般住宅の場合、家具は付いていない為、入居前に家主へ交渉が必要となる。家具交渉には2通りあり、家主が手配する場合と、家主から家具の予算を提供頂き、借主が買い揃える場合がある。 |
| 上海 | 【物件タイプ】コンドミニアム(個人オーナー物件)、サービスアパートメント<br>【家賃】(中国元)<br>長寧区:1LDK 10,000～19,000、2LDK 13,000～25,000<br>静安区:1LDK 9,000～20,000、2LDK 17,000～25,000<br>徐匯区:1LDK 14,000～18,000、2LDK 16,000～22,000<br>浦東新区:1LDK 12,000～18,000、2LDK 16,000～25,000<br>※サービスアパートメントの家賃は上記より割高。<br>【特徴】<br>・サービスアパートメントの数が少なく、多くの日本人駐在員はコンドミニアムに入居。<br>・個人・法人契約ともに可能。契約期間は1年から。※一部サービスアパートメントは月単位での入居可能。<br>・入居時に初回家賃1ヶ月分、保証金家賃2ヶ月分の支払いが必要。<br>・コンドミニアムはオーナーにより内装、家具家電が異なる。 | 単身、夫妻、家族連れ問わず、長寧区、静安区、徐匯区に日本人が多い。<br>浦東新区には日本人学校があるため家族連れが多い。 | 家具家電付き。<br>サービスアパートメントの場合、家具家電に加え、清掃などのサービスあり。 |
| 北京 | 【物件タイプ】<br>サービスアパートメント、(分譲マンション)個人オーナー物件<br>【家賃】(中国元)<br>CBD:1K 9,500～27,000、1LDK 12,000～38,000、2LDK 18,000～65,000<br>王府井・建国門エリア:1LDK 12,000～32,000、2LDK 27,000～50,000<br>燕沙・亮馬橋エリア:1LDK 12,000～34,000、2LDK 14,000～43,000<br>麗都エリア:1LDK 13,000～19,000、2LDK 18,000～45,000<br>北京大学、清華大学エリア:1K 8,000～14,500 | お子様がいるご家族には幼稚園や、日本人学校のスクールバスルートの物件をお勧めしています。<br>【ご家族連れ】<br>麗都エリア<br>燕沙・亮馬橋エリア<br>建国門エリア | 通常、家具家電付きです。部屋のタイプにより、少し異なりますが、多くはソファー、テレビ、テーブル、クローゼット、冷蔵庫、洗濯機、ベッド等基本的なものが揃っています。 |

| | | | |
|---|---|---|---|
| 北京 | 【特徴】<br>駅に近いエリアに日本人が集中しています。周りにコンビニ、日本料理店などが多く、生活に便利。サービスアパートメントには英語、日本語を話せるスタッフがおり、日常生活のサポートが可能。サービスアパートメントの家賃には通常、光熱費、掃除代、家電製品、寝具、食器が含まれます。お客様の荷物だけで、生活ができます。24時間警備システムで、安全快適にお住まいいただけます。<br>個人オーナーの物件は立地条件もよいですが、家具と電化製品の変更は不可能の場合が多いです。エイブル NW 北京店が管理している個人オーナー物件は事前相談可能です。個人オーナー物件は早く見学してもすぐ契約しないと押さえることができない場合がよくあるため、契約開始の一週間ぐらい前に見学されることをお勧めします。<br>契約期間は基本 1 年。契約保証金は通常家賃の 2 ヵ月分。途中解約の場合は保証金が全額返金されない場合がよくあります。解約する前にエイブル NW 北京店にご相談ください。<br>個人オーナー物件では家賃に管理費（共益費）と暖房費が入っていますが、ほかの費用（光熱費、インターネット代、掃除代、駐車場代など）は個人負担となります。エイブル NW 北京店が管理している物件でしたら、事前に相談可。ぜひご利用ください。携帯電話のアプリから光熱費と電話代などの支払いが可能です。<br>家賃の支払いは、サービスアパートメントは月払い、個人オーナー物件の場合は 3ヵ月間または半年単位での支払いが一般的です。<br>入境管理法律により、入国した後、24 時間以内に居住登録が必要です。サービスアパートメントはフロントでオンライン登録できますが、個人オーナー物件では所属する当番に登録することになります。本人が行く必要があるので、時間を確保しておくのがお勧めです。登録してから就業ビザの登録手続きになるため、居住登録を忘れないでください。 | 単身、ご家族には下記のエリアをお勧めしています。<br>【単身／カップル】<br>CBD・国貿エリア<br>王府井エリア<br>燕沙・亮馬橋エリア<br>留学する方にも、通学に便利で清潔な物件を優先的にお勧めしています。<br>【留学生】<br>燕沙・亮馬橋エリア<br>清華大学エリア<br>北京大学エリア | サービスアパートメントには、ベッド、冷蔵庫、洗濯機などの大型のものはもちろん、炊飯器や電子レンジなど炊事用具と寝具など、すぐに生活できる家具家電一式が揃っています。加湿器や空気清浄機等は、予算が許せば追加交渉も可能。分譲マンションはオーナーさんにより、家具の撤去ができますが、新品に交換できるかどうかは予算次第です。通常は入居者が自ら購入したほうがスムーズです。<br>エイブルNW 北京店が管理している物件では、家電が完備されており、アフターサービスも提供いたしますので、ぜひご相談ください。 |
| 天津 | 【物件タイプ】サービスアパートメント、コンドミニアム<br>【家賃】（中国元）　和平区：1 LDK 7,000 ～ 41,000、2LDK 8,000 ～ 60,000<br>南開区：1 LDK 6,500 ～ 32,000、2LDK 9,800 ～ 50,000<br>河西区：1 LDK 6,500 ～ 32,000、2LDK 9,800 ～ 50,000<br>河東区：1 LDK 6,500 ～ 32,000、2LDK 9,800 ～ 50,000<br>開発区：1 LDK 5,000 ～ 28,000、2LDK 8,000 ～ 45,000<br>【特徴】<br>ほとんどが分譲された鉄筋コンクリート造りの共同住宅で、日本でいう分譲賃貸物件になる。そのなかでも、所有者が中・長期間使用しないものが賃貸住宅として市場に出ている。ユニットごとにオーナーが異なるので、部屋ごとの内装や賃貸条件が変わってくる。通常 1 年契約となり、1 ヶ月分の敷金が必要となる。途中解約（退去）の場合、敷金が返却されないので注意。<br>エイブル天津店が管理している個人オーナー物件の多くは 24 時間警備システム付きで、安全にお住まいいただけます。また、お客様に安心で快適な住まいの場を提供するために、下記のサービスを提供しております。<br>・物件の条件の確認（時期、予算、エリア、間取り、会社規程、こだわりなど）・担当とオンラインで直接相談可・ご赴任の約 1 ～ 2 ヵ月前オンラインで物件の内覧、契約の締結可・入居中、退去、引越し、契約更新のサポート・インターネット設置、日本テレビの設置・入居前、生活備品追加の交渉（ウォシュレット、浄水器等）・現地携帯電話の購入、同行・生活に便利なアプリを設置サポート・ウィチャットペイ、アリペイの手続き・ネットショッピング手続き・家具、家電品の修理手配・買い物代行サービス・家具家電レンタル・レンタカーサービス・飛行機、新幹線チケットの予約手配・退去時の手続き、オーナー交渉代行・中国語教室の紹介・ゴルフの予約サポート・ペットの検疫サポート・その他のサービスが必要な場合、お気軽にご相談ください。<br>お客様のご要望に合わせて日本語で対応が可能なので、現地でも日本同様に円滑なコミュニケーションをとることができ、海外でも安心のサービスをご提供いたします。24 時間安心の日本語ウィチャットのグループを作成し、ホットラインとしてお住まいに関するすべての業務、トラブルに即対応できます。 | 【単身／カップル】<br>和平区<br>河西区<br>【ご家族連れ】<br>和平区<br>南開区<br>河西区<br>河東区 | 家具家電付き<br>日本語の TV 番組、ランドリー代（上限有）、ハウスキーピングは別途費用がかかる（要相談）。飲料水、空気清浄機、加湿器など。<br>日常生活用品のお買い物をお客様のご要望に合わせて代理購入し、お宅までお届けすることも可能。 |

| | | | |
|---|---|---|---|
| 広州 | 【物件タイプ】<br>サービスアパートメント、オーナー物件<br>【平均家賃相場（中国元）】<br>サービスアパートメント ：1LDK 17,000、2LDK 26,000、3LDK 31,500<br>オーナー物件 ：1LDK 13,000、2LDK 14,000、3LDK 22,000<br>（2023年のデータに基づく）<br>【特徴】<br>通常は1年固定契約。途中解約する際は2ヶ月分の保証金は返金されない。<br>2年目の契約から自由契約（途中解約しても保証金返金可）とすることが可能な場合が多い。<br>単身はサービスアパートメント、家族世帯はオーナー物件を選択する傾向にある。 | 天河区に集中している。<br>越秀区も人気エリアだ。<br>【単身、夫婦】<br>天河区（珠江新城エリア）、越秀区<br>【ご家族連れ】<br>天河区（天河北エリアのオーナー物件に特に人気が高い） | 通常は家具家電付き。オーナー物件の場合、同じ建物でもオーナーによって内装や家具が違うことがほとんどであるが、追加、変更、撤去が交渉可能な場合もある。サービスアパートメントの場合は同じ物件内での大きな差は少ない。インターネットテレビ（日本のテレビ番組視聴サービス）は標準装備されていないが、サービスとして設置可能であり、多くの日本人の方が利用している。 |
| 深圳 | 【物件タイプ】<br>サービスアパートメント、コンドミニアム（個人オーナー物件）<br>【家賃】（中国元）<br>羅湖区 ：1 LDK 7,000 ～ 15,000、2LDK 10,000 ～ 18,000<br>福田区 ：1 LDK 9,000 ～ 18,000、2LDK 10,000 ～ 28,000<br>南山区 ：1 LDK 8,000 ～ 20,000、2LDK 10,000 ～ 25,000<br>蛇口エリア ：1 LDK 9,500 ～ 20,000、2LDK 13,000 ～ 28,000<br>【特徴】<br>深圳では通常敷金2ヶ月分+1ヶ月分の前家賃となる。入居前に支払いが必要。仲介手数料は1ヶ月分。個人・法人契約ともに可能だが、契約期間は基本的に1年から。サービスアパートメントの各部屋の内装はほぼ統一されているが、コンドミニアムの場合には各部屋内装設備が異なる。 | 【単身】<br>羅湖区 福田区 南山区<br>【ご家族連れ】<br>蛇口エリア<br>羅湖区、南山区には日本食料理屋街があり普段の生活に便利。日系の幼稚園、日本人学校は蛇口エリアにあるため、徒歩圏内やバスルート沿いに住む人が多い。海に近く、閑静な住宅街が広がり住環境は良好。 | 家具家電付き。<br>ハウスキーピング、Wi-Fi、水道光熱費込みの物件もあるので要確認。<br>コンドミニアム（個人オーナー物件）にそれらのオプションサービスを付け加えることも可能。 |
| 台北 | 【物件タイプ】<br>コンドミニアム、サービスアパートメント<br>【家賃】（台湾ドル）<br>中山区：1 BR 30,000 ～ 70,000、2BR 45,000 ～ 80,000<br>士林区：1 BR 30,000 ～ 60,000、2BR 50,000 ～ 100,000<br>大安区：1 BR 35,000 ～ 60,000、2BR 50,000 ～ 100,000<br>信義区：1 BR 40,000 ～ 70,000、2BR 60,000 ～ 120,000<br>【特徴】<br>契約期間は1年から。交渉によっては1年未満の短期契約も可能になる場合はあるが、応じるオーナーは少ない。<br>契約時には、保証金として家賃2ヶ月分、入居時の先払い家賃1ヶ月分、仲介手数料として1ヶ月分が必要。<br>契約期間途中で解約するには、家賃1ヶ月分を違約金として支払う慣習がある。 | 【単身】<br>中山区<br>大安区<br>信義区<br>【ご家族連れ】<br>中山区<br>士林区<br>大安区<br>日本人学校は士林区にあり、市内中心部から少し遠いため、小学生以上の子供がいる家族は大多数が士林区を選択。幼稚園は士林区と大安区に多い。 | 家具家電は一通りの物が付いており、すぐに生活スタートが可能。<br>不足する物を追加で用意するよう交渉は可能。撤去も交渉可能だが、置き場所や手間のため、難しい場合が多い。<br>オートロックや防犯カメラはほとんどの建物に付き、24時間有人管理されているので、防犯面は安心できる。<br>学生向けの低賃料の物件には、キッチンや窓がない物件、違法建築が多いので要注意。 |
| 高雄 | 【物件タイプ】マンション<br>【家賃】（台湾ドル）<br>左營区：2LDK 24,000 ～ 32,000、3LDK 35,000 ～ 90,000<br>鼓山区：2LDK 18,000 ～ 24,000、3LDK 60,000 ～ 100,000<br>前金区：2LDK 18,000 ～ 25,000、3LDK 35,000 ～ 60,000<br>楠梓区：2LDK 25,000 ～ 30,000、3LDK 30,000 ～ 45,000<br>【特徴】<br>契約期間は基本1年。入口には管理人が24時間管理で常駐し、荷物の受け取り等をしてくれる。マンションの共用施設として、ゴミ捨て場、ジムがついているところが多い。プールや宴会場が付いているマンションもある。 | デパートや、大きい公園が近くにある、左營区、鼓山区は生活に便利なエリアである。<br>楠梓区には工場が多く、半導体企業の工場建設予定地にもなっている。中心部から少し離れるが、MRTが通っているので通勤に便利。 | 基本的な家具家電がついている物件が多い。<br>追加で必要なものがあれば家主へ相談することも場合によっては可能。 |

| | | | |
|---|---|---|---|
| ソウル | 【物件タイプ】アパート（大型マンション）、オフィステル、ビラ（小型集合住宅）<br>【家賃】（韓国ウォン・保証金 5,000 万ウォン基準）<br>麻浦区・上岩：1LDK 約 200 万、2LDK 約 250 ～ 300 万<br>麻浦区・麻浦：1LDK 約 250 万、2LDK 300 ～ 350 万<br>龍山区・二村：1LDK 約 300 万、2LDK 300 ～ 1,000 万<br>鍾路区・光化門：1LDK 約 250 万、2LDK 320 ～ 500 万<br>江南区・道谷：1LDK 約 330 ～ 440 万、2LDK 450 ～ 850 万<br>【特徴】<br>・最初に保証金、前家賃、管理費、仲介手数料を支払う必要がある。<br>・保証金の平均予算は 5,000 万～ 1 億ウォンが目安だが、金額の調整も交渉可能。<br>・個人、法人契約共に可能。契約期間は 2 年が一般的、1 年以上の契約であれば交渉も可能。<br>・家具家電が付いていない場合が一般的であり、家具家電の有無はオーナーの事情で異なる。 | 【留学生】<br>留学される大学周辺や日本の学生が多く住む、以下のエリアが人気。<br>・新村・弘大入口駅（延世大学、弘益大学、梨花女子大学）<br>・回基駅（ソウル市立大学、慶熙大学）<br>・安岩駅（高麗大学）<br>・往十里駅（漢陽大学）<br>【単身・ご家族連れ】<br>赴任される方には、会社や日本人学校までアクセスが良く治安も良い以下のエリアの人気が高い。<br>・龍山区・麻浦区・江南区 | 家具家電が付いていないことが多いため、2年以上契約であれば、家具家電の商品提案や購入、設置作業をサポートしている。<br>オーナーによっては、家具家電付きのお部屋を貸す場合もあるので、詳細は弊社までお問い合わせください。 |
| ハノイ | 【物件タイプ】 サービスアパートメント、コンドミニアム<br>【家賃】USD（契約はベトナムドン）<br>バーディン区　：1LDK 800 ～ 2,000、 2LDK 1,000 ～ 3,500<br>タイホー区　：1LDK 800 ～ 2,700、 2LDK 1,200 ～ 4,000<br>ハイバーチュン区　：1LDK 800 ～ 2,000、 2LDK 800 ～ 2,500<br>ホアンキエム区　：1LDK 1,000 ～ 2,700、2LDK 1,500 ～ 4,000<br>コウゼイ区　：1LDK 800 ～ 1,500、 2LDK 1,000 ～ 2,000<br>【特徴】リース契約締結時（または入居時）に保証金（月額家賃 1 ヵ月分）、前払い家賃（月額家賃 1 ～ 3 ヵ月分）が請求されるため、初回は最大で 4 ヵ月分の月額家賃の前払いが必要。一般的に 1 年間又は 2 年間の契約となり、契約期間満了前に早期解約をすると違約金（月額家賃 1 ヶ月分）が発生する。多くの日本人駐在員はサービスアパートメントに入居。コンドミニアム（個人オーナー物件）は、安値であるがトラブルが発生しやすいため個人オーナーが管理会社に管理業を委託している物件がおすすめである。 | 【単身／カップル】<br>ホアンキエム区<br>バーディン区<br>ハイバーチュン区<br>タイホー区<br>【ご家族連れ】<br>タイホー区<br>バーディン区<br>コウゼイ区 | 家具家電付き。<br>ハウスキーピングやインターネットが整備された物件がほとんど。 |
| ホーチミン | 【物件タイプ】サービスアパートメント、コンドミニアム<br>【家賃】USD（契約はベトナムドン）<br>1 区：1LDK 800 ～ 2,000、2LDK 1,200 ～ 4,000　2 区：1LDK 800 ～ 2,700、2LDK 1,200 ～ 3,500<br>3 区：1LDK 800 ～ 2,000、2LDK 1,000 ～ 3,000　7 区：1LDK 1,000 ～ 2,000、2LDK 1,000 ～ 3,000<br>ビンタン区：1LDK 800 ～ 1,300、2LDK 1,200 ～ 2,000<br>【特徴】リース契約締結時（または入居時）に保証金（月額家賃 1 ヵ月分）、前払い家賃（月額家賃 1 ～ 3 ヵ月分）が請求されるため、初回は最大で 4 ヵ月分の月額家賃の前払いが必要。一般的に 1 年間又は 2 年間の契約となり、契約期間満了前に早期解約をすると違約金（月額家賃 1 ヶ月分）が発生する。多くの日本人駐在員はサービスアパートメントに入居。コンドミニアム（個人オーナー物件）は、安値であるがトラブルが発生しやすいため個人オーナーが管理会社に管理業を委託している物件がおすすめである。 | 【単身／カップル】<br>1 区、3 区、ビンタン区<br>【ご家族連れ】<br>2 区、7 区、ビンタン区 | 家具家電付き。<br>ハウスキーピングやインターネットが整備された物件がほとんど。 |
| シンガポール | 【物件タイプ】コンドミニアム、サービスアパートメント他<br>【家賃】（シンガポールドル）<br>CBD エリア（Marina Bay/Downtown/Tanjong Pagar/Shenton Way）：<br>1BR 4,500 ～ 5,500、2BR 5,800 ～ 7,000<br>セントラルエリア（Orchard/Somerset/Dhoby Ghaut/Clarke Quay）：<br>1BR 4,000 ～ 5,000、2BR 5,000 ～ 7,500、3BR 7,500 ～ 10,000<br>ノベナエリア（Novena Newton）：<br>2BR 5,000 ～ 7,000、3BR 7,500 ～ 10,000<br>クイーンズタウンエリア（Tiong Bahru/Redhill/Queenstown）：<br>2BR 4,800 ～ 6,000、3BR 6,500 ～ 7,500<br>イーストエリア（East Coast/Marine Parade）：<br>2BR 4,500 ～ 6,800、3BR 6,800 ～ 8,000<br>ウエストエリア（West Coast /Clementi/Jurong）：<br>2BR 4,500 ～ 6,000、3BR 5,800 ～ 7,800<br>上記のコンドミニアムの掲載家賃は 2024 年 7 月現在のものです。変動する可能性がございますので詳細はスタッフまでお問合せください。 | 【単身】CBD エリア<br>セントラルエリア<br>【ご家族】〈未就学児のお子様がいるご家族〉<br>セントラルエリア<br>ノベナエリア<br>イーストエリア<br>〈日本人小学校に通学されるお子様がいるご家族〉<br>スクールバスルートにあるコンドミニアム<br>【チャンギ校】<br>セントラルエリア<br>ノベナエリア<br>イーストエリア<br>【クレメンティー校】<br>サウスエリア<br>ウエストエリア | コンドミニアムは分譲賃貸となっており、物件を所有するオーナーによって部屋ごとの家具家電、内装、家賃が異なる。部屋の家具は以下の2種類から選択。<br>【Partial Furnished】照明、カーテン、エアコン、冷蔵庫、洗濯機、乾燥機、備え付けワードローブ<br>【Fully Furnished】 照明、カーテン、エアコン、冷蔵庫、洗濯機、乾燥機、備え付けワードローブ、ソファ、コーヒーテーブル、ダイニングセット、ベッド、ベッドマット、テレビ、テレビボード等 |

赴任の準備
医療と健康
子どもの教育
引越し
住宅
現地の暮らし

| | | | |
|---|---|---|---|
| マニラ | 【物件タイプ】コンドミニアム 【家賃】（フィリピンペソ）<br>マカティエリア ：スタジオ 20,000 ～ 45,000 1BR 40,000 ～ 100,000<br>2BR 70,000 ～ 150,000<br>ロックウェルエリア：1BR 40,000 ～ 85,000 2BR 70,000 ～ 140,000<br>BGCエリア ：スタジオ 30,000 ～ 45,000 1BR 40,000 ～ 90,000<br>2BR 70,000 ～ 150,000 3BR 120,000 ～ 220,000<br>【特徴】<br>小切手での支払いがメインとなります。1年分の家賃と2か月分の敷金を契約時に支払うとリクエストも叶いやすいです。家賃をフィリピンの会社の経費で支払う場合、家賃に対して12%の消費税を支払います。契約書は英文、貸主・借主双方署名したのちに、契約書はコンドミニアムの管理事務所に提出→管理事務所の承認をもらい入居が可能になります。（承認がないと入居出来ないこと有。）1年契約が一般的です。 | 【単身／カップル】<br>1位マカティ<br>2位 BGC<br>3位ロックウェル<br>4位サルセド<br>5位オルティガス<br>【ご家族連れ】<br>1位 BGC<br>2位マカティ<br>3位オルティガス<br>4位ロックウェル<br>5位サーキットマカティ | 家具家電付き<br>扇風機、アイロン、掃除機、ウォーターディスペンサーなどが付いていない部屋もあるので、必要な場合はその都度リクエスト（交渉）可能。マットレスはスプリングが入っていないものもあるので、必要な場合は確認すること。エアコンの効き具合、水圧は入居前に確認できれば安心。 |
| バンコク | 【物件タイプ】 サービスアパートメント（ホテル）、アパートメント（ワンオーナー）、コンドミニアム<br>コンドミニアムタイプはトラブルも多く、駐在員向け住宅には不向き（禁止する会社も多く存在）<br>【家賃】（タイバーツ）（日本人学校送迎エリア）アソーク、プロンポン、トンロー、エカマイ<br>1LDK 55,000THB – 70,000THB<br>単身エグゼクティブ用 80,000THB-100,000THB<br>2LDK 70,000THB – 85,000THB<br>3LDK 90,000THB – 110,000THB | 【単身／カップル】トンローエリア 飲食店も多く、賑やか<br>【ご家族連れ】プロンポンエリア 習い事（塾）や、日系スーパー、幼稚園などが集中しているエリアであるため人気が高い | 全物件種別において家具家電はオールインクルード。ただし、炊飯器や食洗機、ベッドシーツなどは備え付けがないところが多いので、自分で準備する必要がある。 |
| プノンペン | 【物件タイプ】コンドミニアム（個人オーナー物件）、サービスアパートメント<br>【家賃】（米ドル） ボンケンコンエリア：1LDK 800 ～ 1,500、2LDK 1,200 ～ 2,000<br>チャムカモンエリア：1LDK 700 ～ 1,400、2LDK 1,000 ～ 1,800<br>バサックエリア ：1LDK 600 ～ 1,200、2LDK 1,000 ～ 1,500<br>ドンペンエリア ：1LDK 500 ～ 1,000、2LDK 1,000 ～ 1,500<br>トゥールコークエリア：1LDK 400 ～ 800、2LDK 600 ～ 1,000<br>【特徴】契約期間は基本半年または1年。敷金1ヶ月＋前家賃が必要で、仲介手数料は無料。契約期間の途中で解約する場合は敷金が違約金となる習慣がある。24時間警備でプールやジムなどファシリティ付き物件が多く、Wi-Fi やハウスキーピングが家賃に含まれることが多い。 | 単身、夫婦、家族連れ問わず、独立記念塔から南のボンケンコンエリア、その南にあたりイオンモールのあるチャムカモンエリア、日本大使館に近いバサックエリアに日本人が多い。その中でも外国人が多く生活のしやすいボンケンコン1というエリアが人気となっている。 | 家具家電付き。エアコン、冷蔵庫、洗濯機、ベッド、ソファー、テレビなど基本的なもの、大型のものは揃っており、物件により炊飯器やケトル、寝具や電子レンジ、食器や調理器具まですぐに生活できる家具家電一式が揃っている。 |

## ■北米

| | 住宅タイプ・相場・契約時やその他の特徴 | 日本人に人気のエリア | 家具の有無 |
|---|---|---|---|
| ボストン | 【物件タイプ】アパート（レンガ造り）、高層アパート、コンドミニアム、ファミリーハウス（2,3世帯）、一軒家<br>【家賃】（米ドル）<br>ボストン、ケンブリッジ、ブルックライン周辺のスタジオ及びレンガ造りのアパート：2,000 ～<br>マンションタイプ 1BR：2,800 ～ご家族向け 2BR：3,500 ～※ランドリー共有<br>新築高級マンションスタジオルーム：2,800 ～ 1BR：3,200 ～ 2BR：4,300 ～<br>※ランドリー室内完備<br>【特徴】短期滞在者用アパート以外は一般的には1年契約。1年未満の契約が可能なアパートもあるが家具付きは割高。入居審査にはパスポート、ビザ、英文雇用給与証明書、英文銀行残高証明書などが必要。途中解約については契約書に盛り込める場合と、不可能である場合と様々。ボストン周辺は年間を通し空室率が低く、家賃、利便性、通勤／通学、お子様の教育など何を最優先条件にされるか前もって考えておくと良い。 | 【単身／カップル】<br>ボストン<br>ケンブリッジ<br>ブルックライン<br>【ご家族連れ】<br>ブルックライン<br>アーリントン<br>レキシントン<br>ニュートン<br>ベルモント ウィンチェスター等 | 【マンスリーアパート】基本的な家具家電に加え食器やリネン類なども含めて備え付け。<br>【長期滞在用（1年）アパート】家具無し。ただしキッチン周り（冷蔵庫、オーブンレンジ、食洗機、電子レンジ）は備え付けの場合あり。 |
| ニューヨーク | 【物件タイプ】大きく分けて賃貸ビルとコンドミニアム等の分譲タイプに分かれる<br>【家賃】（米ドル）スタジオタイプの場合 ※ドアマン有<br>マンハッタン：3,500～ 4,300／月 クィーンズ、ブルックリン：3,000～ 3,500／月<br>1BRの場合 ※ドアマン有<br>マンハッタン：4,300～ 5,300／月 クイーンズ、ブルックリン：3,600～ 4,200／月<br>【特徴】契約可能期間が1年以上となっている物件が多く、1年未満の短期契約可能な物件は少ない。途中解約の際には違約金が発生するケースが多い。コンドミニアム等の場合、契約時に入居審査を伴う為、審査に日数を要し、アプリケーションフィー等の審査費用も高額となるケースが多いので注意。一方、賃貸ビルであれば審査にそれほど日数がかからず、アプリケーションフィーも割安であるケースが多い。 | 【単身／カップル】マンハッタンのミッドタウンウェスト、ミッドタウンイースト、クイーンズのロングアイランドシティ等<br>【家族連れ】アッパーイースト＆ウェスト、ルーズベルトアイランド、クイーンズのロングアイランドシティ等 | 【一時滞在用短期アパートメント】家具家電、食器、調理器具、リネン類等が一通り完備されている物件が多い。<br>【長期物件】家具なしの物件が多いが、家具なしでも、冷蔵庫、コンロ、電子レンジ、食洗機、エアコン等は完備されている物件が多い。家具のレンタル業者もあり。 |
| 中西部、南東部＊ | 【物件タイプ】 一軒家．コンドミニアム．アパート<br>【家賃】（米ドル）一軒家とタウンハウス（$2,000~4,000）．アパート 1BR（$1,300~1,800）<br>【特徴】売り物件が8割、賃貸物件が2割といった市場であり駐在員が住むエリアでは常に賃貸物件が不足していることが多く賃貸募集にでるとすぐに入居者が決まってしまう。賃貸物件の契約可能期間は1年以上となっている物件が多く、一軒家とコンドミニアムは契約条件の交渉ができるが、アパートは提示されている契約条件下での契約となり交渉は不可。契約時には、大家に初月家賃、保証金（家賃1ヶ月がベーシック）を支払う必要があり、アパートの保証金はそれぞれ設定された額を支払う。 | 日系企業へ通えるベッドタウンの中で昔から日本人が好んで住んできた学区に家族世帯も単身も集まって住む傾向にある。 | 長期滞在用ホテルには、キッチンに調理器具まで揃っているところがある。賃貸住宅は、家具がないのが一般的だが冷蔵庫、食洗機、レンジオーブン、電子レンジなどは付く。洗濯機、乾燥機は物件による。 |

## ■ヨーロッパ

| | 住宅タイプ・相場・契約時やその他の特徴 | 日本人に人気のエリア | 家具の有無 |
|---|---|---|---|
| ロンドン | 【物件タイプ】<br>戸建てタイプ：デタッチハウス、セミデタッチハウス、タウンハウス、テラスドハウス、ミューズハウスなど<br>マンションタイプ：パーパスビルトフラット、コンバージョンフラット<br>【家賃】（英国ポンド）<br>スタジオ：1,400 ～ 1BR：1,700 ～ 2BR：2,000 ～ 3BR：2,500 ～ 4BR：3,200 ～<br>【特徴】<br>内覧後に契約を希望する場合はエージェントを通して大家にオファーを出すことになる。オファーの内容は家賃や契約期間、家具の追加や撤去、途中解約条項など入居者側の希望する契約内容を全て伝える必要がある。<br>提出したオファーに対して大家側から回答があり、両者でオファー内容が合意されると、レファレンスチェック（身元審査）が行われる。レファレンスチェックは入居候補者の派遣先や派遣元の会社・大学などへの在籍確認の他、入居候補者の現在の収入と預金額等の確認をすることにより家賃支払い能力が審査される。<br>また、英国内での収入が無い場合は、現地英国に資産を持つ人以外には保証人を立てられない為、6ヶ月分または契約期間全ての家賃の前払いを求められることが一般的となっている。 | 【ロンドン西部】<br>West Acton, Ealing Common, Ealing Broadway 等<br>【ロンドン北部】<br>Finchely Central, West Finchely, Woodside Park 等<br>【ロンドン北西部】<br>St John's Wood, Swiss Cottage 等<br>【ロンドン南西部】<br>Westminster, Victoria 等 | 【賃貸物件】<br>賃貸マーケット上、家具・家電は完備されている物件は多くなる。家具無しの場合でも冷蔵庫、洗濯機などの白物家電は付いているケースも多い。<br>もし家具無し物件で家具付きにしたい場合は、家賃を上げるなど交渉次第で家具付きになることもあり。<br>【サービスアパートメント】<br>家具家電、食器、調理器具、リネン類等が一通り完備されている。 |

情報提供：株式会社エイブル　＊日本語でUSA.

## ■日本語で USA. お問い合わせ

| 全米、メキシコ　日本語でUSA. | TEL：614-874-6544　E-mail：info@nihongo-de-usa.com<br>URL：nihongo-de-usa.com |
|---|---|

## ■日系不動産海外拠点（エイブル）

| 都市名／店舗名 | 住所／連絡先（電話番号は日本からかける場合） |
|---|---|
| **ニューヨーク**　エイブル ニューヨーク店<br>Able Real Estate USA, Inc. New York Branch | 110 West 40th Street, Suite 2000, New York N.Y.10018<br>TEL：010-1-212-391-5547　E-mail：ny@able-global.com |
| **ボストン**　エイブル ボストン店<br>Able Real Estate USA, Inc. Boston Branch | 2000 Mass. Ave. #7, Cambridge, MA 02140<br>TEL：010-1-617-868-2253　E-mail：boston@able-global.com |
| **ロンドン**　エイブル ロンドン店<br>CHINTAI UK LTD (TradeName: ABLE London) | 584B Finchley Road,Golders Green, London NW11 7RX<br>TEL：010-44-20-8731-8377　E-mail： ablelondon@able-london.co.jp |
| **香港**　エイブル 香港店<br>ABLE REAL ESTATE AGENCY(HK) LTD. 大建不動産香港有限公司 | Room 1601, 16/F., Dina House, 11 Duddell St., Central, Hong Kong<br>TEL：010-852-2525-2083　E-mail：info@able-hk.com |
| **台湾**　エイブル 台湾店<br>DAIKEN CO.,LTD　大建不動産(股)公司 | 台北市中山区中山北路二段96號10樓1001室<br>TEL：010-886-2-2511-0011　E-mail：able@daiken.com.tw |
| **高雄**　エイブルネットワーク 高雄店<br>固豪不動産租賃有限公司 | 高雄市左營區保靖街1號<br>TEL：010-886-983-755168　E-mail：ghouse@khhghouse.com |
| **北京**　エイブルネットワーク 北京店<br>北京長遠房地産経紀有限公司 | 北京市朝陽区東四環中路41号嘉泰国際ビルA座1630室<br>TEL:010-86-139-1071-7633　E-mail:AbleBJ@long-range.com.cn |
| **上海**　エイブルネットワーク 上海店<br>力得房地産経紀（上海）有限公司 | 上海市長寧区仙霞路319号遠東国際広場A棟2411B室<br>TEL：010-86-21-5237-0220　E-mail：info@able-shanghai.com.cn |
| **深圳**　エイブルネットワーク 深セン店<br>Shenzhen Shinwa Real Estate Co.,Ltd.<br>深セン深和房地産諮詢有限公司 | 深圳市羅湖区深南東路5002号地王大厦40楼10号室<br>TEL：010-86-755-2398-5391　E-mail：info@able-sz.com |
| **広州**　エイブルネットワーク 広州店<br>広州爱譜璐房産咨詢有限公司 | 広東省広州市天河区珠江新城花城大道3号南天広場4階417室<br>TEL:010-86-20-8709-6687　E-mail:able@ablegz.com |
| **天津**　エイブルネットワーク 天津店<br>長遠不動産経紀（天津）有限公司 | 天津市和平区南京路75号天津国際ビル1901室<br>TEL:010-86-131-0227-9959　E-mail:tj-sales003@long-range.com.cn |

| ソウル　エイブルネットワーク ソウル店<br>Global Trust Networks Korea Co., Ltd. | 7F, 122, Jong-ro, Jongno-gu, Seoul, Republic of Korea<br>TEL：050-3172-1511　E-mail：gtnkr@gtn.co.jp |
|---|---|
| シンガポール　エイブルネットワーク シンガポール店<br>Carrack Pte. Ltd. | Park Avenue Rochester 31 Rochester Drive Level 3 #35 Singapore 138637<br>TEL: 010-65-6808-8726　E-mail:info@able-net.sg |
| ハノイ　エイブルネットワーク ハノイ店<br>Accord Biz CO.,LTD | 10th Floor, Pacific Place, 83B Ly Thuong Keit, Hoan Kiem, Hanoi, Vietnam<br>TEL：010-84-24-3946-1047　E-mail：infoable@accordbiz.com |
| ホーチミン エイブルネットワーク ホーチミン店<br>Accord Biz CO.,LTD | 16th Floor, Saigon Tower, 29 Le Duan Street, District 1,Ho Chi Minh City, Vietnam<br>TEL:010-84-24-3946-1047　E-mail: infoable@accordbiz.com |
| マニラ　エイブルネットワーク マニラ店<br>LEAD JUHTAKU CENTER INC. | 8th Fl 111 Paseo de Roxas Bldg.111 Paseo de Roxas St.Legaspi Village Makati City, Philippines<br>TEL：010-63-2-8-551-1914　E-mail：able-manila@kk-lead.co.jp |
| バンコク　エイブルネットワーク バンコク店<br>RENOSY (Thailand) Co., Ltd. | 19th Floor, Bhiraj Tower at EmQuartier 689 Sukhumvit Road, Klongton Nua, Vadhana, Bangkok<br>TEL：03-4555-9811　E-mail：info@renosy.co.th |
| プノンペン　エイブルネットワーク プノンペン店<br>LIA JC GLOBAL CO., LTD. | #51, St.310, Sangkat Boeng Keng Kang 1, Khan Boeng Keng Kang, Phnom Penh Cambodia<br>TEL：050-6871-0019　E-mail：contact@liaglobal-jc.com |
| 日本<br>株式会社エイブル 海外事業部 | 東京都港区元赤坂1-5-5 元赤坂SFビル6階<br>TEL: 03-5770-2606 E-mail：ibg@able-partners.co.jp |

## 海外不動産

海外でもお部屋探しはエイブル、全店日本語でご案内します。

**(株)エイブル**

駐在員のお家探しを全米でお手伝いしています。

# 日本語でUSA. LLC

## 赴任者が家探しのためにすることはこんなにあります...

治安や家賃相場、エリア情報の収集、子どもの学校選び、物件検索、内見、入居申込、賃貸契約、保証金と初月家賃の支払い、ソーシャルセキュリティー番号の申請、銀行口座開設、水道、ガス、電気、インターネット／ケーブル会社との口座開設。これを全て赴任先に到着してから約1ヶ月の間にそれも仕事の合間にやることになります。

## 日本語でUSA.でのお家探しなら

渡米前に現地の情報や物件案内を始められるので、家族みんなでお家選びが出来ます。ビデオ内見を利用して契約まで済ませておけば、赴任先に到着したその日に入居、翌日から仕事に全力を注げます。

## 法人での寮の運営もお受けしています。

アメリカでは賃貸価格が急騰しています。対策としては、法人で家を購入して出向社員に入居してもらうという方法が考えられます。お家の購入から、入居や退去のご案内、駐在員の家族タイプがお家のサイズに合わない時にはテナント付などを含む物件の管理をしています。一度ご相談ください。

## 当社のサービスが選ばれる理由

(2022/6 I さん) 過去に様々な業者と付き合いましたが御社が一番日本人に対して手厚いサービスでした。特に初めて米国に来る方には大変有効なサービスです。

(2023/2 K さん) 日本語で対応できる点。住宅は契約書の確認など困難な為、そのサポートをもらえて心強かった。

「渡米2ヶ月前までに受講必修!」
講師は元駐在妻でもあるアメリカ不動産コンサルタント
参加無料
アメリカ
駐在準備セミナー
アメリカの住宅事情とお家の選び方、現地校の選び方など。
企業が開催している赴任前研修ではなかなか得られない
情報をお届けします。
駐在員のお家探しを北米でお手伝いしています
Nihongo-de-USA.®
日本語でUSA.
アメリカ全土およびメキシコで売る、買う、借りる、貸す、駐在員向け賃貸物件の創造と物件管理までワンストップサービスをしています。
毎月第3金曜日
11:00 開催
(日本時間)
日本語でUSA. Office: (614) 874-6544 info@nihongo-de-usa.com

## 留守宅管理

海外転勤時の留守宅を大切に賃貸管理します。

# KAIMON（かいもん）　（株）FGGコーポレーション

### 2025年で、創業14周年。ファミリー向け物件は、「KAIMON」に、お任せください。

「KAIMON」は首都圏のファミリー向け分譲マンションに特化した賃貸管理会社です。エリア・物件種別を特化することで効率的な管理が可能となり、充実した管理プランをご提供しております。

スタッフは設立当時の社員をはじめ、大手賃貸管理会社からの転職者や業界経験者が多数在籍。豊富な経験とノウハウで、皆様の留守宅を大切に管理いたします。

### 海外赴任に嬉しい2つのポイント

**●法人契約80%以上。海外赴任でも安心の「転貸借方式」で賃貸管理。**

ファミリー物件は法人の借り上げ社宅としてニーズが高く、当社の管理物件の多くが大手法人契約で成約に至っております。

また、入居者様との賃貸借契約はKAIMONが「貸主」として契約する「転貸借方式」。オーナー様が直接入居者と交渉する必要はございません。

源泉所得税の納税もかいもんが行いますので、オーナー様が海外赴任中も法人契約の締結が可能です。

**●お引越し前から募集・早期に成約。「バーチャルホームステージング」**

CGで室内を再現。提携家具メーカーの家具を配置し、具体的なイメージ画像を制作します。

お引越し荷物の搬出前から、具体的な室内イメージで募集を開始できるので、早期の成約が見込めます（別途有料）。

室内写真をもとにCGでお部屋を再現。その上で、家具を配置し、具体的な室内イメージ画像を作ることができます。

長期不在の大切なマイホームを定期的に維持管理します

# ダイヤクリーンの「留守宅管理サービス」

**有限会社ダイヤクリーン**

## ダイヤクリーンの「留守宅管理サービス」とは

ダイヤクリーンは、1996年に一般家庭のハウスクリーニング専門企業として設立。当社の「留守宅管理サービス」は、海外赴任などの理由でお住まいを空き家にされる方のマイホームを、定期的に訪問して通風や清掃を行います。ハウスクリーニングで長年培ったノウハウを生かして、お客様の留守宅を大切に維持管理し、お守りします。

**主なサービス内容**

(1)通風（当社は2時間行います）及び通水
(2)各室の掃除機かけ・床面の拭き清掃
(3)水回り（キッチン・トイレ・洗面台・浴室）の水拭き
(4)電気製品の試運転（エアコンなど）
(5)外周りの点検及び清掃（戸建のみ）
(6)自動車のアイドリング（10分程度）
(7)各種点検やガス開栓の立会い
(8)除湿剤等の設置・交換（有料）
(9)郵便物の転送（有料）

当社では、個別のお客様のご要望に寄り添った作業内容に対応しております。おかげさまで当社のサービスをご利用頂いたお客様の口コミを中心に、多数のご依頼をいただいております。

お客様がお帰りの際には、『留守にする前と変わらない日常』をご用意できる、ダイヤクリーンの留守宅管理サービスに、ぜひお任せください。

**料金（税別）**

［マンション］
毎月1回　月額　11,000円
毎月2回　月額　20,000円
［一戸建て］
毎月1回　月額　13,000円
毎月2回　月額　22,000円
*延床面積150㎡以上は、別途お見積り

**営業地域**

東京都全域、神奈川県・埼玉県の一部

貸したい売りたい人の不動産エージェント

# 住まいの情報館

## 株式会社D2

### リスク管理に強い賃貸経営

リロケーションに特化した会社と一般の不動産会社とでは、物件管理や募集方法が異なります。自宅を預けるときには、目的にあった会社選びが大切です。

住まいの情報館は国内外へ転勤される方にご満足いただけるように、賃貸・管理及び売却に関するリスクを解消する独自のノウハウとサービスで対応しますので安心してご相談ください。

※リロケーションとは、転勤により生じた留守宅を管理したり、一定期間賃貸をしたりするサービスのことです。

### 企業の人事担当者様へ

社員様の福利厚生の一環として、企業様との法人契約もできます。管理委託契約は社員様と直接行いますので、企業様の費用負担もリスクもゼロ。社員様へのお得なプランも各種用意しています。企業様のお手を煩わすことなく、より簡単にリーズナブルに充実したリロケーションサービスをご提供いたします。

### 独自の「6大あんしん保証」

**家賃保証**
住まいの情報館が入居者と直接契約するため、家賃滞納の心配がありません。

**明渡保証**
入居者が退去しない場合、損害金をお支払いします。(定期借家契約の場合)

**施設賠償責任保険付帯**
対人・対物ともに5,000万円まで補償します。

**原状回復保証**
入居者不払い分の原状回復工事費を負担。

**減額あんしん補償**
使用不能期間の賃料減額分を100万円まで補償します。(民法611条に対応)

**買取保証**
事故などで物件の市場価値が下がった場合は不動産鑑定士査定額で買取ります。

海外赴任時の留守宅を大切に管理します

# 東京ガスの空き家管理サービス

**東京ガス株式会社**

## 大事な自宅、不在時どうしよう？

長期間ご自宅を不在にすると、様々なことが心配になりますよね。

・家の中の空気がこもりカビ等の原因に
・庭木の雑草が繁茂し隣家への迷惑に
・ごみの不法投棄などの犯罪の温床に

このようなことから大切なご自宅を守るためには、適切な管理が必要です。

## 東京ガスの空き家管理サービスは

あなたに代わって、大切なお家の管理を月1回行います！

## どんなことができるの？

管理に必要な項目を網羅しています。

**作業内容の一例**

(1) 外観・内観の確認
(2) 換気・通水・通電
(3) 掃除機がけ等の簡易清掃
(4) 草木の確認、草むしり
(5) 郵便物回収
(6) 除湿剤・除草剤の購入・設置
※オプションで承ります

詳細な作業内容は無料の現地カウンセリングの際に、ご希望をお伺いし決定いたします。

作業結果は、写真付きの報告書をメールでお送りいたします。

## 料金や対象エリアは？

ご希望の作業内容に合わせて、3つのプランからお選びいただけます。

料金は税込9,900円／回～

対象エリアは東京都・神奈川県・埼玉県・千葉県

※一部対象でない地域があります
詳細はHPでご確認ください。

## 帰国時も安心です！

ハウスクリーニングも承れます。一時帰国などの際には、ぜひご相談ください。

海外赴任時の留守宅管理は ＼東京ガスにお任せください！／

東京ガスの空き家管理サービス　3つのポイント

○作業内容は無料現地カウンセリングで相談可能
○写真付きの報告書で状況確認できて安心
○一時帰国の際は管理を一時的に停止可能

詳しくはこちら

TEL：0570-002025 （受付時間：9時～17時）

海外赴任中の困りごと、ALSOKが解決します！

# HOME ALSOK　るすたくサービス

**綜合警備保障株式会社**

## 留守宅の管理、どうしよう

海外赴任期間中留守になるご自宅には、郵便受けにチラシなどの広告物が溜まってしまい、留守であるのが容易に悟られてしまいます。このような状態になると、さまざまな心配があります。

- 第三者のいたずら　・ゴミの不法投棄
- 庭木や雑草が繁茂し、隣家へ越境
- 不審者の侵入による盗難・放火

大切なご自宅を守るには管理が必要です。最低限の管理として、定期的な郵便受けの投函物の確認・整頓、敷地内の状況確認が必要です。また、万が一のために、宅内へ不審者の侵入対策もお勧めいたします。

## ALSOKにお任せください！

ALSOKの留守宅管理サービス「HOME ALSOKるすたくサービス」は、お客様に代わって、月一回「郵便受けの整頓」と「留守宅の見回り」を行うサービスです。留守宅の状況はEメールでご報告いたします。

また、「るすたくセキュリティパック」ならリーズナブルな価格でホームセキュリティもご利用いただけます。

## 日本の家族の安心もサポート

日本に残したご家族、特にご高齢者の生活もご心配のひとつではないでしょうか。「HOME ALSOKみまもりサポート」なら、ボタンを押すだけでALSOKのガードマンが駆けつけます。また、相談ボタンを押せば24時間いつでもALSOKヘルスケアセンターにつながり、健康・介護の関する相談ができます。

**料金**　2024年7月22日現在

- **HOME ALSOKるすたくサービス（るすたくセキュリティパック）**
  月額11,000円～（税込）
- **HOME ALSOKみまもりサポート**
  月額2,838円～、初期工事費13,365円～（税込）

まずは気軽に問い合わせを　TEL:0120-39-2413

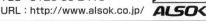

海外赴任中のマイホームの管理作業なら！

# レゴーニ株式会社
## 愛知・名古屋の「留守宅管理サービス」

**ハイクオリティ＆スタッフ２名体制！**
**あなたのこだわり・リクエストにお応えします！**

- 外観確認
- 室内清掃（水回りも含む）
- 換気　・通水
- 庭作業（草取り、芝刈り、枝切り など）
- ポスト整理
- 写真付き管理レポート（WEB）
- その他　リクエスト対応可

【月額（税込）】戸建・マンション
◆留守宅しっかりプラン◆ 作業員２名／月１回
60分 17,000円　90分 22,000円

【対象エリア】
名古屋市およびその周辺地域、
尾張、西三河

レゴーニ株式会社
〒460-0008　名古屋市中区栄五丁目１番32号　久屋ワイエスビル９階
Tel 0120-017-052　052-265-5877
Mail: support@regoni.co.jp

HP：「愛知・名古屋　空き家管理サポート.net」

## 海外で幼児を育てる思い出のひとコマ

### 「アイムサースティ」アメリカより

駐在して間もないある日、小学１年の息子が具合悪そうに学校から出てきたので、「どうしたの?」と聞くと、一日中、水を飲んでないという。アメリカの学校では水を飲みたい時やトイレに行きたい時は挙手をして先生の許可が必要なのに、私は息子にbathroom（トイレ）は教えていたが I'm thirsty（のどが乾いた）を教えていなかった！次の日、息子の左腕にはサインペンで「アイムサースティ」と書かれていました。

### 「キャラ弁禁止」アメリカより

お弁当文化のある日本人にとって、お弁当にはご飯に複数のおかずとデザートが当たり前ですが、アメリカの子供たちのお弁当は、ジャムを塗ったパンにリンゴやバナナ、フルーツグミやポテトチップスやチョコバーが定番。真っ黒な海苔を巻いたおにぎり、厚焼き玉子は見たこともない子供たちばかり！そんな中、知り合いのママはピカチュウのキャラ弁を持たせたらしく、それを見たクラス中の子供たちがその子のお弁当に群がり、ランチタイムが大変な騒ぎになってしまったらしいです。数日後、担任の先生から、「あまり手の込んだお弁当は控えてください」と手紙をもらい、仕方なく次の日から、たまごサンドとハムサンドを作る毎日になったそうです。

### 「ハサミください！」中国より

赴任間もない週末に、幼稚園に入園したばかりの３歳の娘を連れて焼肉店に行った時の話です。娘が食べる肉を小さくする為のハサミをもらおうとしましたが、主人も私もハサミを中国語でなんというかわかりませんでした。仕方なくジェスチャー付きで必死に英語や日本語で店員に伝えようとしましたが、全く伝わらずもはや諦めかけた時、３歳の娘がひと言「ジエンダオ！」と言いました。それを聞いた店員は「あ～」と言い、すぐにハサミを持ってきてくれました。仕事ではなかなか使わない単語ですが、幼稚園では必要不可欠の単語。まさか入園したての３歳児の娘から、中国語で助けてもらうとは思いもよりませんでした。その日からハサミをもらう係が娘になったことは言うまでもありません。

COLUMN

# アメリカ赴任で考える「不動産投資」

「人生100年時代」における資産づくりのチャンス

宮本　亜希子（Nihongo-de-USA.代表）

## アメリカの不動産は年率2桁で上昇も

日本の常識では実感しがいたい数字かもしれませんが、実際に私が購入したオハイオ州コロンバスの物件は、2010年に17万9900ドルだったのが2024年現在で47万ドル前後で売却が可能なまでになりました。

アメリカは赴任者が最も多い国の1つですが、赴任中にアメリカで不動産投資とは、お考えになったことがあるでしょうか。現地の人と同じ条件で購入できるのが海外赴任者です。円安で目減りする円での預金を頭金にして不動産ローンで物件を購入することで、米ドルの収入が日本帰国後も得ることが出来るようになります。ここでは少し、その特徴についてお話します。

## 中古市場が支えるアメリカの不動産

日本の不動産市場はやはり新築が中心。建てたときが最も高く、経年とともに価格が落ちます。加えて30年前後の寿命でスクラップ&ビルドを繰り返し、建設費もかかるので、資産になりにくいのが実情です。

一方、アメリカの不動産市場は8割強が中古物件。中古でもニーズがあり、売却可能で、物価と同じで家の価値も経年とともに上がっていきます。特に半導体やEVバッテリー工場の建設が激しい中西部では、流入人口に新築物件の建築数が追いつかず激しく既存物件の価格が上昇しています。「我が家は一生に一度建てれば良い」という日本の感覚とは大きな違いです。その上、アメリカの住居の寿命はなんと100年越え（我が家も1920年築！）。例え木造フレームの戸建てでもリノベーションを繰り返し、大切に住われ続けるのです。

そんな事情もあって、不動産価格は経年とともに右肩上がりとなり、リーマンショックのように一時的に下落することがあっても、歴史的にみても住宅の資産価格の上昇率はインフレ率を超えるので、この上昇分（キャピタルゲイン）によって、アメリカ人は不労所得として老後の貯蓄を完成させていくのです。

## なぜ「海外赴任中」がチャンスなのか

しかしながら年間4～5%の利回りであれば、外貨預金や保険などの金融商品でも実現可能です。ただし、これらの商品は自分のお金を誰かに預け、その対価として利息がつくもの。一方、アメリカの不動産投資は、通常、家賃でローンの支払いが出来る額まで頭金を置き、残りは銀行でローンを組むことができます。さらに、テナント付きの物件を購入することで家賃収入を得つつ、経年とともに不動産価値も家賃も物価上昇で上がっていく。こうして帰国後も物件管理会社に管理を任せることで、米ドルの収入と資産を持つことが可能になります。円安もドル資産を持てば悪い話ではなくなります。

## 駐在員の寮を持ちませんか？

オーナーになれば利点ばかりの米国住宅不動産。購入して寮として運営されてはいかがでしょうか?駐在員への住宅価格の上昇と一緒に補助額をあげる必要がなくなり、駐在員がいない時は管理会社を通して他社の駐在員に貸して収入を得ることもでき、資産運用も出来ます。必要な時には利確して設備投資や運転資金に回せます。

●詳細は「日本語でUSA」　http://nihongo-de-USA.com

CHAPTER

# 現地の暮らし

いよいよ海外生活が始まる。到着後に必要な手続きや、快適な現地生活を送るために必要な知識は出発前から蓄えておこう。海外で利用出来る便利なサービスにも注目。

# 01 到着後の手続き

いよいよ海外赴任の始まりだ。家のインフラの整備、銀行口座の開設、学校入学の手続きなど生活の立ち上げには3か月ほどかかるとも言われる。慌てず1つ1つ進めていこう。日本出発前に在留届を提出していなかった場合には、到着後できるだけすぐに行うこと。「在外選挙人名簿登録(Chapter6-2　在外選挙)」も合わせて済ませておくとよい。

## 在留届

在留届で登録した住所や緊急連絡先、勤務先などに変更が生じた場合はすぐに届け出よう。緊急時にもかかわらず、古い電話番号に在外公館からの連絡が行ってしまい安否が確認できなかった、などという事態は避けたい。

## 在外公館の利用

日本国内に住んでいる限りあまり馴染みのない日本大使館や総領事館などの在外公館。ここでは、パスポートの更新や、現地で出産した時の出生届の受理など、各種行政サービスを行っている(表①)。

また、事件・事故や様々なトラブルに遭った場合、相談に応じ、案内や助言、支援等を行い、大規模災害や情勢不安など緊急事態発生時には安否確認のほか、最新の現地安全情報の提供なども行っている。ただし、所在国の法律・主権との関係があって、できないことがあることに留意。出発前に一度、確認しておこう。

## 日本人会

現地には「日本人会」とよばれる在留邦人の親睦を目的とした組織が置かれている場合がある。これらは、基本的には、会員登録している企業や個人が資金を出し合い運営しているものだ。そのため、各地域で規模が全く異なる。

日本人会は現地の日本人学校や補習授業校との交流行事として運動会や遠足などを行っている。シンガポールや、タイ、中国の大都市では比較的規模が大きく、在留邦人向けの図書館やラウンジなどを設けている場合もある。赴任者の多くが会員登録して、現地情報の交換などに活用しているようだ。入会は日本人会に直接問い合わせるか、Webサイト、または到着後に在外公館などに確認し、連絡してみよう。

## 現地コミュニティの活用

現地では言葉の壁や文化の違いから孤立しがちだが、現地コミュニティに積極的に参加することで、新しい友人を作り、言語の習得を助けてくれる環境を手に入れることもできる。地域のイベントやフェスティバルに参加したり、ボランティア活動に取り組んだりすることで、地元の人々と交流する機会が広がる。また、少し慣れてきたら、音楽、スポーツ、料理など、自分の趣味や特技を活かしたグループ活動も有効だ。共通の趣味を持つ人々と繋がることで、自然とコミュニケーションが生まれやすくなる。

## 生活インフラの手続き

赴任国到着後、現地の家で生活を始めるには電気・ガス・水道の開始・開栓、携帯電話・インターネット回線の開設が必須だ。電気・ガス・水道の開始・開栓は不動産業者に手続きを頼むことができる場合が多いが、家のオーナーが行ってくれることもある。ただ、国によっては自身で手続きをしないとならないこともある。また、検針や代金の支払い方法も必ず確認しておこう。

## 赴任の挨拶

赴任地に着いたら、なるべく早めに日本の両親や親戚、友人・知人などに赴任・転居の知らせを出すようにしよう。両親や兄弟など近しい人には、無事に到着した旨を電話やメールで知らせよう。親戚や友人・知人などにもメールやSNSで近況などを書き添えて送ってみることで、漫然とした不安が和らいだり、気持ちの整理に繋がることもある。

勤務先の関係者への挨拶回りはもちろんのこと、違う会社でも近くに日本人家族が住んでいる場合は早めに挨拶しておこう。毎日の買い物、子供の学校や病院のこと、公共交通機関の利用方法、日本人会やボランティア活動など、現地での生活に必要な情報やアドバイスを得るためにも、近所付き合いは大切にしたい。ゴミの出し方については、分別回収が徹底している地域では、特にルールにのっとって出さないと近隣と気まずくなったりトラブルになったりしかねないので注意しよう。

### 表①在外公館が行っている主な領事行政サービス

| | | |
|---|---|---|
| 各種証明書発行 | 在留証明 | 和文／日本国内で使用するもので、外国のどこに住所を有しているかを証明する。 |
| | 署名証明 | 和文／日本国内で使用するもので、印鑑証明の代わりとなる。 |
| | 出生証明 | 外国語文／いつ、どこで出生したかを証明する。 |
| | 婚姻証明 | 外国語文／誰といつから正式な婚姻関係にあるかを証明する。 |
| | 公文書上の印章の証明 | 外国語文／日本の官公署又は学校などが発行した文書に押印された印章の印影が真正であることを証明する。 |
| | 自動車運転免許証抜粋証明 | 外国語文／日本の自動車運転免許証を有していることを証明する。 |
| パスポート | 新規申請 | 海外で出生し初めて取得する方、有効期限が切れた方、紛失・盗難・焼失し紛焼失届を提出した方、氏名などの記載事項に変更がある方 |
| | 切替申請 | 残存有効期間が1年未満となった方 |
| | 帰国のための渡航書 | パスポートを紛失・盗難・焼失したが、新規にパスポートを発給してもらう時間がなく、早急に帰国する必要がある方 |
| 戸籍 | 出生届、婚姻届、死亡届、離婚届、認知届、養子縁組届、養子離縁届など | |
| 国籍 | 国籍選択届、国籍喪失届、国籍離脱届、国籍取得届など | |
| 国外転出者向けマイナンバーカード | 新規申請、再交付、電子証明書新規・更新、券面記載事項変更など | |

各種証明書発行などにかかる手数料、必要書類、所要日数等は事前に管轄の大使館・総領事館に確認を。
参考資料:外務省ホームページ「在外公館における証明」https://www.mofa.go.jp/mofaj/toko/page22_000554.html
外務省ホームページ「パスポート（旅券）」https://www.mofa.go.jp/mofaj/toko/passport/index.html

# 02 在外選挙



## 在外選挙

海外赴任中に日本の国政選挙に参加することができる。

投票するためには、事前に在外選挙人名簿に登録申請し、在外選挙人証の発行を受ける（登録されれば、国民投票及び国民審査にも投票可能）。在外公館での登録手続きは完了までに時間がかかるので、日本出国前に市区町村で申請を済ませておく「出国時申請」がオススメ。2018年6月から導入された制度だ。詳細は次ページのコラムを参照。なお、転出届を提出していないと在外選挙人名簿への登録はできない。

## 投票方法

投票方法は「在外公館投票」、「郵便等投票」、「日本国内における投票」から選ぶ。

### ①在外公館投票

居住地にかかわらず、投票記載場所が設置されているいずれかの在外公館において、在外選挙人証及びパスポート等の身分証明書を提示の上、投票する。

投票できる期間・時間は、原則として選挙の公示・告示日の翌日から在外公館ごとに決められた日までの、午前9時30分から午後5時まで。ただし、投票できる期間・時間・場所は、在外公館によって異なり、また、補欠選挙、再選挙では投票期間は原則として1日になる。詳細は最寄りの在外公館に照会する。

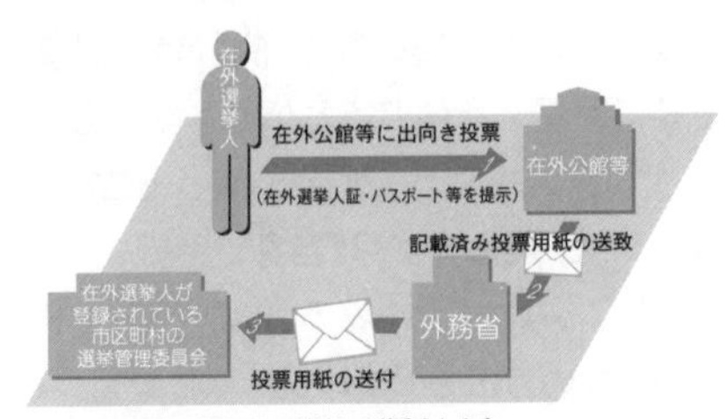


投票用紙は封筒に入れ封緘して送致されます。
裸の状態で送付されることはありません。

### ②郵便等投票

あらかじめ登録先の市区町村選挙管理委員会に対して「在外選挙人証」と「投票用紙等請求書」を送付の上、投票用紙等を請求しておく。当該選挙管理委員会から投票用紙等の交付を受けたあと、公示日（補欠選挙の場合は告示日）の翌日以降に記載した投票用紙等を登録地の市区町村選挙管理委員会に、日本国内の選挙期日（国内投票日）の投票終了時刻（原則午後8時）までに投票所に到着するように直接郵送する。

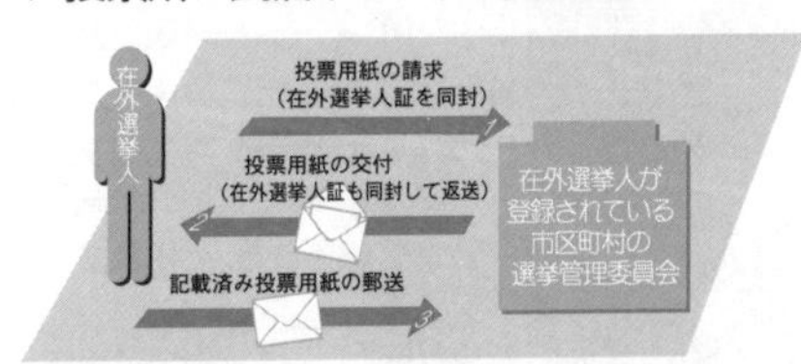


### ③日本国内における投票

選挙の時に一時帰国した場合や帰国後国内の選挙人名簿に登録されるまでの間は、在外選挙人証を提示の上、国内の投票方法を利用して、投票することができる。

**参考WEBサイト**

上記の申請手続きの詳細や、各種申請書のダウンロード、あるいは在外選挙制度の詳細（投票が出来る選挙、一時帰国中の投票方法など）は、以下のWEBサイトを参考にしよう。
外務省「在外選挙・国民投票・国民審査」 https://www.mofa.go.jp/mofaj/toko/senkyo/index.html
総務省「在外選挙制度について」 http://www.soumu.go.jp/senkyo/netsenkyo.html

## 在外選挙人名簿への登録申請

申請方法は2つ。日本を出発する前に市区町村へ提出する「出国時申請」と、国外転出後に在外公館で申請する「在外公館申請」の、どちらかの方法で申請する。

「出国時申請」は、2018年6月から導入された。「在外公館申請」は、3か月以上の居住要件があることや、国内の選挙管理委員会・外務省と、海外の在外公館の間でやり取りの上、手続きがなされるため、時間を要する。「出国時申請」では、手続きが簡素化されるため、登録所要時間が短縮される。

「出国時申請」を利用する際は、市区町村選挙管理委員会に改めて詳細の確認を。

### 出国時申請（日本出国前・国外転出届提出時）

国外転出届を提出した時から、届け出た転出予定日までの間に市区町村選挙管理委員会の窓口で申請する。

**申請必要書類**

①本人確認書類（パスポート、マイナンバーカード、運転免許証など）、②申請書

※本人の委任を受けた代理人による申請が可能。本人と代理人双方の本人確認書類に加え、本人が委任する旨の申出書及び申請書（本人の自署）の提出が必要。

**申請後の手続き**

①届け出た転出予定日の後、国外における住所の確認ができ次第、登録手続きが進められる。国外における住所の確認は在留届によって行われるが、ホテル等の一時的な滞在先を住所として在留届を提出すると、その住所が在外選挙人証に登録されてしまうおそれがあるので注意すること。

②市区町村選挙管理委員会から住所所在地を管轄する在外公館に対し、在外選挙人証のデータがメールで送信され、在外公館で在外選挙人証が印刷される。

③在外公館から在外選挙人証受領可能の連絡が来るのを待って、受領手続きを行う。受領は、本人が在外公館に赴いて受け取るか、又は登録された住所に郵送される。

### 在外公館申請（海外渡航後）

出国時申請を行っていない場合は、国外転出後、住所所在地を管轄する在外公館で申請する。在留届の事前の届出を行っていない場合は、在留届と一緒に申請するとスムーズ。

**申請必要書類**

①パスポート、②申請書、③3か月住所要件を証明する書類（以下の「申請後の手続き」参照）

※代理申請は、在留届の氏名欄に記載された者及び同居家族の欄に記載された者（日本国籍者に限る。）のみ可能。本人と代理申請者のパスポートに加え、本人自署の署名が入った申請書、申出書が必要。事前に管轄在外公館のWEBサイト等でダウンロードして準備する。

**申請後の手続きの流れ**

在留届と一緒に申請手続きをした場合、居住3か月を経過した時点で、在外公館から郵送・電話等で居住確認を受ける。その後、登録手続きが開始される。

なお、申請の時点で、すでに3か月以上居住している場合は、3か月間の居住を証明する書類（賃貸契約書など）を追加で提出するか、3か月以上前に在留届を提出していることを確認する。

# 03 海外生活で便利なサービス

海外在留邦人が増える中、日本語テレビの配信や日本食宅配サービスなど、海外在留邦人向けサービスが年々増えてきているので、出発前にチェックしておこう。

申し込みは、現地到着後にインターネット上で手続きが可能なものと、主にテレビ配信サービスなどのように、機器の購入や設定などのため出発前に手続きが必要なものとがあるので要注意。

## 日本のテレビ番組をみる

動画配信サービスの人気で、日本国内でも世界中の番組が見られる時代。しかし、日本国内で利用できる動画配信サービスは、国外からのアクセスは認められない場合が多い。配信コンテンツが日本国内の視聴に限定されているからだ。赴任先で日本のテレビ番組を視聴したい場合には、改めて海外から視聴可能なサービスに加入する必要がある。

現在、海外赴任者が利用している日本のテレビ番組視聴サービスは大きく分けて2種類がある（表①）。1つは日本のテレビ番組を中心に放送している衛星放送やケーブルテレビを契約すること。従来の衛星放送のように受信アンテナとレシーバーを設置する。もう1つはインターネットを利用した海外滞在者向け動画配信サービスを

### 表①日本のテレビ番組を視聴できるサービス

| サービス名称 | サービス概要 |
|---|---|
| 衛星放送・ケーブルテレビ | |
| NHKワールド・プレミアム | 海外在住または旅行中の日本人向け日本語チャンネル。NHKの国内テレビ3波（総合テレビ、Eテレ、NHKBS）から選んだ、ニュース・情報番組、ドラマ、音楽番組、子ども番組、スポーツ中継など、幅広い分野を放送。 |
| インターネット経由の視聴サービス | |
| WatchJTV.com | テレパソと呼ばれる機器一式を自宅のインターネット回線とアンテナ線に接続するだけで、日本のテレビ番組が視聴できる。海外の自宅のテレビにAppleTVをつなげば、テレビをつけただけで日本の番組を流すことが可能。自分専用のWEBアドレスからログインできる為、WEBブラウザさえあれば視聴が可能になる。 |
| ガラポンTV | 地デジ8局×24時間、全ての番組を2週間分（最大4ヵ月分）録画できる録画機。録画したテレビ番組はiPhone、iPad、Android、PC（Windows、Mac)等からインターネット経由で視聴できる。番組タイトルや説明文、番組内のテキスト情報での検索も可能。 |
| WAVECAST | 『海外生活を全力応援したい』世界中で日本のテレビそのままに、ネットに依存しない最強設計。規制に影響しないフルVPN搭載、SSDとクラウドでハイブリッド構成、録画容量無制限。レンタルビデオも楽しめる、国内初のフル地デジ・クラウドレコーダ！ |

※ 自身で内容確認の上、自己責任で申込下さい。

利用すること。こちらはパソコン経由であったり、データ配信であったり各社仕組みはさまざまだ。
選ぶ時には番組がどのように発信され、どのように現地で受信しているのか、確認すること。ネット経由のサービスは近年増加する新しい分野で、利用者も多い半面、著作権や著作権隣接の問題が発生し裁判になっているケースも一部生じている。

### 日本語の本・新聞を読む

海外で販売されている日本語の書籍は、国内よりもかなり高額。そこで便利なのが電子書籍サービス。海外からのアクセスが可能なサービスも出てきているので、出発前にアクセス条件など含めて調べておこう。また一部の書籍通販サイトでは、海外発送も行なっているので合わせて確認を。ただし各国で禁制品として扱う書籍もあるので、その点、注意が必要だ。
また各新聞社も、電子新聞の海外配信などのサービスを行なっている。

### 日本食宅配サービス

日本食ほか、日本の日用品など、どうしても現地で手に入らない日用品を調達するには宅配サービスが便利。ネット経由で注文し、海外の自宅まで宅配してもらうもので、食品他、お土産にしたい日本の名産品など、サービスはかなり充実してきている。最近では赴任先の輸入規制も把握した上で安全に手配をしてくれる気配りも。

### 郵便物転送サービス

赴任中でも国内の郵便物は定期的にチェックしたい、という場合、郵便物転送サービスがある。転送先住所を郵便局にあらかじめ届け出ておくと、転送サービス業者が定期的に郵便物を赴任地まで郵送してくれる。一時的に実家などで保管してもらう方も多いが、遠方で引き取りが難しい、あまり負担はかけたくない、という時にも便利だろう。日本国内で転送先の届け出などの手続きが必要なので、出発前に検討を。

### 硬水と軟水

海外生活が始まるまで、意外と気がつかない日本の生活との違い、その1つが「水」の違いだ。水はカルシウムやマグネシウムの濃度（硬度）の違いによって、硬度の高い硬水と、硬度の低い軟水に分けられる。飲料水として好んで硬水を飲んでいる人もいるが、では生活用水として硬水を使うとどうなるのか…。
日本の生活用水は多少の地域差があるものの基本的に軟水だ。しかし世界中を見渡してみると生活用水として硬水を使っている国は意外に多く、ヨーロッパではほとんどが硬水で、日本の生活用水の2倍あるいは3倍以上の非常に硬度が高い水を使っている地域もある。海外赴任者の中でも、気がついたら髪が傷んでいた、肌があれていたなどの影響がでている人もいる。慣れない硬水が皮膚に影響を及ぼしていたり、硬水の場合は石鹸カスができやすく、それで髪がごわごわになってしまっていたりする。
そこで最近では硬水を軟水に変えるフィルターが販売されている。お風呂場であればフィルターが付いているシャワーヘッドもあるので、購入して持っていけば、自分で取り付けて使う事ができるので大変便利。子どもがまだ小さく、肌が敏感な場合には、用意しておくと安心だろう。

# 04 一時帰国

## 一時帰国の制度を確認

一般的に、企業派遣の海外赴任者の場合、社内規程により一時帰国の制度が設けられている。健康診断、業務報告、あるいは休暇を目的として短期間ではあるが日本に帰国することができる。

制度の詳細は赴任前に必ず確認を。特に頻度・期間は企業によって様々で、例えば1年に1回で2週間程度、あるいは2年に1回で1ヶ月…など違いがある。その中で、日本の家族のこと、住まいのケア、あるいは数年後の本帰国の準備など、日本でしかできない用事を済ませる必要がある。もちろん自費で一時帰国をすることも検討できるが、まずはきちんと一時帰国制度を把握して、いつ・どんな目的で日本に帰るか、整理できるようにしておこう。

## 一時帰国はテーマを持って

一時帰国する際は、その時の帰国の目的やテーマについて、必ず家族で話し合い、入念に計画しよう。滞在期間が限られるものの、やるべきこと、やりたいことは沢山ある。

例えば、健康診断や持病の治療、食品などの必要備品の買い出しは定番。日本にいる親類への挨拶まわりや、お墓まいり、親の様子を見に行くことも重要事項だ。加えて子どもを帯同する場合には、教育相談を受ける、受験の準備をするなど、やっておきたい事柄は多い。

また、久々の日本だからこそ、温泉旅行をしたり、日本食を楽しんだり、友人と出かけたりしてリフレッシュすることも、充実した海外赴任を続けるためのコツ。一方で、そろそろ帰任が近いという場合は、転校先・進学先探し、住宅探しなど、本帰国の準備が優先されるだろう。

自分の場合はどんなことを優先するべきか。やりたいことはたくさん挙げられるので、表①も参考に、一時帰国の都度、目的を明確にして計画するようにしよう。

## 最新の日本にアップデート

赴任経験者の体験談では、一時帰国中は日本の流行をチェックしたい、最新のニュースを知りたい、と言う声も多い。日本を離れ、異国の生活が続くと、思いのほか日本のことが見えなくなるもの。話題のスポットや気になっている場所に足をのばす、書店で注目されている書籍をチェックする、といった時間を作っておくのも一考だ。

また、小さな子どもを帯同する場合、一時帰国は子ども自身が日本を体験できる貴重な機会にもなるので、有名な観光地やお祭りなどに連れて行き、日本の文化に触れる機会を設けるようにしよう。

なお、パンデミックの影響により、国際的な往来における制度のありようは流動的だ。日本帰国時の条件を確認するのはもちろんだが、赴任地に戻ってくる時の条件や手続きについても同時に調べておくようにしよう。

## 表① 一時帰国やることリスト

| | |
|---|---|
| 健康診断 | 企業が実施する場合が一般的。赴任中の生活状況を踏まえて、不安に思う点は医師に相談しておこう。歯科治療など、赴任地で保険外診療になるものも、済ませておく。 |
| 買い出し | 日本食、衣類、医薬品・化粧品、学用品など日本で買っておきたいものは事前にリストアップして効率的に購入する。一時帰国前に通販で購入し、滞在先に発送すると手間が省ける。非居住者免税（下コラム参照）や、検疫等による持ち込み制限は事前に把握しておこう。 |
| 家族との連絡 | 親族・家族に会いに行く。特に介護を必要とする家族がいれば、現在の状況や今後のサービス利用について、兄弟や依頼している業者に確認・相談を。国内連絡先を依頼している場合、不在中に届いた郵便物などを受け取っておこう。 |
| 自宅の手入れ | 空き家にしている場合は、空気の入れ替えなどのケアを。賃貸している場合は、賃貸状況の確認、家賃収入に対する所得税や固定資産税の納付状況について、代行会社・納税管理人等と確認する。 |
| 旅行 | 久々の日本を楽しむ旅行もオススメ。自分自身がリフレッシュできる時間を作っておこう。<br>また子どもを帯同して海外赴任する場合、一時帰国は子ども自身が日本を知る良い機会なので、有名な観光地を訪問すると良い。 |
| 運転免許 | 一時帰国中に更新する |

## 表② 教育関連やることリスト

| | |
|---|---|
| 学校見学<br>情報収集 | 帰国後の転校・進学先候補を調べておく。春～秋であれば、入学説明会、文化祭などに参加して学校を見学する。行事参加が難しい場合、学校周辺を散策しておくだけでも参考になる。パンフレットなども活用して帰国生のフォロー体制・途中編入制度・受験資格などの情報を集めよう。 |
| 体験授業 | 私立校では学校説明会と合わせて体験授業を実施している場合あり。帰国生教育の方針を知る良いチャンス。公立校の体験入学受け入れ可否は各校で異なる。学校に直接問い合わせを。 |
| 集中講習 | 入試に備え、塾の集中講習を受ける。日本国内や他国の帰国生と一緒に勉強することで、自身の学習進度などを確認するのに良い。 |

お役立ちコラム

### 一時帰国で便利なテクニック

**WiFi・携帯電話**

レンタルのWiFiルーターやプリペイド式のSIMカードが便利。空港で入手可能で、ルーター返却は宅急便でできるサービスもある。

**レンタカー・カーシェアリング**

国内旅行や親戚周りなど移動が多い一時帰国であればレンタカーやカーシェアリングが便利。外国人旅行客にも人気なのでインターネットで予約しておくと安心。

**ホテル・サービスアパートメント**

ホテルのほか、中長期の滞在であれば都心部では家電・家具がついたウィークリーマンション・サービスアパートメントなども便利な選択肢。民泊は未だ違法なものもあるので要注意。

**ショッピングと非居住者免税**

非居住者は外国人観光客同様に、消費税免税で買い物ができる。家電、一般用品などが対象。出国まで開封できないなどの条件がある。制度の詳細・実施店舗は以下Webサイトで確認を。ただし、検疫等の条件で赴任国に持ち帰られないものがあるので、別途、確認しておこう。
国土交通省「免税店とは？」 https://www.mlit.go.jp/kankocho/tax-free/about.html

COLUMN

## 介護に備えて知っておきたい移動手段　株式会社アイ・ティ・エス

### 他人事ではない介護について知っておく

日本において15歳上で普段から家族の介護をしているのは653.4万人で、主な介護者は同居の親族が中心となっています。約5割が同居の家族を介護していることから、家族の介護は決して他人事ではありません。

### 通院等の移動手段を把握する

介護は寝たきりなどで行動が制限される方の食事を食べさせたり着替えの手伝いをするだけではなく、長時間の歩行が難しくなってきた両親定期検診などの手伝い（通院）や買い物、時にはお墓参りなども介助する必要があり介護と言えるでしょう。足腰が弱くなり長時間の歩行が困難な場合は、公共交通機関を利用した移動も苦労することが多く、外出することを控えた結果、さらに筋力などが衰えてしまいます。積極的な外出のためにも最適な移動手段を把握しておくことで介護される方、する方の問題を大きく軽減できます。

### 介護タクシー

介護タクシーは介護が必要な方向けのタクシーサービスで、乗降のしやすいようステップが搭載されるなどの補助装置や車いす、ストレッチャーのまま乗車できる設備が整っているタクシーです。介護経験のある運転手が多く安心して移動できる手段が可能で大変人気なサービスのため予約が取れず急ぎで利用したい場合に満車であったり、一般的なタクシーより料金が高くなることがあります。介護保険が適用できるサービスと自費の場合で利用条件が異なる事や時間制運賃と距離制運賃や併用制があるため事前に事業者へ確認しましょう。

### 福祉有償運送サービス（NPO等）

福祉有償運送は、地域のNPOや社会福祉法人などの非営利法人が提供する移動が困難な方に向けた通院、通所、レジャー目的の有償移送サービス（おでかけサービス）です。料金は比較的安価で利用することができますので、タクシーサービスより気軽に利用できる点がメリットと言えるでしょう。利用対象者が限定されており介護保険の要介護者であること、事前の会員登録が必要であることから急な利用には対応できない場合があります。

### 福祉車両レンタカーサービス

近年ではリフト・スロープの付いた車いすごと乗車できる車輌や、助手席などが回転し車いすから移乗しやすいような架装がされた介護車両をレンタルしているレンタカー会社があります。利用できる時間や期間は一般的なレンタカーと同様に設定していることが多く、通院や旅行時などの短期間利用や長期的な介護が必要な家族の移動手段として1ヶ月、半年などの長期契約ができるため必要なときだけマイカーのように使用できることが特徴です。レンタカー会社によっては保有台数が少なかったり最寄りの店舗ではレンタルできないこともあるため、介護車両専門のレンタカー会社を知っておくと良いでしょう。

### 自家用車を移動手段として使用する

自家用車を使用すれば出費を最小限に抑えることができますが、ドアの開閉や座席位置などで支障がでることもあり、乗降の際に掴まる手すりなども十分に装備されていないことから不便だと感じる方も多く居るようです。現在は自動車メーカーが自家用車を介護車両に改造するキットを販売していたり、介護車両へ改造する専門店もあり、自治体によっては改造費用の助成もありますが改造費用が高額になるケースもあることから慎重な判断が必要になるでしょう。

サービス内容

| | 要介護人本人が利用する移動手段 | 介護保険適用 | 手軽さ | 車いす同乗 |
|---|---|---|---|---|
| 介護タクシー（介護保険適用） | ○ | ○ | △ | ○ |
| 介護タクシー（自費） | △ | × | △ | ○ |
| 福祉有償運送サービス | ○ | ○ | △ | △ |
| 福祉車両レンタカーサービス | × | × | ○ | ○ |
| 一般タクシー | × | × | ○ | △ |
| バス | × | × | ○ | ○ |
| 電車 | × | × | ○ | ○ |
| マイカー | × | △ | ○ | △ |

## 介護・福祉車両

福祉車両レンタカーで移動がラクラク！

# スマイルレンタカー

### 株式会社アイ・ティ・エス

### 車いすのお出かけをもっと気軽に

スマイルレンタカーでは車いすユーザーの方、ご家族が車いすをご利用の方向けに車いすのまま乗車できる福祉車両のレンタカーをご用意しております。介護タクシーでは自由が利かないし、自家用車では乗り降りが大変、そんなお悩みを福祉車両レンタカーならまとめて解決。滞在中はマイカーとして乗り降りの手間や荷物を気にすることなくどこでも自由に移動できるため、一時帰国中の限られた時間を最大限に活かすことができます。カーナビ・ＥＴＣは標準搭載、任意保険はレンタル料に含まれていますので安心してご利用ください。

### 福祉車両のプロがご案内します！

福祉車両を使ったことがない方もご安心ください。福祉車両のことを熟知している「福祉車輌取扱士」の資格をもつスタッフが乗車人数、荷物の量、車いすのサイズ、使用用途など丁寧にヒアリングをしてお客様にピッタリの車をご提案します。レンタル当日もスロープの出し入れ、リモコンの操作方法、車いすの固定方法を丁寧にレクチャーいたしますので、分からない事がありましたらなんでもご相談ください。

### おトクな長期プランあります

１週間、１ヶ月の長期プランは一時帰国中の観光や通院だけでなく、試乗や新車の納車待ちとしてもご好評いただいております。１ヶ月以上のご利用なら指定場所へお車をお届け、返却の際にも引き取りに伺います。（別途料金が必要です）事前お手続きはWEB上ですべて完結、レンタル当日はすぐに出発できるのでお客様の時間を無駄にはしません。

安心・安全のお届け物を世界中に。

# 食料品等の海外向け送付サービス ㈱ジェス

JES（ジェス）は、日本の商品を安全·確実にお届けいたします。

多彩な品揃え、商品の安定供給、経験豊富な輸出梱包、世界各国の通関状況に対応するノウハウを基に、海外勤務の皆様及び企業ご担当者様の双方に安心とサービスを提供することをお約束いたします。

## 日本食·雑貨の海外送付

当社では長年の経験と豊富な実績により、あらゆる国へ適切な輸送手段により、食料品·雑貨をお届けいたします。

お客様にお喜びいただける豊富な品揃えと、万全の賞味期限の管理、誤りの無い、経済性を勘案した梱包、各地の通関事情に精通した輸送手段をご提供申し上げます。

政情不安·自然災害や感染症拡大による影響で配送が難しい地域へのご手配も可能です。

## 海外転送サービス

ご家族からのお荷物や通販サイト等からのお荷物の海外発送を行うサービスです。

お品物を弊社にお送りいただくだけで面倒な梱包や海外配送手続きは弊社にて代行し海外配送をいたします。

## 築地エキスプレス

魚介類など生鮮品を冷凍梱包でお引渡しするサービスです。海外で活躍する当社の調理師が推薦する築地生鮮食品の味をお楽しみください。

## 調理師の派遣

当社では海外経験豊かな調理師さんの派遣を行っております。工場立ち上げ等に給食業務が必要な企業様からのご連絡をお待ち申し上げます。

## 業務用食料品の海外送付

海外の事業所·工事現場の食堂向けに、業務用食料品をお送りするサービスです。

**海外への日本食・雑貨の送付をご希望の場合はお気軽にお問い合わせください。**

JES

<連絡先・資料請求先> **株式会社ジェス**

〒134-0086 東京都江戸川区臨海町 3-6-4
ヒューリック葛西臨海ビル 6F
TEL:03-5679-2113（代）FAX:03-5679-2265
URL:https://www.jesc.co.jp/
E-mail:info@jesc.co.jp

明日から使えるWiFi レンタル！ 空港での受取・返却もOK！

# WiFiレンタルどっとこむ

**株式会社ビジョン**

## WiFiレンタルどっとこむの特徴

WiFiレンタルどっとこむは、1日～好きな期間レンタルできるWiFiルーターのレンタルサービスです。契約期間の縛りがないので、一時帰国、引っ越し、入院、旅行、帰省など利用用途に合わせて、短期でも長期でもご利用いただいております。

日本時間16時までのお申し込みで最短翌日からご利用が可能です。WiFiルーターは受取ってすぐにインターネット接続できます。難しい設定や工事は必要ありません。

## 安心・安全なセキュリティ

WiFiルーターは、個別の専用パスワードで保護されているため、セキュリティ面でも安心です。フリーWiFiのようにハッキングの心配もありません。また、複数デバイスに接続できるため、スマートフォンやパソコン、タブレットと同時接続したり、家族や友人とのシェアも可能です。

**一時帰国中のお仕事・帰省にも最適です。**

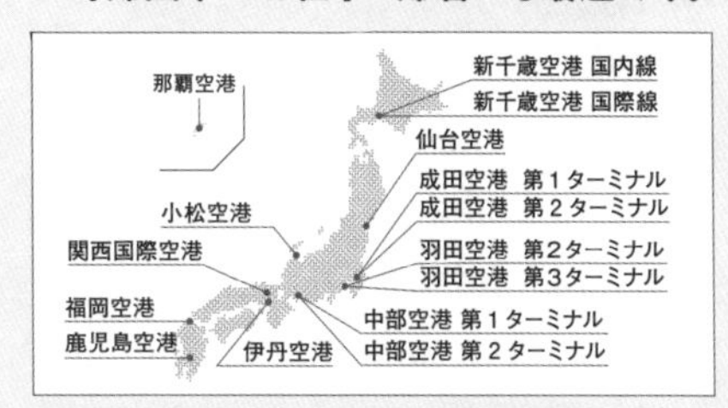


▲空港カウンターの一覧はこちら

## 空港・宅配・コンビニで受取可能

全国の主要空港に受取カウンターがございますので、日本に到着してすぐにWiFi接続することが可能です。また、滞在先のホテルやご自宅に宅配便でお届けしたり、最寄りの提携先コンビニでお受取りいただくことも可能です。

ご返却は空港・宅配・ポスト投函が可能ですので、ご都合に合わせてご選択ください。受取・返却方法が異なっても問題ございません。

世界中でショッピングをボーダーレスに！

# DANKEBOX

**株式会社Vista Grande**

## DANKEBOX 海外発送サービスについて

DANKEBOXは、海外にいながらお客様のプライベートの住所を日本に持つことができるサービスです。
お客様は、海外にいながら日本のネットショッピングをお楽しみいただけます。
専任スタッフがお客様宛に届いた荷物・郵便物を受け取り、お客様の専用プライベートボックスに保管いたします。
荷物や郵便物が到着すると「荷物到着のお知らせメール」が届きます。
お客様のアカウント内にある到着荷物情報は、お客様のアカウントにログインしていつでもご確認いただけます。
お荷物の発送の際にはシステム上から簡単に依頼することができ、専任スタッフがご要望通りに梱包〜発送手配を行います。
これにより、お客様が指定した荷物を、お客様が指定する住所に、お客様が指定する発送方法で、お好きなタイミングで発送することが可能になります。
煩わしい通関書類作成等も弊社にて代行致します。
発送したお荷物は、追跡番号によりステータスを確認することができます。
日本国内の住所へも転送可能です。国内転送の場合、ヤマト運輸の宅急便（発払いまたは着払い）で発送します。

## DANKEBOXのご利用について

DANKEBOXの利用に際しては、初期登録費用は無料です。月額費用は2,200円ですので、1日あたり約70円程度と非常に安価な料金体系となっており、初めて利用されるお客様にとっても、安心の料金体系となっています。

海外のお宅に日本の商品をお届けします
◆お好きなときに指定したお荷物を、ご指定の住所にお送りします
◆国内の郵便物の転送先としても指定して頂けます
◆日本国内住所への転送も可能です
◆荷物を一定期間保管いたします
◆ショッピング代行もいたします
◆おまとめ発送で送料が安くなります
◆海外で日本の商品を販売する方にもお勧めです
注文・決済
日本のネットショップ
DANKEBOX 宛
にて配達
海外在住のお客様
まとめてお届け
システム上で発送以来
受取・保管・梱包
DANKEBOX
海外在住のお客様
ご友人やご家族に直接お届け

また、保管中の商品については、無料の保険サービスがついており、海外業者を介した商品の受け取りの際に生じる不安もありません。

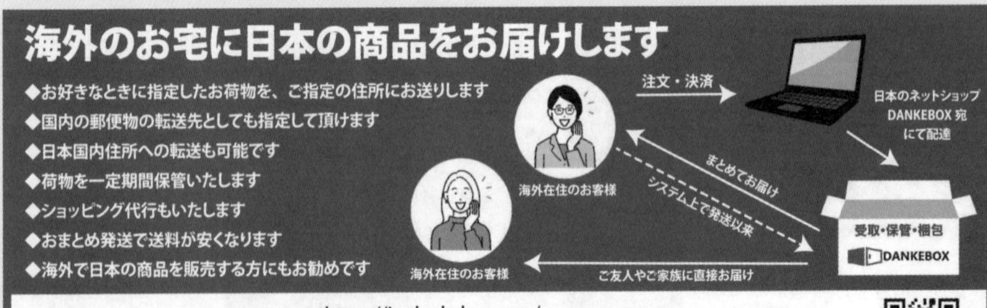


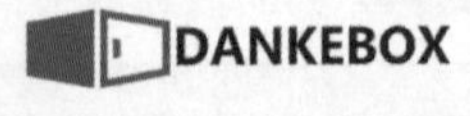


https://jp.dankebox.com/
〒242-0006 神奈川県大和市南林間 1 丁目 8 番地 17 号
サウスクラウドビル 3F DANKEBOX

サービスアパートメント

海外から日本へ一時帰国される際の滞在先をご提供するサービスです

# 一時帰国.com

**matsuri technologies株式会社**

## 「一時帰国.com」ってどんなサービス?

一時帰国.comでは、ご希望のエリアや予算・間取りなどをお伺いし、生活に必要な家具家電やアメニティが完備された物件をご提案いたします。
必要な手続きは、帰国前に全てオンラインで完結いたしますので、安心してご帰国ください。

## 「一時帰国.com」の利用イメージ

▼こんなシーンで、是非お役立てください
- 一時帰国時の短期滞在
- 自宅の手配が必要な方の一時滞在
- 日本への移住・赴任される方のつなぎ滞在
- 日本へ研修等で入国される団体・グループ滞在

## サービスの特長

①必要なお手続きは帰国前にオンラインで全て完結するため、帰国後はすぐに滞在先へ。
②帰国時期や日本での滞在期間に合わせて、短期～1年超まで柔軟な契約が可能です。
③お一人でもご家族でも、ご希望の人数に合わせた滞在先を手配いたします。
④生活に必要な家具家電を完備し、ほぼ全ての物件にキッチンも備わっています。

## サービス提供エリア

- 北海道（札幌）・東京・大阪
- 愛知（名古屋）・福岡

## ご利用者特典

お問合せ時「海外赴任ガイドを見た」とご申告いただけましたら、初期費用内のリネン費5,500円を無料にさせていただきます!

**日本へ一時帰国される際の滞在先を**
**短期～数ヶ月単位でご提供するサービスです**

一時帰国.COM
ICHIJI KIKOKU.COM

全物件、家具・家電付き！
必要な手続きは全てオンラインで完結！

＜ホームページ＞
http://www.ichiji-kikoku.sumyca.com/

**【限定キャンペーン開催中！】**
お問合せ時「海外赴任ガイドを見た」とご申告ください。
初期費用内のリネン費5,500円を無料に！

## カウンセリング

### 異文化に暮らす家族のこころのケアを考え、情報を提供
**ー海外で暮らす家族と共にー　Group With**

海外生活を体験した母親による非営利自主活動グループ。海外で育つ子ども達やその家族が異文化に適応し、充実した生活を送ることができるようこころのケア、教育、子育てなどに関する様々な情報を提供している
☆「日本語で受けられる海外メンタルヘルス相談機関」「帰国生や外国の方々のこころの相談機関（日/英）」
☆海外日本人学校や幼児教育施設の障がい児受け入れ状況一覧
☆専門家への取材やセミナーの開催

■一海外で暮らす家族と共にー Group With
■事務局：〒184-0014　東京都小金井市貫井南町3-22-27-305
■E-mail：groupwith@nifty.com

COLUMN

### 日本の味を異国の地でも

海外駐在歴　10年/アメリカ7年、イギリス3年

海外赴任が決まって気になることの一つに「食事」があります。慣れ親しんだ日本の味を簡単に味わえない海外での毎日の食事は悩みの種。特に小さなお子様を帯同するご家庭にとってはなおさら気にかかる事でしょう。

ここでは、海外赴任前、または一時帰国の際に持っていかれると役立つ食材をご紹介。またこれらの食材は海外在住の方々へのお土産として持っていかれてもきっと喜ばれるに違いありません。参考にしてみてください。

**日本から持ち込み**

最近ではどこの国でも日系スーパーやアジア系スーパーがあり、比較的なんでも手に入りやすくなってきていますが、並んでいる商品は高額のうえ、賞味期限（または消費期限）が近いものが多く並んでいます。

ある程度の調味料や乾物類は事前に船便で送ると良いでしょう。ただし、肉製品、肉エキスの入ったもの、および生米は持ち込みを禁止している国がほとんどです。持ち込めるものについては事前に船便をお願いする運送会社に必ずお問い合わせをしましょう。

**通販サイトを利用**

日本から送る物には重量制限がありますので、無尽蔵に送ることはできません。その際に頼れるサービスが「海外発送に対応している通販サイト」または、「通販で購入したものを海外に転送してくれるサイト」（但し、購入したものが、海外発送対象に物に限る）です。異国の地で食べたい日本食を取り寄せるのに大変便利です。ただし、利用の際は以下の点にご注意ください。

①関税がかかるので、通関事情に精通したサイトを選ぶ
②送料が国によって異なるので、事前に確認する

**簡単レシピ**

**【簡単　万能出汁醤油】**
醤油に５㎝くらいにカットした乾燥昆布、干し椎茸、たっぷりの鰹節を入れ、１～２分火にかける。素熱を取ってから、そのまま冷蔵庫で一晩寝かせる。
※煮立たせてしまうと醤油が苦くなってしまうので、要注意！

| 持っていくと便利な食材（全て未開封のもの） | | |
|---|---|---|
| | だしの素 | 肉エキスの入っていない野菜や魚が原料のもの |
| | 乾麺 | うどん、そば、そうめん |
| | フリーズドライ | 国産の乾燥野菜、味噌汁など |
| | 粉製品 | ホットケーキミックス、お好み焼き粉など |
| | 乾物 | 昆布、干し椎茸、海苔、かつお節、カットワカメ、切り干し大根など |
| | 調味料 | 醤油、旨塩、味の素 |
| | ゴマ | スティック状の小分けになっている使い切りタイプがお薦め |
| | ふりかけ | お弁当用のふりかけ、お茶漬け用のふりかけ |

CHAPTER

# 巻末付録

# 在外公館連絡先

出発前には必ず、滞在先を管轄する在外公館（日本大使館、総領事館、領事館事務所）の連絡先を確認しよう。ここでは主な在留邦人が多い都市を管轄する在外公館の電話番号を掲載している。その他の在外公館連絡先は外務省のHPを参照しよう。

### アジア地域

●在インド大使館
91（11）2687-6564
在コルカタ総領事館
91（33）3507-6830
在チェンナイ総領事館
91（44）2432-3860
在ムンバイ総領事館
91（22）2351-7101
在ベンガルール領事事務所
91（80）4064-9999

●在インドネシア大使館
62（21）3192-4308

●在カンボジア大使館
855（23）217161

●在シンガポール大使館
65-62358855

●在タイ大使館
66（2）696-3000

●在大韓民国大使館
82（2）2170-5200
在釜山総領事館
82（51）465-5101

●在中華人民共和国大使館
86（10）8531-9800
在重慶総領事館
86（23）6373-3585
在広州総領事館
86（20）8334-3009
在上海総領事館
86（21）5257-4766
在瀋陽総領事館
86（24）2322-7490
在青島総領事館
86（532）8090-0001
在大連領事事務所
86（411）8370-4077
在香港総領事館
852-25221184

●在バングラデシュ大使館
880（2）222260010

●在フィリピン大使館
63（2）8551-5710
在セブ領事事務所
63（32）231-7321

●在ベトナム大使館
84（24）3846-3000
在ホーチミン総領事館
84（28）3933-3510

●在マレーシア大使館
60（3）2177-2600
在コタキナバル領事事務所
60（88）254169

●在ミャンマー大使館
95（1）549644

●在モンゴル大使館
976（11）320777

●在ラオス大使館
856（21）41-4400

### 大洋州地域

●在オーストラリア大使館
61（2）6273-3244
在シドニー総領事館
61（2）9250-1000
在メルボルン総領事館
61（3）9679-4510

●在ニュージーランド大使館
64（4）473-1540
在クライストチャーチ領事事務所
64（3）366-5680
在オークランド総領事館
64（9）303-4106

### 中東地域

●在アラブ首長国連邦大使館
971（2）4435696
在ドバイ総領事館
971（4）2938888

●在カタール大使館
974-4440-9000

●在サウジアラビア大使館
966（11）488-1100

●在トルコ大使館
90（312）446-0500
在イスタンブール総領事館
90（212）317-4600

### 欧州地域

●在アイルランド大使館
353（1）202-8300

●在イタリア大使館
39（06）487991

●在ウズベキスタン大使館
998（78）1208060

●在英国大使館
44（20）7465-6500

●在オランダ大使館
31（70）3469544

●在ギリシャ大使館
30（210）6709900

注1:青数字:国番号。括弧内は市外局番です。注2:日本国内からかける場合は国番号の前に「国際電話発信番号(例:+、010など)」をつけてください。

●在スイス大使館
41(31) 3002222
在ジュネーブ領事事務所
41(22) 7169900
●在スウェーデン大使館
46(8) 57935300
●在スペイン大使館
34(91) 5907600
在バルセロナ総領事館
34(93) 2803433
●在チェコ大使館
420(2) 57533546
●在デンマーク大使館
45-33113344
●在ドイツ大使館
49(30) 210940
在デュッセルドルフ総領事館
49(211) 164820
在ハンブルグ総領事館
49(40) 3330170
在フランクフルト総領事館
49(69) 2385730
在ミュンヘン総領事館
49(89) 4176040
●在ノルウェー大使館
47-22012900
●在ハンガリー大使館
36(1) 3983100
●在フィンランド大使館
358(9) 6860200
●在フランス大使館
33(1) 48886200
●在ベルギー大使館
32(2) 5132340
●在ポーランド大使館
48(22) 6965000
●在ポルトガル大使館
351(21) 3110560

●在ルクセンブルグ大使館
352-4641511
●在ロシア大使館
7(495) 2292550
在サンクトペテルブルク総領事館
7(812) 3141434

### アフリカ地域

●在エジプト大使館
20(2) 25285910
●在ケニア大使館
254(20) 2898000
●在南アフリカ共和国大使館
27(12) 4521500

### 北米地域

●在アメリカ合衆国大使館
1(202) 2386700
在アトランタ総領事館
1(404) 2404300
在サンフランシスコ総領事館
1(415) 7806000
在シアトル総領事館
1(206) 6829107
在シカゴ総領事館
1(312) 2800400
在デトロイト総領事館
1(313) 5670120
在ナッシュビル総領事館
1(615) 3404300
在ニューヨーク総領事館
1(212) 3718222
在ヒューストン総領事館
1(713) 6522977
在ポートランド領事事務所
1(503) 2211811
在ボストン総領事館
1(617) 9739772
在ホノルル総領事館
1(808) 5433111
在マイアミ総領事館
1(305) 5309090
在ロサンゼルス総領事館
1(213) 6176700
●在カナダ大使館
1(613) 2418541
在バンクーバー総領事館
1(604) 6845868
在カルガリー総領事館
1(403) 2940782
在トロント総領事館
1(416) 3637038
在モントリオール総領事館
1(514) 8663429

### 中南米地域

●在アルゼンチン大使館
54(11) 43188200
●在キューバ大使館
53(7) 204-3355
●在チリ大使館
56(2) 2232-1807
●在ブラジル大使館
55(61) 3442-4200
在サンパウロ総領事館
55(11) 3254-0100
在マナウス総領事館
55(92) 3232-2000
在リオデジャネイロ総領事館
55(21) 3461-9595
●在ペルー大使館
51(1) 219-9500
●在メキシコ大使館
52(55) 5211-0028
在レオン総領事館
52(477) 343-4800

CHAPTER 7

# キーワード索引

CHAPTER 7

# この本の発行にご協力いただいている
# 企業・団体索引

# 海外赴任ガイド2025

1987年2月10日 初版発行
2024年12月1日 第38版発行

編集・監修 —— 株式会社JCM
東京都千代田区神田錦町3丁目13番
竹橋安田ビル
表紙立体制作 —— くまださよこ
表紙撮影 —— STUDIO.MORITAKE
発行所 —— 丸善プラネット株式会社
〒101-0051
東京都千代田区神田神保町2-17
電話03-3512-8516
発売所 —— 丸善出版株式会社
〒101-0051
東京都千代田区神田神保町2-17
電話03-3512-3256

ISBN 978-4-86345-575-7
落丁・乱丁はお取替えします。

# 在外選挙の制度と手続について

在留届の提出も忘れずに！

## 在外投票のためには在外選挙人証の取得が必要です

**在外選挙登録資格**

❶ 満18歳以上　❷ 日本国籍保有者
❸ 海外に3か月以上居住（出国時登録申請者を除く）

必要書類を準備し申請書に記入、大使館、総領事館窓口で登録申請 → 3か月の居住期間経過後に大使館などから住所確認の連絡を受ける → 選挙人証の受取

**用意する物**

- 旅券
- 申請書
- 居住している事を証明できる書類
（在留届を提出済の方は不要です。）

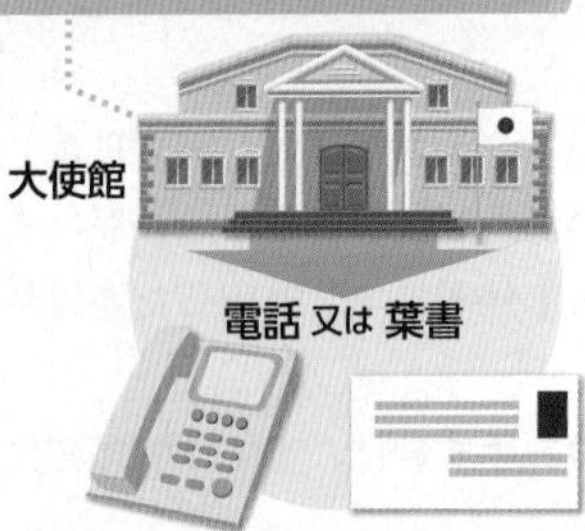

※選挙人証は郵送又は窓口での受取が選べます

## 在外投票は次の3つの方法から選択できます

**在外公館投票**

直接日本大使館・総領事館・領事事務所等に出向いて投票する方法。

**郵便等投票**

投票用紙等を事前に請求して、記載の上、登録先の選挙管理委員会へ郵送する方法。

**日本国内で投票**

一時帰国した方や、帰国直後で転入届を提出して3か月未満の方は、日本国内でも投票できます。

### 同居家族による代理申請もできます。

**申請者の上記書類と署名入り在外選挙人名簿登録申請書と申出書※、代理の方の旅券を御用意ください。**

※申請書と申出書は領事窓口または総務省のホームページから入手できます。

1 平成22年5月に憲法改正国民投票法が施行されました。在外選挙人証をお持ちの方は国民投票にも投票できます。
2 平成30年6月から出国時登録申請が始まりました。国外転出する際に市区町村の窓口で申請できます。
3 令和5年2月に最高裁判所裁判官国民審査法の一部を改正する法律が施行されました。在外選挙人証をお持ちの方は、国民審査にも投票できます。

外務省


詳しくは、**外務省領事局政策課在外選挙室**
TEL：03-5501-8153


または

外務省　在外選挙

まで。

# 赴任先で心身ともに健やかに過ごせるよう、JAMSNETは海外在留邦人を支援いたします。

第10回 ジャムズネット ワールド会議（2023年9月 ドイツ デュッセルドルフ）

## JAMSNETとは？

JAMSNET（Japanese Medical Support Network）は、2006年1月、在ニューヨーク総領事館が協力し、日系企業／団体が支援するという、いわば官民一体となって発足した画期的な邦人支援ネットワークです。当初はニューヨーク周辺の医療、福祉、教育、心理系邦人支援グループ同士の情報交換、相互連携の構築・促進を目的として誕生した非営利団体（NPO）でしたが、その輪は国境を超え、世界各地に広がっています。JAMSNETグループはお互いに連携をとりながら、海外在留邦人の心と身体の健康をサポートします。

## 世界に広がるJAMSNET

2014年に第1回JAMSNET世界会議がニューヨークで開催され、以降、世界中の海外在住邦人の支援やネットワーク作りに広がっています。JAMSNETに寄せられたお問い合わせやご相談はその専門家に送られ適切に回答させていただいており、相談内容によっては他の地域のJAMSNETに問い合わせて回答することがあります。

## お問い合わせ

**JAMSNET-USA**
Japanese Medical Support Network
2006年設立
代表：本間俊一
https://jamsnet.org　contact@jamsnet.org

**JAMSNET-日本**
Japanese Medical Support Network - Japan
2009年設立
代表：濱田篤郎
https://jamsnettokyo.org　info@jamsnettokyo.org

**JAMSNET-Canada**
Japanese Medical Support Network - Canada
2013年設立
代表：傳法清
https://jamsnetcanada.org/　info@jamsnetcanada.org

**JAMSNET-ドイツ**
Japanese Medical Support Network - Germany
2014年設立
代表：馬場恒春
http://www.jamsnet.de/　info@jamsnet.de

**JAMSNET-Melbourne**
Japanese Medical Support Network - Melbourne
2016年設立
代表：橋村ひかる
https://www.facebook.com/groups/JAMSNETAustralia

**JAMSNET-Swiss**
Japanese Medical Support Network - Swiss
2020年設立
代表：リッチャー美津子
https://jamsnetswiss.org/　info@jamsnetswiss.org

Friends
帰国生 母の会
海外赴任帰国サポート

# 海外赴任、帰国生入試・編入を体験からサポート

「フレンズ 帰国生 母の会」は1983年10月設立、
海外在住体験のある母親たちのボランティア団体です。

## 主な活動のご案内

**●相談受付**
体験者の立場から、海外赴任に関する心得や準備等お話しします。
電話、メール、フレンズオフィス またはオンライン での面談が可能です。
面談はご予約をお願いします。予約受付時間 平日10:30〜16:00

**●「母親が歩いて見た帰国生のための学校案内(中学・高校編)首都圏版」発行**
帰国入試要項のほか、帰国担当の先生と在籍帰国生から入試や学校生活の様子をインタビューした訪問記を掲載した学校案内を毎年発行しています。

**●機関誌「フレンズだより」発行**
帰国生を取り巻く教育や海外での学校体験などをテーマとした特集、各国からのレポートなどを年2回お届けします。

**フレンズ 帰国生 母の会**

**03-6633-4096**

〒104-0061 東京都中央区銀座5-3-16
日動火災・熊本県共同ビル8F

**Email fkikoku@gaea.ocn.ne.jp**
**http://fkikoku.sun.bindcloud.jp/**

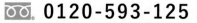